Maîtrisez

Premiere 6.5

Tout de suite

Copyright	© 2002 Micro Application 20-22, rue des Petits-Hôtels 75010 PARIS
	1ère Édition - Décembre 2002
Auteur	Frédéric HELMER

Avertissement aux utilisateurs

ISBN : 2-7429-2857-X

MICRO APPLICATION
20-22, rue des Petits-Hôtels
75010 PARIS
Tél. : 01 53 34 20 20 - Fax : 01 53 24 20 00
http://www.microapp.com

Support technique :
Tél : 01 53 34 20 46 - Fax : 01 53 34 20 00
également disponible sur
www.microapp.com

Mister O'net, l'homme à la référence, vous montre le chemin !

Rendez-vous sur le site **Internet de Micro Application** www.microapp.com. Dans le module de recherche, sur la page d'accueil du site, retrouvez **Mister O'net**. Dans la zone de saisie, entrez la référence à 4 chiffres qu'il vous indique sur le présent livre. Vous accédez directement à la fiche produit de ce livre.

Recherche
3857

Avant-propos

Maîtriser rapidement l'utilisation d'un nouveau logiciel ou d'un langage de programmation, tirer le meilleur parti des fonctionnalités de votre PC ou d'Internet, découvrir les technologies numériques... La collection *Tout de Suite* saura répondre à toutes vos attentes !

Novatrice, la collection est entièrement rédigée par des auteurs francophones. Elle vous procure une lecture conviviale et vous guide sans peine dans l'apprentissage du sujet traité.

Pratique, elle vous permet de réaliser des applications concrètes et immédiates à l'issue de votre lecture. La réussite assurée, *Tout de Suite* !

Conventions typographiques

Afin de faciliter la compréhension des techniques décrites, nous avons adopté les conventions typographiques suivantes :

- **gras** : menu, commande, boîte de dialogue, bouton, onglet.
- *italique* : zone de texte, liste déroulante, case à cocher, bouton d'option.
- Police bâton : instruction, listing, adresse Internet, texte à saisir.
- ✂ : indique un retour à la ligne volontaire dû aux contraintes de la mise en page.

Au cours de votre lecture, vous rencontrerez les encadrés suivants :

 Astuce

Propose des trucs pratiques.

 Attention

Met l'accent sur un point important, souvent d'ordre technique, qu'il ne faut négliger à aucun prix.

 Conseil

Vous recommande une technique ou une marche à suivre.

Définition

Donne en quelques lignes la définition d'un acronyme ou d'un terme technique.

 En bref...

Résume les acquisitions faites dans le chapitre.

 Internet

Reportez-vous au site indiqué pour obtenir plus d'informations.

 Remarque

Il s'agit d'informations supplémentaires relatives au sujet traité.

 Renvoi

Fait référence à un chapitre de l'ouvrage où vous trouverez des informations complémentaires.

Introduction

Lorsque Louis et Auguste Lumière mirent au point le Cinématographe (1895), ils ne se doutaient certainement pas de l'incroyable essor de leur invention et du chamboulement artistique qui en découlerait. Plus d'un siècle s'est écoulé depuis la première représentation publique et le Cinéma est devenu une véritable industrie.

Presque cent ans plus tard la micro-informatique entrait dans la vie de nos contemporains. En quelques années les simples machines à calculer du début devinrent de supers calculateurs gavés de mémoire vive, de disques de plus en plus rapides, de processeurs de plus en plus performants. Associé à une guerre des prix visant à la démocratisation, cet événement permet aujourd'hui l'entrée du monde numérique dans les foyers.

Si le monde du Cinéma demeure encore magique pour nombre d'entre nous, il a souvent suscité des vocations, qui, surtout lorsqu' elles n'étaient pas professionnelles, demeuraient inaccessibles et avaient peu de chance d'aboutir. Outre l'aspect artistique et relationnel demeuraient les écueils financiers et techniques.

L'apparition de formats à vocation grand public (8mm, super 8, 9,5mm, 16 mm ...) permit à certains de franchir le pas et offrit à d'autres l'occasion de se faufiler (et parfois de se distinguer) dans un milieu farouchement réservé. Bien des problèmes pourtant restaient souvent insurmontables : la prise de son, le montage, la post-synchronisation, le mixage étaient toujours l'apanage des professionnels et des plus fortunés.

L'apparition de la Vidéo contribua à mettre entre les mains du grand public les outils nécessaires à une véritable création artistique. Du simple film familial à la fiction tournée entre copains, tout devenait possible. L'écueil financier devenait ainsi franchissable. L'écueil technique, quant à lui, demeurait présent, sur beaucoup de point, notamment celui du montage. Qui n'a jamais monté sur deux magnétoscopes à bandes non-professionnels ne peut imaginer le chemin de croix. Ce qui n'empêcha pas certains d'accomplir des prouesses. Malgré les pertes de qualités dues aux transferts successifs, on n'avait plus à ce soucier des rayures sur la pellicule et de sa manipulation délicate.

Lorsque les professionnels comprirent les possibilités extraordinaires du numérique, un nouveau pas de géant fut franchi. La vague ne tarda pas à se propager pour atteindre le commun des mortels. Aujourd'hui, puissance et numérique sont à la portée de monsieur tout le monde, capable de finaliser un projet ambitieux presque sans sortir de chez lui.

Quand il fut évident que l'informatique ferait désormais partie du quotidien, des développeurs imaginèrent des programmes censés nous simplifier la tâche (si, si !). L'audiovisuel n'échappa pas à la règle et depuis quelques années, nombres de softs spécifiques émergent. De là à prétendre recréer "Star Wars" dans son salon il n'y a qu'un pas que certains se sont empressés de franchir.

Il est quand même amusant de penser, lorsqu'on se promène Rue du Premier Film à Lyon, que c'est dans un hangar que tout a commencé, et que sans les frères Lumière, jamais peut-être Georges Lucas et tant d'autres n'auraient pu nous émerveiller. Il est rassurant pour tout un chacun de pouvoir se dire, aussi, que deux bricoleurs de génie, avec les moyens de l'époque, chez eux, ont amorcé une machine qui continue de nous faire rêver.

Historique

Au commencement était la pellicule. Ceux qui ont montés sur table ATLAS, Steinbeck ou autres n'oublieront jamais le crayon gras, la colleuse et les chutiers de la copie de travail, ni les gants pour ne pas rayer le montage négatif. Chez l'amateur et semi-pro, on se permettait le 16 ou super 16 mm pour les plus chanceux. Les autres devaient se contenter de tables de montage aux allures de visionneuses dans des formats plus modestes (ce qui n'ôte rien à la qualité de nombreuses réalisations).

Puis apparut la vidéo analogique et ses grosses bandes. On parlait de 3/4 de pouce U-matic, de 1 ou 2 pouces. Accès quasi-impossible au vidéaste qui se rabattait sur des solutions à sa portée : caméras à objectif fixe, magnétoscopes grand public, écran TV...

Alors vint l'informatique, reléguant le reste à la préhistoire, donnant à l'analogique les moyens de ses ambitions. Désormais, tout passerait par un clavier, un écran et un disque dur, le tout couplé à une carte d'acquisition. Le montage sortait des limites des salles obscures. Des logiciels dédiés permettaient d'obtenir des résultats accessibles aux seuls initiés jusque là.

Enfin descendit le tout numérique et sa cohorte de possibilités. Fini les pertes de qualité et autres désagréments. Les logiciels se sont eux aussi mis à la page et offrent le DV, de multiples CODECs. Quand aux ordinateurs derniers cris, ils supportent sans broncher les débits imposés par la vidéo. Avec le montage virtuel, chacun peut enfin faire son film.

Présentation

Comme ses concurrents, Premiere est avant tout un outil de montage virtuel. Il est livré tel quel, en bundle avec d'autres logiciels de la gamme Adobe ou avec une carte d'acquisition. Dans ce dernier cas, le fabricant de la carte propose souvent des possibilités complémentaires destinées à augmenter les capacités de Premiere : soft de création musicale, transitions, images libres de droit, soft de gravure DVD, etc.

Premiere 6.5 est une mise à jour qui comporte son lot de changements. Cette version se distingue de la précédente par l'apparition d'un module de titrage entièrement revu nommé **Adobe Title Designer** ou **Concepteur de Titres Adobe**. La prévisualisation en temps réel est désormais possible, tributaire cependant de la puissance du processeur. Le support des modèles de caméscopes DV s'est amélioré de même que la numérisation des séquences. La création de DVD, VCD et SVCD est à l'honneur avec le codeur **Adobe MPEG** (codage MPEG 1 et MPEG 2, uniquement sous Windows) et une version allégée de DVDiT! De Sonic (là aussi uniquement sous Windows, sous MacOS, on a privilégié l'exportation de fichiers Quicktime vers Apple iDVD et Apple DVD Pro). Côté son, trois nouveaux plug-ins Direct X sont livrés dans la version Windows, les utilisateurs de Mac disposant de mixage temps réel avc SparkLE. Signalons encore que parmi les effets After Effects fournis, il y a l'effet Lightning, permettant de générer des éclairs.

A qui s'adresse ce livre

Cet ouvrage est destiné à tous ceux qui veulent attaquer Premiere de plain-pied. Il ne dispense pas de la lecture du guide de l'utilisateur. Nous renvoyons ceux qui veulent découvrir et maîtriser le logiciel à l'ouvrage de Franck Chopinet "Premiere 6.5 - Le Poche" chez Micro Application. Notre approche est différente, quoique complémentaire. Il s'agit d'apprendre en créant des projets, en essayant dans la mesure du possible de n'utiliser que les possibilités de Premiere (tout le monde ne possède pas les derniers softs et plug-ins) et surtout, de se faire plaisir.

Ce que l'on peut faire avec Premiere

Nous l'avons dit et le répétons, Premiere est un outil de montage, virtuel certes, mais avant tout de montage. Ce qui signifie que dans le pire des cas, il sert à raccorder des rushes les uns aux autres.

Qui dit montage dit connaissance de certaines règles de base. Malgré ses nombreuses possibilités, Premiere n'accomplit pas de miracles. De mauvaises images seront difficilement rattrapables, de même qu'un mauvais son et, fait souvent négligé chez le débutant (comme le son d'ailleurs) une mauvaise interprétation dans le cas de comédiens. S'il est vrai qu'un bon monteur peut vous sauver la mise, il s'agit bien de son expérience et non d'une utilisation providentielle du logiciel.

Le montage est donc la vocation première... de Premiere.

Mais Premiere permet aussi l'acquisition de vos rushes, via une carte dédiée ou une connexion Firewire. Il offre la possibilité de créer des transitions, d'appliquer des effets, des titrages, de modifier et corriger (dans une certaine mesure) les images, de travailler le son. Comme vous le verrez, avec Premiere, il est possible de recréer les génériques de certaines émissions, des clips et pleins d'autres choses.

Ce que l'on ne peut pas faire avec Premiere

Beaucoup de choses et c'est tant mieux. A force de vouloir tout rassembler sous la coupe d'un seul on finit pas avoir une usine à gaz qu'on manipule avec plus de crainte que de respect. Adobe Premiere n'est pas un logiciel d'effets visuels, même s'il permet quelques digressions. Il incorpore quelques filtres After Effects, mais il n'a pas, loin s'en faut, ses possibilités. Ce n'est pas non plus un logiciel de création d'images de synthèse. Il ne gère pas la 3D, du moins pas dans le sens où on l'entend (nous ne parlons pas de plug ins et transitions développés spécialement pour ça). Il possède certaines limitations, très irritantes pour beaucoup. Dans la version précédente de cet ouvrage, nous faisions état des lacunes de la fenêtre **Titre**. Nous voici comblé avec le nouveau **Concepteur de Titres**. Cependant l'impossibilité de corriger des rushes image par image se fait toujours cruellement sentir. A la place, Premiere continue de proposer l'exportation dans Photoshop au format Filmstrip, toujours aussi peu ergonomique. On attend toujours un module de correction colorimétrique digne de ce nom présent chez la concurrence. Les fenêtres **Trajectoire** et **Transparence** n'ont pas changé. Quant au son, l'export vers un logiciel dédié au mixage professionnel serait lui aussi le bienvenu.

Rappel des fonctions essentielles

C e chapitre est destiné à vous remémorer les principales fonctionnalités de Premiere. Il ne détaille pas toutes les possibilités : il va directement à l'essentiel. Il vous propose ensuite une toute petite leçon de montage pour vous aider à manipuler l'interface.

Conseil

Carte de référence - *Adobe Premiere est livré avec une carte de référence (Windows ou Mac) donnant l'essentiel des raccourcis clavier. Si vous débutez, nous vous conseillons de l'avoir à proximité de votre clavier.*

 Remarque

Aide en ligne - *L'aide en ligne de Premiere aborde les principales fonctions du logiciel et propose les raccourcis clavier tant pour Mac que pour PC. Il ne faut pas hésiter à y recourir en cas d'hésitation.*

Correspondance clavier Windows/Mac OS	
Windows	**Mac OS**
Ctrl	Commande
Alt	Option
Maj	Maj
Clic droit de la souris	Ctrl+clic

1.1 L'interface

L'interface d'Adobe Premiere n'a pas véritablement changé depuis la version initiale. Elle représente toujours la métaphore d'une table de montage :

- Un écran (moniteur).
- Des dossiers ou chutiers.
- Un banc de montage.

Les fichiers vidéo (clips) sont importés dans des chutiers, puis déposés dans la fenêtre **Montage**, la fenêtre **Moniteur** servant à visualiser les rushes.

> **Remarque**
>
> ***Rushes, clips, etc.*** *- Rushes (rush au singulier) est le terme employé pour désigner la matière brute, c'est-à-dire les plans tournés avant incorporation dans le montage. Premiere utilise le terme de clip (clip signifie "couper" en anglais et "extrait" dans le cas d'un film).*

La version 6.5 apporte son lot de nouveautés, notamment avec l'ajout d'un **Concepteur de titre**, de la **Prévisualisation temps réel** et d'un module d'exportation MPEG nommé **Adobe MPEG Encoder**, mais le principe reste le même.

L'espace de travail est entièrement paramétrable par l'utilisateur afin de lui assurer le meilleur confort de travail. Le reste n'est qu'une question de puissance de votre ordinateur. C'est là qu'il s'agit de choisir de privilégier l'aspect visuel ou la rapidité d'exécution. Avec la pratique, on en vient vite à l'essentiel, et la cosmétique laisse la place à l'efficacité.

L'espace de travail

L'espace de travail de Premiere 6.5 peut se décliner en plusieurs versions déterminées par votre manière de travailler.

Lors du premier lancement, Premiere vous propose de choisir entre Montage de piste unique et Montage A/B.

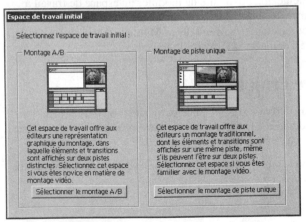

Figure 1-1 : Choix de l'espace de travail au premier lancement de Premiere

Dans le premier cas, vous affichez et montez les transitions dans une seule piste de montage.

Dans le deuxième cas, vous utilisez trois pistes, *Vidéo 1A*, *Vidéo 1B* et *Transition*.

Les professionnels utilisent généralement le Montage de piste unique.

 Remarque

Montage A/B - Comme vous serez amené à utiliser les transitions, vous utiliserez le Montage A/B tout au long de cet ouvrage afin que soit facilitée la compréhension du travail à accomplir.

Une fois choisi l'espace de travail, celui-ci est enregistré dans les préférences de Premiere et s'affichera à chaque ouverture du logiciel. Interactivité oblige, Adobe a prévu de vous laisser modifier votre choix. Il suffit d'utiliser la barre de menu principale :

1. Cliquez sur le menu **Fenêtre** puis sur **Espace de travail**.
2. Choisissez l'espace de travail : Montage de piste unique, Montage A/B, Effets, Audio ou un espace de travail personnalisé s'il en existe un.

Outre le Montage de piste unique et le Montage A/B, Premiere propose deux solutions destinées plus spécialement au montage des effets et au montage audio.

Vous avez également la possibilité de moduler un espace de travail à votre convenance. Si vous possédez deux moniteurs, il est agréable d'en réserver un pour les fenêtres **Moniteur** et **Montage**. Une fois les éléments placés, enregistrez l'espace de travail.

La fenêtre Projet

Tout travail dans Premiere commence par la création d'un projet. Lorsque vous démarrez le logiciel, une fenêtre vous propose de charger les paramètres de ce projet.

La fenêtre **Projet** contient des chutiers, dans lesquels vous importez vos clips audio et/ou vidéo.

La fenêtre Moniteur

C'est par elle que vous allez visionner votre copie de travail et vos rushes.

Premiere offre un Affichage double, un Affichage unique et un mode Raccord.

 L'Affichage double propose deux écrans.

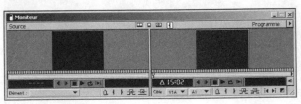

Figure 1-2 : Moniteur Affichage double

Fonctions des vues Source et Programme	
Vue Source	**Vue Programme**
Visionner les rushes	Visionner la copie de travail (montage)
Modifier les In (entrée) et les Out (sortie) des rushes	Modifier les In (entrée) et les Out (sortie) des éléments du montage

L'Affichage unique, comme son nom l'indique, est constitué d'un seul écran. Vous visionnez votre montage final sur un écran plus grand.

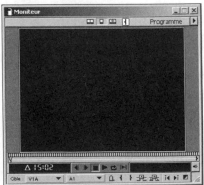

Figure 1-3 :
Moniteur Affichage unique

Le mode Raccord permet un montage fin entre deux plans, à l'image près.

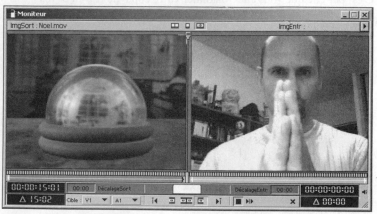

Figure 1-4 : Icône Mode Raccord

La fenêtre Montage

C'est ici que vous déposez les éléments constituants de votre film. Son fonctionnement est on ne peut plus simple. Vous sélectionnez un élément dans un chutier et vous le faites glisser dans une piste vidéo ou audio s'il s'agit d'un son. Premiere vous propose 99 pistes vidéo et 99 pistes audio.

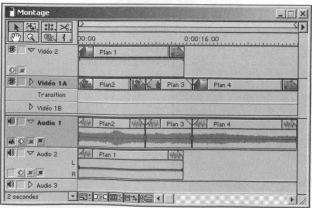

Figure 1-5 : La fenêtre Montage

Outils de la fenêtre Montage

La fenêtre **Montage** est équipée de
toute une batterie d'outils. Vous
trouverez en page OutilsMontage les
touches de raccourci de ces outils.

Figure 1-6 :
Outils de montage

Tout en bas de la fenêtre, vous trouverez une série de boutons
supplémentaires.

Figure 1-7 :
Outils de la fenêtre Montage activés

Boutons du bas de la palette Montage (activés)				
	Activé	Activé	Activé	Activé
Dialogue Options de pistes	Magnétisme	Affichage des extrêmes	Options de pistes	Synchronisation
Ajouter, supprimer, renommer les pistes	Aligner le bord d'un élément sur le bord d'un autre élément ou sur une marque	Pour voir les images de bordure dans la vue *Programme* à mesure que vous déplacez la souris	Déplacement de toutes les pistes lors de l'insertion d'un élément au point de montage	Préserve le lien entre la vidéo et l'audio.

Figure 1-8 :
Outils de la fenêtre Montage désactivés

Boutons du bas de la palette Montage (désactivés)				
	Désactivé	Désactivé	Désactivé	Désactivé
Dialogue Options de pistes	Magnétisme	Affichage des extrêmes	Options de pistes	Synchronisation
Ajouter, supprimer, renommer les pistes			Seules les pistes cibles sont affectées par l'insertion d'un nouvel élément	Synchronisation rompue

Le bouton **Dialogue Options de pistes** ouvre une fenêtre permettant de gérer le nombre de pistes vidéo et audio du projet. Vous pouvez en ajouter, en supprimer et leur donner un nom afin de mieux les repérer.

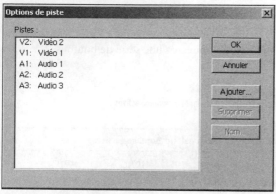

Figure 1-9 : Options de pistes

 Astuce

Noms de pistes - Lorsque vous avez un projet comportant de nombreuses pistes, il est conseillé de les renommer, notamment les pistes audio lors d'une postsynchronisation. Il est plus facile de se repérer avec des noms significatifs qu'avec Audio 1, Audio2..., par exemple.

Options

En cliquant sur le bouton triangulaire en haut à droite de la fenêtre **Montage** vous afficherez un menu déroulant.

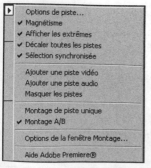

Figure 1-10 :
Menu déroulant de la fenêtre Montage

> **Remarque**

Options de la fenêtre Montage - La ligne Options de la fenêtre Montage du menu ouvre une fenêtre permettant de configurer la fenêtre **Montage** : taille des icônes, format de piste, repérage des images, point zéro, etc.

Curseur

Le point d'insertion est indiqué par un curseur, appelé aussi "repère d'instant courant".

Figure 1-11 :
Le curseur

Sa position correspond à l'image active dans la vue *Programme*.

Figure 1-12 :
Icône Mode Raccord

Palettes et fenêtres

Les palettes sont regroupées par défaut dans l'ordre décrit par le tableau, mais vous pouvez les dissocier en cliquant sur un onglet et en le glissant hors de la fenêtre commune.

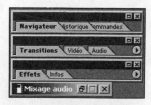

Figure 1-13 :
Palettes et onglets

Les palettes		
Navigateur	Historique	Commandes
Transitions	Vidéo (effets à appliquer)	Audio (effets à appliquer)
Effets (liste des effets appliqués)	Infos	

Bien qu'Adobe ait regroupé les palettes, les laisser déployées finit par occuper trop de place. Vous avez alors la possibilité de réduire leur format pour ne laisser apparaître que les onglets.

Figure 1-14 :
Fermeture de la palette

Il vous suffit de cliquer sur la petite icône située dans l'angle supérieur droit de la palette.

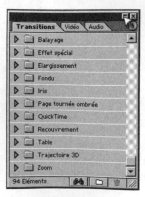

Figure 1-15 :
Extension d'une palette

En recliquant dessus, la palette se déploie.

La fenêtre Mixage audio

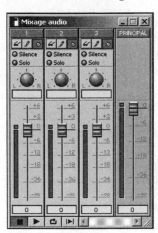

Figure 1-16 :
Fenêtre de Mixage audio

La fenêtre de **Mixage audio** est la grande nouveauté de Premiere 6.
C'est une minitable de mixage. Elle permet d'ajuster le volume et la
balance d'un ou plusieurs éléments audio en temps réel.

Figure 1-17 :
Piste Audio 1

Elle contient un jeu de contrôle pour chaque piste audio. Ces pistes sont
numérotées selon leur ordre d'apparition dans la fenêtre **Montage**. La
piste numérotée 1 correspond à la piste *Audio 1* de la fenêtre **Montage**.

Chaque piste contient :

Figure 1-18 :
Contrôle de volume

- ■   Un contrôle de balance qui permet d'appliquer un panoramique sur un élément mono et de régler la balance d'un élément stéréo.

- ■ Un contrôle de volume.

- ■ 3 boutons d'automatisation :

  -    Automatisation en lecture.

  Contrôle le niveau sonore de la piste audio lors de la lecture en utilisant les informations de volume et de balance stockées.

  -    Automatisation en écriture.

  Enregistre les réglages que vous effectuez à l'aide des contrôles de volume et de balance pendant la lecture de la piste audio. Vous créez ainsi de nouvelles poignées d'étirement de volume et de balance sur la piste audio.

  -    Automatisation inactive (par défaut).

  Vous pouvez agir sur une seule piste ou les grouper pour effectuer des réglages communs de balance ou de volume.

Les **Options** de la fenêtre **Mixage audio** sont accessibles en cliquant avec le bouton droit de la souris sur la barre de titre.

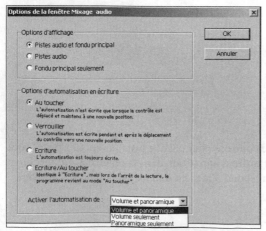

Figure 1-19 : Fenêtre Options de la fenêtre Mixage audio.

1.2 Raccourcis clavier et touches de fonction

Qu'est-ce qui fait la différence entre un monteur professionnel et un débutant ? Outre l'expérience, c'est sa capacité à gérer différents facteurs : le stress, la rapidité d'exécution, le temps imparti, les délais, les rapports humains (eh oui, il faut savoir se conformer aux exigences d'un réalisateur assis à vos côtés pendant des heures)...

Tout cela passe par une parfaite connaissance de l'outil de travail. C'est ici que les raccourcis clavier interviennent. Un monteur efficace va utiliser la souris ET le clavier de sa machine.

Faites un simple essai vous-même.

Ouvrez un nouveau projet avec la souris :

1. Saisissez la souris.
2. Pointez le nom **Fichier** dans le menu situé en haut de l'écran.
3. Cliquez sur ce nom pour dérouler un autre menu.
4. Cliquez sur **Nouveau projet**.

Ouf ! Un peu laborieux, non ?

Avec le clavier, appuyez sur les touches (Ctrl)+(N) et le tour est joué.

C'est un exemple basique et facile, mais significatif. Sachez d'ores et déjà qu'il existe une normalisation dans les raccourcis clavier, et ce quels que soient les logiciels (il y a toujours des exceptions, mais le principe vaut pour la majorité). Vous retrouverez donc souvent les mêmes. Au fil du temps, les mémoriser ne sera plus qu'un jeu d'enfant. D'autant que, avec le principe d'intégration de ses produits, Adobe nous simplifie la tâche. La plupart des raccourcis sont valables d'un logiciel à l'autre.

Commandes

La palette *Commandes* fournit 16 commandes préprogrammées, correspondant à des raccourcis clavier et à des touches de fonction. Exemple : la touche (F2) permet, elle aussi, de créer un nouveau projet.

Figure 1-20 :
Palette Commandes

> ### Remarque
>
> **Touche F1 -** *La touche* F1 *est employée pour appeler l'aide en ligne de Premiere.*

Vous avez la possibilité de créer vos propres raccourcis. Par exemple, un nouveau raccourci pour la fenêtre **Transparence** :

1. Cliquez sur la flèche en haut à droite de la palette pour développer le menu.
2. Décochez l'option *Mode Bouton*.
3. Cliquez sur **Ajouter une commande**, ou sur le bouton **Ajouter une commande** au bas de la palette.

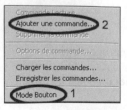

Figure 1-21 :
Cliquez sur Ajouter une commande.

4. Dans la fenêtre qui s'ouvre saisissez un nom (Transparence).
5. Cliquez sur **Elément/Options Vidéo/Transparence**.

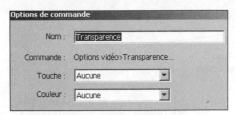

Figure 1-22 :
Fenêtre Options de
commande

6. Sélectionnez une combinaison de touches non-affectée dans le
   menu déroulant **Touche**.

7. Vous pouvez aussi affecter une couleur à la commande.

Figure 1-23 :
Affecter une couleur à une commande.

8. Cliquez sur OK.

9. Revenez au **Mode Bouton**.

Raccourcis des outils de montage

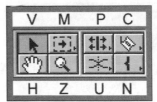

Figure 1-24 :
Outils de la fenêtre Montage

Les outils marqués d"une petite flèche noire ouvrent une minipalette. Il
suffit d'appuyer plusieurs fois sur la même lettre pour effectuer une
rotation dans le choix de l'outil de chaque minipalette.

Figure 1-25 :
En cliquant sur les outils marqués d'un petit triangle, vous
développez une minipalette donnant accès à d'autres outils.

Montage 3 doigts

Pour monter vite, il faut avoir les touches à portée de doigts. La majorité
des logiciels de montage utilisent la technique du montage 3 doigts, qui
implique l'utilisation de 7 touches : I, O, J, K, L, ,(virgule), ;(point-
virgule).

La souris dans une main, ces touches-là dans l'autre, vous avancez à vitesse grand V.

Figure 1-26 :
Montage 3 doigts

Touches pour montage 3 Doigts						
ENTRÉE	SORTIE	ARRIÈRE	PAUSE	AVANT	INSERTION	INCRUSTATION
I	O	J	K	L	,	;

Bouton droit de la souris

Très utilisé sur PC, il est remplacé sur Mac OS par un [Ctrl]+clic. Il permet d'avoir accès aux menus contextuels d'un simple clic.

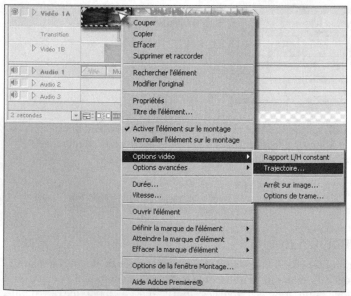

Figure 1-27 : Menu contextuel

Exemple :

1. Cliquez avec le bouton droit de la souris sur un clip, audio ou vidéo.
2. Choisissez la commande ou l'action.

1.3 L'intégration avec les applications Adobe

Il existe désormais une véritable synergie entre les logiciels de la gamme Adobe. L'éditeur s'est attaché à ce que tous ses produits soient compatibles. Nous retiendrons principalement pour cet ouvrage deux des plus connus et utilisés : Photoshop et Illustrator.

Comme nous le signalions, il est parfois (souvent ?) utile de faire appel à ces deux ténors pour pallier les manques de Premiere.

 Remarque

Autres solutions - *Paint Shop Pro ou tout autre logiciel de retouche d'images peut aisément faire l'affaire. D'ailleurs, les moins fortunés peuvent se rabattre sur The Gimp, souvent cité comme le clone gratuit de Photoshop. Il en va de même avec Corel Draw ou Freehand, dont les fonctions vectorielles peuvent remplacer celles d'Illustrator.*

Signalons aussi la parfaite adéquation de Premiere avec After Effects, le soft vedette d'Adobe dédié aux effets visuels. Là, on entre dans la cour des grands. Sachez qu'un Projet Premiere peut être entièrement importé dans After Effects. Toutes sortes d'effets peuvent être appliqués.

Pour tous ceux qui désirent afficher leurs œuvres sur la toile, Adobe propose GoLive (dont la version 6 devrait être disponible à l'heure où nous écrivons ces lignes). À l'instar de Dreamweaver, son concurrent direct, GoLive permet la création de sites web et gère parfaitement les fichiers vidéo.

1.4   Monter tout de suite avec Premiere

Avant de commencer à cuisiner, il faut disposer des ingrédients. Gabin disait : "un film, c'est premièrement une bonne histoire, deuxièmement une bonne histoire, troisièmement une bonne histoire."

Un film, c'est un travail d'équipe où rien n'est laissé au hasard, à l'à peu près. On entend souvent qu'un bon montage peut sauver un film. Cela reste vrai si la matière première est saine. On n'obtiendra rien de bon si le cadre est raté, l'image baveuse, l'interprétation défaillante, le son inaudible. Le montage n'est pas la solution de dernière chance, c'est un des composants essentiels. Tout cela pour dire qu'il ne faut pas attendre de miracle avec Premiere (ou toute autre solution de montage virtuel).

Premiere étant livré avec des exemples de clips, vous utiliserez ceux-là. Mais vous pouvez, bien évidemment, choisir vos propres fichiers. Dans ce cas, votre projet devra être configuré en conséquence.

 Remarque

Format - Les exemples fournis par Adobe sont au format 240 x 180. Vous allez devoir configurer votre projet de façon qu'il corresponde à ce format. Cela est optionnel si vous décidez d'utiliser vos propres fichiers (vérifiez cependant les réglages de votre projet), mais vous permet de vous initier à la configuration d'un projet Premiere.

Configurer le projet

1. Ouvrez Premiere. La fenêtre de préconfigurations s'affiche.

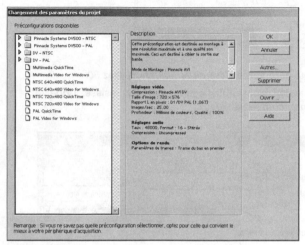

Figure 1-28 : Exemples de préconfigurations de projets

Un certain nombre de préconfigurations sont disponibles, correspondant à des normes de montage virtuel et au matériel d'acquisition dont vous disposez. Une description accompagne chaque configuration.

2. Cliquez sur **Autres**.... La boîte de dialogue **Réglages du projet** s'affiche.

3. Dans la liste déroulante (en haut à gauche), sélectionnez *Général*.

Les paramètres affichés sont ceux par défaut. Vous allez les modifier.

Figure 1-29 : Réglage du projet

4. Dans la liste déroulante *Mode d'édition*, choisissez *Quicktime*.

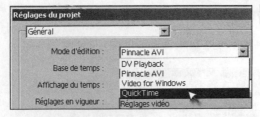

Figure 1-30 :
Mode d'édition

5. Dans la liste déroulante *Base de temps*, choisissez *30*.
6. Dans la liste déroulante *Affichage du temps*, choisissez *Code temporel non compensé 30 ips*.

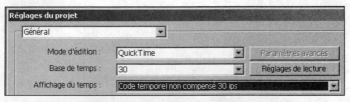

Figure 1-31 : Réglages fenêtre Général

À présent, vous allez régler les paramètres vidéo.

7. Cliquez sur le bouton **Suiv.** (en bas à droite) ou sur le bouton fléché de la liste déroulante *Général* pour y sélectionner *Vidéo*.

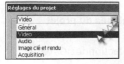

Figure 1-32 :
Accès aux réglages Vidéo

8. Laissez la compression sur *Planar RGB* et la résolution sur *Millions de couleurs*.

    Les clips fournis avec Premiere étant au format 240 x 180, vous devez modifier la taille de l'image.

9. Dans la case *h* (largeur), en face de *Taille d'image*, tapez 240. Dans la case *v* (hauteur), tapez 180.

 Attention

Format d'image - *La case h correspond à la largeur et la case v à la hauteur.*

Remarque

Taille d'image - *En cochant la case 4/3, lorsque vous entrez le chiffre 240, le chiffre 180 vient automatiquement s'écrire dans la case v.*

10. Cliquez sur le bouton fléché de la liste déroulante *Images/sec.* Choisissez *15*.

11. Cliquez sur le bouton fléché de la liste déroulante *Rapport L/H en pixels*. Choisissez *Pixels carrés (1.0)*.

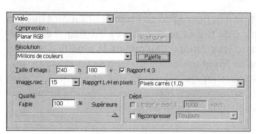

Figure 1-33 :
Réglages Vidéo

12. Cliquez sur **Suiv.** pour passer aux réglages audio.

13. Dans la liste déroulante *Fréquence*, choisissez *41000 Hz*.

14. Dans la liste déroulante *Format*, choisissez *16 bits mono*.

    Laissez les autres paramètres tels quels.

15. Cliquez sur **Suiv.** pour passer aux réglages image-clé et rendu.

16. Dans la liste déroulante *Trame*, choisissez *Aucune trame*.

    Nous allons en profiter pour appliquer une des nouveautés de Premiere 6.5 : la *Prévisualisation en temps réel*.

17. Cochez la case *Prévisualisation en temps réel*.

Figure 1-34 : Prévisualisation en temps réel

    Laissez les autres paramètres tels quels.

18. Cliquez sur OK.

    Votre Projet Premiere est créé.

Figure 1-35 :
Projet Premiere

Votre écran doit ressembler à la figure Projet Premiere (à moins que vous n'ayez choisi un espace de travail personnalisé). En haut à gauche, la fenêtre **Projet** (contenant les chutiers). Au milieu, la fenêtre **Moniteur**. En bas, la fenêtre **Montage**. Selon la taille de votre écran, les différentes palettes seront regroupées, elles sont situées à droite. Comme signalé plus haut, vous pouvez, bien entendu, réduire la taille des fenêtres contenant les palettes à votre convenance.

Sauvegarder le projet

Avant toute chose, sauvegardez votre projet.

1. Dans la barre de menu principale, cliquez sur **Fichier/Enregistrer sous**.

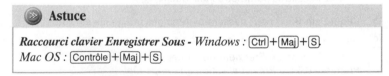

Astuce

Raccourci clavier Enregistrer Sous - *Windows :* [Ctrl]+[Maj]+[S].
Mac OS : [Contrôle]+[Maj]+[S].

La boîte de dialogue **Enregistrer** s'ouvre.

2. Donnez un nom à votre projet. Choisissez le répertoire de destination, puis validez en cliquant sur OK.

Importer les éléments

Raccourcis pour importer les clips dans le projet
1 - **Fichier/Importer/Fichier...**
2 - Fenêtre **Storyboard**
3 - [Ctrl]+[I]

Raccourcis pour importer les clips dans le projet
4 - Clic droit de la souris à l'intérieur d'un chutier de la fenêtre **Projet/Importer/Fichier**
5 - Double-clic dans un chutier

Pour commencer, vous allez importer les fichiers de façon très classique.

1. Dans la barre de menu principale, cliquez sur
    Fichier/Importer/Fichier....

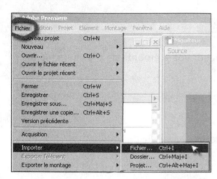

Figure 1-36 :
Importer un fichier

> La boîte de dialogue **Importer** s'ouvre. Les fichiers qui nous
> intéressent sont situés dans le répertoire *Sample Folder* de
> Premiere 6.5.

2. Sélectionnez les fichiers. Il y a des fichiers vidéo (*.avi*) et un fichier
    audio (*.aif*).

 Astuce

Sélectionner plusieurs fichiers - Sous Windows : appuyez sur la touche
[Ctrl] *ou* [Maj] *et cliquez sur chacun des fichiers.*
Sous Mac OS : appuyez sur la touche [Maj] *et cliquez sur chacun des*
fichiers.

3. Cliquez sur **Ouvrir**. Les fichiers sont déposés dans le chutier
    (nommé par défaut *Chutier 1*) de la fenêtre **Projet**.

Figure 1-37 :
Le chutier

Vous avez la possibilité d'afficher vos éléments de plusieurs façons :

■　　en mode Icône,

■　　en mode Vignette,

■　　ou en mode Liste (cas ici).

Vous allez maintenant créer un chutier pour le fichier audio.

Créer un chutier

1.　　Au bas de la fenêtre **Projet**, cliquez sur l'icône *Nouveau Chutier*. Dans la boîte de dialogue qui s'ouvre, tapez un nom pour le chutier, par exemple Chutier Audio et cliquez sur OK.

Figure 1-38 :
Créer un chutier

2.　　Sélectionnez le *Chutier 1*, puis cliquez avec le bouton droit de la souris. Dans le menu contextuel, sélectionnez **Renommer le chutier**.

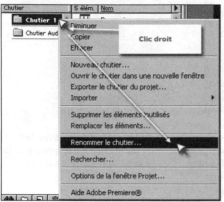

Figure 1-39 :
Renommer le chutier

3. Dans la boîte de dialogue, donnez un nouveau nom au chutier, par exemple Chutier Vidéo.

4. Sélectionnez le *Chutier Vidéo*. Sélectionnez le fichier audio (*.aif*) et déplacez-le dans le *Chutier Audio*.

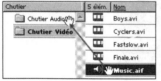

Figure 1-40 :
Déplacer le fichier audio

5. Enregistrez votre projet.

Visionner les éléments

Avant de commencer à monter, il est souhaitable de visualiser et/ou d'écouter les différents éléments qui composeront votre film.

1. Double-cliquez sur un des éléments pour l'afficher dans une fenêtre distincte.

 Attention

Préférences - L'aide en ligne de Premiere précise qu'il faut appuyer sur la touche Alt *en même temps qu'on effectue le double clic si dans les Préférences/Général/Image fixe la case Ouvrir les séquences dans la fenêtre Elément n'est pas cochée.*

Figure 1-41 :
Fenêtre distincte

La fenêtre distincte est à elle seule une fenêtre **Moniteur**, avec les mêmes possibilités de réglages. La seule différence c'est que dans la vue *Source* de la fenêtre **Moniteur**, vous avez la possibilité de visionner plusieurs éléments.

2. Dans le *Chutier Vidéo* de la fenêtre **Projet**, sélectionnez l'un des éléments vidéo (*.avi*) et glissez-le dans le moniteur de la vue *Source*.

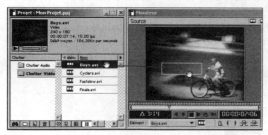

Figure 1-42 : Incorporer un élément dans la vue Source

Vous pouvez visionner le clip, modifier ses points d'entrée et de sortie, etc.

3. Dans le *Chutier Vidéo* de la fenêtre **Projet**, sélectionnez les trois éléments qui restent en cliquant d'abord sur le premier, puis sur les autres en maintenant la touche [Maj] enfoncée. Glissez et déposez les éléments dans la vue *Source* de la fenêtre **Moniteur**.

4. Dans la vue *Source* de la fenêtre **Moniteur**, cliquez sur le bouton fléché de la liste déroulante *Elément*. La liste des éléments incorporés s'affiche. Celui qui est affiché est signalé par une puce précédant le nom.

Figure 1-43 :
Liste des éléments incorporés dans la vue Source

5. Enregistrez votre projet.

Incorporer les éléments par glisser-déposer

1. Sélectionnez un premier fichier vidéo (appelons-le CLIP N°1) dans le *Chutier Vidéo*, et glissez-le jusqu'à la fenêtre **Montage** pour le déposer sur la piste *Vidéo 1A*.

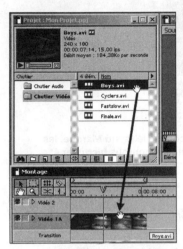

Figure 1-44 :
Incorporer un élément
dans la fenêtre Montage

2. Dans la vue *Source*, affichez le deuxième élément Vidéo (*CLIP N°2*) en le sélectionnant dans la liste déroulante.

3. Cliquez sur le curseur de lecture. Il doit être à gauche.

Figure 1-45 :
Curseur

4. Déplacez le curseur vers la droite jusqu'à ce que le code temporel affiche 1:00.

Figure 1-46 :
Code temporel

Sous le code temporel, il y a cinq icônes : le menu **Marque**, les points d'entrée (*In*) et de sortie (*Out*), les boutons **Incruster** et **Insérer**.

5.   Cliquez sur l'icône *Point d'Entrée*. Le point d'entrée vient se placer au niveau du curseur.

Vous allez à présent modifier le point de sortie, en utilisant un raccourci.

6.   Placez le curseur de la souris dans le code temporel et double-cliquez. Le code temporel se surligne. Tapez 400, puis validez. Le code temporel affiche 00:00:04:00. Notez que le curseur s'est déplacé à l'instant 04:00.

7.   Pour placer le nouveau point de sortie, appuyez sur la touche ⓞ.

8.   Placez la flèche de la souris dans l'affichage *Source* de la fenêtre **Moniteur** et glissez le clip dans la piste *Vidéo 1A*, à droite du *clip N°1*.

9.   Enregistrez votre projet.

Modifier la longueur d'un clip dans la fenêtre Montage.

1.   Placez le curseur à la fin du dernier élément présent dans la piste *Vidéo 1A*. Pour cela, sélectionnez l'élément en cliquant dessus et appuyez sur la touche ⓝ du clavier.

Vous pouvez modifier le facteur de zoom pour une meilleure visibilité des éléments sur les pistes en utilisant l'outil **Zoom** (ⓩ) ou bien en cliquant sur le bouton en bas à droite des noms de pistes pour afficher le *Facteur de zoom temporel* de la fenêtre **Montage**.

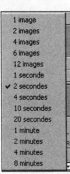

Figure 1-47 :
Facteur de zoom temporel

> **Astuce**

Raccourcis clavier - Voici les raccourcis claviers pour atteindre le début et la fin d'un élément :

■ *Début : touche* ⬉ *(ou home) ou* ⬆
■ *Fin : touche* ⬊ *ou* ⬇

2.   Appuyez sur la touche Ⓥ du clavier pour sélectionner l'**Outil de sélection**.

3.   Placez le pointeur de la souris à l'extrémité droite de l'élément. Le pointeur se change en un crochet de fermeture rouge cerné de blanc avec, au milieu, une double flèche noire.

4. Tirez le pointeur de la souris vers la droite. Les images manquantes de l'élément s'affichent simultanément dans la vue *Programme* de la fenêtre **Moniteur**. Vous pouvez ainsi visualiser le nombre d'images que vous allez rajouter, choisir exactement l'endroit où vous voulez que le clip s'arrête.

> **Attention**

Nombre d'images - Vous ne pouvez rallonger votre élément que jusqu'à son point de sortie initial.

5. Enregistrez votre projet.

Insérer et incruster

Il y a deux icônes servant à insérer ou à incruster des éléments.

Comme précédemment, vous allez utiliser d'abord les icônes, ensuite un raccourci clavier.

1. Dans la vue *Source*, sélectionnez un élément (*CLIP N°2* par exemple).

2. Double-cliquez sur le **code temporel** et tapez un chiffre, par exemple 200.

3. Appuyez une fois sur la ⊡ de votre clavier. Le code temporel affiche 02:02.

> ### ⟫ Remarque
>
> **Unités** - *La base de temps du projet étant de 30, et la vitesse des clips de15 images/seconde, appuyer sur la touche* ⊡ *déplace le curseur de deux unités.*

4. Appuyez sur la touche ⊡.

5. La fenêtre **Moniteur** toujours sélectionnée, tapez directement 408 avec les chiffres du pavé numérique de votre clavier et validez. Le code temporel affiche 04:08.

6. Appuyez deux fois sur la touche ⊡ pour aller à l'instant 04:04.

7. Appuyez sur ⊡.

Bien. Attardons-nous un peu sur la vue *Programme* de la fenêtre **Montage**. Tout en bas à gauche, notez la présence d'une rubrique *Cible*, associée à deux listes déroulantes, qui affichent *V1A* et *A1* par défaut. Ces listes déroulantes vous permettent de choisir dans quelles pistes, audio et vidéo, vous allez incorporer vos éléments.

V1A correspond à la piste *Vidéo 1A*, *V1B* à *Vidéo 1B*, etc.

A1 correspond à la piste *Audio 1*, etc.

Vous allez conserver les réglages par défaut.

1. Cliquez sur la vue *Programme* pour l'activer (les chiffres deviennent verts).

   Nous allons insérer notre élément au beau milieu du *CLIP N°1*, à l'instant 05:28.

2. Tapez 528 avec le pavé numérique et validez.

3. Cliquez sur le bouton **Insérer** de la vue *Source*.

Attention

Ne confondez pas ! - Au bas de la vue Programme, il y a deux icônes similaires qui sont Prélever et Extraire.

L'insertion coupe l'élément *CLIP N°1* en deux. L'élément inséré vient se placer exactement à l'endroit voulu, poussant les images vers la droite.

La longueur du montage augmente d'autant.

4. Sélectionnez le morceau de *CLIP N°1* situé à gauche dans la fenêtre de montage.

5. Activez la vue *Programme*. Tapez 326 avec le pavé numérique et validez. Le curseur de la vue *Programme* et le *Repère d'instant courant* de la fenêtre **Montage** se placent sur l'instant 03:26, à l'endroit du clip où il y a une poussière dans l'image.

6. Activez la vue *Source* (les chiffres deviennent verts, ceux de la vue *Programme* deviennent gris). Le même élément que précédemment y est toujours sélectionné.

 Astuce

Bascule Affichage Source/Affichage Programme - Pour gagner du temps, utilisez la touche [Echap] *pour passer de la vue Source à la vue Programme et vice versa.*

7. Appuyez sur la touche [;] (point-virgule).

L'élément est, cette fois, incrusté, c'est-à-dire qu'il prend la place du même nombre d'images du clip dans lequel il est incrusté. La longueur du montage n'augmente pas.

8. Enregistrez votre projet.

Prélever et extraire

Il s'agit ni plus, ni moins que de l'effet contraire à celui que vous venez de voir.

1. Activez la vue *Programme* et tapez 1110.

    L'instant courant se place à 11:10.

2. Tapez sur la touche [i] pour indiquer un nouveau point d'entrée.

3. La vue *Programme* toujours activée, tapez 1210.

4. Appuyez sur la touche Ⓞ pour indiquer un nouveau point de sortie.

> **» Remarque**
>
> ***Entrée et Sortie*** *- Les points d'entrée et de sortie sont indiqués à la fois dans la vue Programme et dans la fenêtre* **Montage**. *Dans le premier cas, la portion d'images définies entre les deux points est en vert alors qu'elle apparaît en gris moyen dans le second cas.*

5. Cliquez sur l'icône *Prélever*, au bas de la vue *Programme*.

   Vous constatez que, dans la fenêtre **Montage**, un morceau correspondant à la portion d'images définies par les nouveaux points d'entrée et de sortie manque.

   La longueur du montage n'a pas changé.

6. Cliquez sur **Edition/Annuler prélever**.

   La fenêtre **Montage** redevient comme avant.

> **» Remarque**
>
> ***Annulations*** *- Premiere offre 99 niveaux d'annulation. Vous pouvez paramétrer le nombre d'annulations dans* ***Edition/Préférences/Enregistrement automatique/Annuler***. *Il est de 15 par défaut et dépend de vos ressources matérielles.*

> **» Astuce**
>
> ***Raccourci clavier pour annuler*** *-* Ctrl + Ⓩ

7. Cliquez sur l'icône *Extraire*. Premiere ôte du montage la portion d'image sélectionnée.

   La longueur du montage change.

8. Enregistrez votre projet.

Manipuler des blocs

Si vous avez tout suivi, vous devez avoir deux éléments *CLIP N°2* dans la piste *Vidéo 1A*.

1. Sélectionnez le premier et appuyez sur la touche (Suppr).

2. Sélectionnez le second et déposez-le sur la piste *Vidéo 1B*, au-dessous de l'élément *CLIP N°1*.

3. Sélectionnez l'élément *CLIP N°1* et appuyez sur la touche ⬂. Le repère d'instant courant vient se placer exactement à la fin du clip.

   Tout en bas de la fenêtre **Montage**, assurez-vous que le bouton **Magnétisme** est activé.

4. Sélectionnez l'élément *CLIP N°2* dans la piste *Vidéo 1B* et ajustez-le de manière que son point de sortie coïncide avec celui de *CLIP N°1*.

5. La fenêtre **Montage** étant active, appuyez trois fois sur la touche M pour sélectionner l'outil **Sélection de piste**.

6. Approchez le pointeur de la souris vers les éléments de la piste *Vidéo 1A* qui sont séparés des autres. Le pointeur prend la forme d'une flèche droite noire. Cliquez sur le premier élément et faites-le glisser jusqu'au point de sortie de *CLIP N°1*.

7. Appuyez sur la touche V pour désactiver l'outil **Sélection de piste**.

8. Enregistrez votre projet.

Ajouter une transition

Les transitions désignent l'enchaînement entre deux plans, deux éléments. Le plus simple étant le "cut" ou raccord "cut" c'est-à-dire le passage direct de la dernière image d'un plan à la première de l'autre. Parmi les transitions les plus employées citons encore le *Fondu Enchaîné*, le *Fondu au Noir* (ou au Blanc), l'*Ouverture au Noir* (ou au Blanc). Certaines sont plus couramment utilisées à la télévision et dans la pub, alors que le cinéma est souvent (il y a là encore des exceptions) plus sobre.

Premiere propose tout un choix de transitions, dont certaines vont s'avérer fort utiles pour créer des compositions. Elles sont regroupées dans une palette qu'il suffit de faire défiler.

Le fonctionnement est on ne peut plus simple.

1. Sélectionnez une transition dans un dossier de la palette *Transitions* (par exemple *Balayage*).

Figure 1-48 :
Palette des Transitions

Figure 1-49 :
Choisir une transition

2. Glissez-déposez la transition sur la piste *Transition* (en Montage A/B)
    ou sur la piste *Vidéo1* (en Montage unique).

Figure 1-50 :
Placer une transition

Figure 1-51 :
Transition en place

Remarque

Transitions supplémentaires - Il est possible d'installer d'autres transitions dans Premiere, développées par des particuliers ainsi que par des sociétés tierces (Hollywood Effects, Boris FX...). Certaines sont gratuites, d'autres plus onéreuses. Signalons aussi que les transitions HFX sont fournies en "bundle" avec certaines cartes Pinnacle (HFX Bronze).

1. Affichez la Palette *Transitions*
2. Ouvrez le dossier *Fondu* et sélectionnez *Fondu enchaîné*.
3. Glissez la transition jusqu'à la piste *Transition* en prenant soin de la caler au point de sortie de l'élément situé sur la piste *Vidéo 1B*.
4. Double-cliquez sur la transition afin de visualiser ses paramètres. Cochez la case *Afficher les images*. Vous pouvez modifier le début et la fin du fondu en manipulant les curseurs sous les images. De même qu'en cliquant sur la flèche bleue à droite, vous inverserez le fondu. Cliquez sur OK.

 Astuce

Prévisualiser la transition - En appuyant sur la touche [Alt]*, tout en bougeant le Repère d'instant courant, vous pouvez prévisualiser votre fondu enchaîné dans la vue Programme. Ceci au cas où la Prévisualisation en temps réel ne serait pas activée. Pour calculer la prévisualisation, appuyez sur les touches* [Maj]+[Entrée]*.*

Ajouter le son

1. Activez le chutier *Audio* et faites glisser l'élément *.aif* dans la piste *Audio 1*.
   Comme vous le constatez, il est plus long que la vidéo.
2. Appuyez sur la touche [V] pour activer l'**Outil de sélection**.
3. Activez la vue *Programme*. Cliquez sur l'icône *Point de Montage suivant* jusqu'à ce que le repère d'instant courant soit au point de sortie du dernier élément vidéo.
4. Assurez-vous que le magnétisme est actif.
5. Placez le pointeur de la souris au point de sortie du clip audio. Il se transforme en crochet fermé rouge cerné de blanc avec une flèche gauche noire.

6. Ramenez le point de sortie du clip au niveau du point de sortie de la vidéo.

7. Enregistrez votre projet.

Prévisualiser

Au-dessus de l'échelle temporelle de la fenêtre **Montage**, vous pouvez voir la zone de travail de rendu, une ligne jaune fermée par deux triangles. Comme son nom l'indique, elle détermine quelle partie du montage sera calculée. Au-dessous, il y a une ligne rouge. Cela signifie qu'il faut prévisualiser le montage pour le visionner dans son intégralité avec tous ses effets et transitions. Une croix noire dans un carré blanc dans la **Vue Programme** indique aussi qu'une prévisualisation est nécessaire.

Figure 1-52 :
La zone de travail

C'est maintenant que vous allez tester la Prévisualisation en temps réel. Souvenez-vous, la case *Prévisualisation en temps réel* a été cochée au tout début.

1. Dans le menu principal, cliquez sur **Montage/Prévisualiser** ou appuyez sur la touche [Entrée]. La prévisualisation démarre. La petite croix noire dans le carré blanc disparaît momentanément, le temps de la prévisualisation.

 Conseil

> *Enregistrez le projet -* Si d'aventure vous n'aviez pas enregistré votre projet, Premiere vous demanderait de le faire. En effet, cette action est indispensable afin que la prévisualisation puisse s'effectuer.

Une fois satisfait du résultat, vous pouvez effectuer un calcul de rendu. Il suffit pour cela d'appuyer sur les touches [Maj]+[Entrée]. Une fenêtre de prévisualisation s'affiche, indiquant le temps nécessaire à Premiere pour calculer.

Remarque

Fichiers de prévisualisation - Premiere enregistre ses fichiers de prévisualisation sur le disque dur. Prévoyez de la place afin de ne pas vous retrouver avec un plantage.

2. Une fois le calcul effectué, Premiere lance automatiquement la lecture. Pour l'arrêter, appuyez sur la touche [Espace] ou sur la touche [K].

Lorsque le calcul est effectué, la ligne rouge est devenue bleu-vert.

3. Enregistrez votre projet.

 Remarque

Options de prévisualisation - L'option de prévisualisation depuis la mémoire vive disponible sous Premiere 6 ne l'est plus sous Premiere 6.5.

Créer un élément virtuel

Vous allez créer un élément virtuel.

Un élément virtuel est constitué de plusieurs éléments de la fenêtre **Montage**. Il peut contenir toute la vidéo et l'audio, mais également les effets, les filtres, les transparences et les transitions.

 Remarque

Sous-éléments - Attention à ne pas confondre éléments virtuels et sous-éléments.

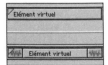

Figure 1-53 :
Éléments virtuels

1. Tapez autant de fois [M] pour initialiser l'outil **Sélection de blocs** consacré à la création d'éléments virtuels.

2. Sélectionnez la totalité des éléments que vous venez de monter.

Un encadré en pointillé entoure les éléments.

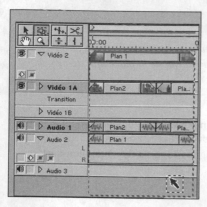

Figure 1-54 :
Sélection des blocs

3. 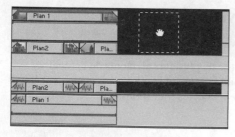 Dès que l'encadré est créé, le curseur change de forme.

4. Tirez le bloc sélectionné vers un emplacement disponible et suffisamment grand.

Figure 1-55 :
Déplacement du bloc
sélectionné

5. L'élément virtuel est créé.

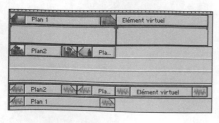

Figure 1-56 :
Élément virtuel terminé

Tout changement effectué sur les éléments sources d'un élément virtuel entraîne une modification de cet élément virtuel.

1.5   Montage dans la fenêtre Story-board

Il est désormais possible dans Premiere 6 de faire un montage Story-board en utilisant soit la fenêtre Projet, soit la fenêtre Story-board.

Montage Story-board avec la fenêtre Projet

1. Créez un nouveau chutier (nommez-le Montage SB, par exemple).
2. Importez vos clips dans ce chutier.
3. Paramétrez la fenêtre **Projet** en mode Icône.

 Attention

> *IMPORTANT : ordre des éléments - Le montage va se faire automatiquement. Vous devez placer vos éléments dans l'ordre où vous désirez qu'ils apparaissent dans le montage. La lecture, dans un chutier, se fait de gauche à droite et du haut vers le bas (sens de lecture dans la majorité des pays). Si vous n'utilisez pas le mode Icône, les éléments seront classés dans un ordre défini autrement : nom, durée. (En général, cliquez sur le libellé Nom pour avoir un ordre alphabétique).*

4. Glissez-déposez chacun des éléments dans la vue *Source* de la fenêtre **Moniteur**.
5. Réglez les points d'entrée et de sortie.

La fenêtre **Projet** comporte, elle aussi, un bouton fléché à droite, qui donne accès à un menu contextuel.

6. Cliquez sur ce bouton pour afficher le menu contextuel.
7. Choisissez **Automatiser au montage**....

 Astuce

> *Clic droit - Vous pouvez aussi effectuer un clic droit de la souris dans la zone contenant les éléments pour ouvrir un menu contextuel et choisir Automatiser au montage....*

La boîte de dialogue **Automatiser au montage...** vous propose un certain nombre d'options. Nous vous conseillons de les tester (elles ne sont pas nombreuses) afin de juger vous-même de leur intérêt. Par exemple, le fait de cocher la case *Utiliser la transition par défaut* va insérer une transition entre chaque élément. Vous pouvez négliger ou non la piste audio, choisir des marques de montage, etc.

Montage Story-board avec la fenêtre Storyboard

Il offre beaucoup plus de souplesse que l'utilisation d'un chutier.

1. Créez un story-board en utilisant une des méthodes suivantes:

    ■ Choisissez **Fichier/Nouveau/Storyboard**.

    ■ Clic droit de la souris dans un chutier puis **Nouveau/Storyboard**.

> **Astuce**

Clavier - *Le raccourci clavier est* .

À partir de cet instant, plusieurs méthodes s'offrent à vous pour monter vos éléments.

Avec la première, vous allez d'abord les incorporer un par un dans l'ordre que vous déciderez (surtout si vous utilisez vos propres clips).

2. Sélectionnez vos éléments dans le chutier. Glissez-déposez-les dans la fenêtre **Storyboard**.

> **Attention**

Ordre d'incorporation des clips - *Vous avez la possibilité de déposer vos clips soit un par un, soit tous à la fois. Dans ce dernier cas, tout dépendra de l'ordre d'affichage dans le chutier, encore une fois.*

3. Double-cliquez sur le premier clip de la liste pour l'ouvrir dans une fenêtre indépendante.
4. Faites glisser le curseur afin de modifier les points d'entrée et de sortie (touches et ○ du clavier).
5. Fermez la fenêtre.
6. Procédez de la même manière pour les autres clips.
7. Cliquez sur le bouton fléché à droite de la fenêtre **Storyboard** pour afficher le menu contextuel.

8.   Choisissez **Automatiser au montage...**.

 Astuce

*Icônes - Vous pouvez aussi cliquer sur l'icône Automatiser au montage, située en bas à droite de la fenêtre **Storyboard** (Il s'agit de la première icône).*

 Remarque

*Exporter vidéo - La fenêtre **Storyboard** vous permet d'exporter directement votre montage.*

La deuxième méthode ne diffère de la précédente que par la modification des points d'entrée et de sortie des clips dans la vue *Source*.

1.   Faites glisser vos clips dans la vue *Source*.

2.   Modifiez les points d'entrée et de sortie de chaque clip.

3.   Incorporez les clips dans la fenêtre **Storyboard**, toujours en vérifiant l'ordre.

4.   Double-cliquez sur un des clips de la fenêtre **Storyboard** pour l'ouvrir dans une fenêtre indépendante.

Vous constatez que les points d'entrée et de sortie correspondent bien à ceux qui ont été modifiés dans la vue *Source*, mais que vous ne pouvez pas les modifier de la même manière. Votre élément n'a plus sa longueur initiale. En fait, il s'agit là plutôt d'un sous-élément. La nuance est de taille.

5.   Fermez la fenêtre.

6.   Procédez au montage automatique ou à l'exportation vidéo, comme précédemment.

Selon la méthode que vous pratiquerez, le montage Storyboard s'avère très pratique pour monter rapidement ou effectuer un premier montage.

1.6   Effets, images-clés et opacité

Premiere regroupe sous le nom générique d'"effets" tout un assortiment de filtres et d'outils destinés à retravailler les images et les sons. Vous aurez l'occasion de les utiliser tout au long de cet ouvrage.

Dans la palette des effets **Vidéo**, vous trouverez de quoi modifier, arranger vos clips vidéo.

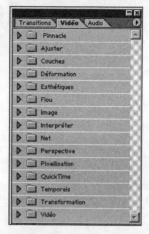

Figure 1-57 :
Palette des effets Vidéo

La palette des effets **Audio** permet la même chose avec les fichiers sons.

Figure 1-58 :
Palette des effets Audio

Là aussi, rien de très compliqué. Vous sélectionnez un effet et vous le glissez-déposez sur l'élément de votre choix.

> ≫ **Attention**
>
> *Effets - N'essayez pas d'appliquer un effet **Audio** sur un clip vidéo (et inversement), ça ne marchera pas !*

Effets vidéo

Lorsqu'un effet est appliqué, la fenêtre **Effets** le prend en compte et vous permet de manipuler ses paramètres (sauf exceptions) et d'appliquer des images-clés destinées à modifier l'effet dans le temps.

Figure 1-59 :
Palette Effets

Lorsque vous appliquez un effet à un élément vidéo, vous pouvez visualiser les images-clés dans la piste d'affichage des images-clés.

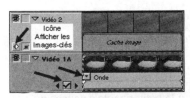

Figure 1-60 :
Images-clés Vidéo 1

Vous pouvez également sélectionner les différents effets appliqués à l'aide d'un petit menu déroulant.

Figure 1-61 :
Images-clés Vidéo 2

Effets Audio

Le principe est identique pour les effets audio.

Figure 1-62 :
Effets Audio

Figure 1-63 :
Images-clés Audio

Pistes d'opacité et d'étirement

Vous venez d'en avoir un aperçu avec les effets. En développant les pistes vidéo et audio, vous avez accès à plusieurs réglages possibles.

Pistes vidéo

1.  Cliquez sur le petit triangle à gauche du nom de la piste pour la développer.

2. Cliquez sur le bouton rouge de réglage d'opacité.

3. Modifiez l'opacité.

Figure 1-64 :
La ligne rouge représente
l'opacité de l'élément.

Pistes audio

1. 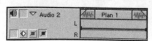 Cliquez sur le petit triangle à gauche du nom de la piste pour la développer.

2. Cliquez sur le bouton rouge d'étirement de volume ou le bleu d'étirement de panoramique.

Figure 1-65 :
les icônes, de gauche à droite : affichage du spectre, images-clés, étirement de volume, étirement de panoramique

3. Modifiez le volume et/ou le panoramique.

Figure 1-66 :
Étirement du volume

Figure 1-67 :
Étirement du panoramique. L pour Left
(gauche) et R pour Right (droite)

Le bouton à l'extrême gauche affiche ou non le spectre audio.

Chapitre 2

Titrage et effets de texte

Le premier chapitre de cet ouvrage avait pour but de vous familiariser avec l'interface de Premiere et de vous initier à la manipulation d'éléments pour effectuer un montage. Nous conseillons à ceux qui débutent ou qui prennent le train en marche de recommencer les manipulations, aussi souvent que nécessaire. Un maître-mot : OSEZ. N'hésitez pas à expérimenter. L'aisance viendra après, et relativement vite. Une deuxième chose, utilisez les raccourcis clavier conjointement avec la souris. Le gain de temps sera appréciable, et vous n'aurez plus qu'à vous concentrer sur l'aspect artistique du montage. N'oubliez pas que Premiere est avant tout un outil.

Ce chapitre s'intéresse au texte, aux titres et à tout ce qui en découle. Nous l'avons signalé, Premiere 6.5 est maintenant doté d'un nouveau module de titrage qui relègue l'ancienne fenêtre **Titre** au placard.

2.1 Le Concepteur de titres Adobe

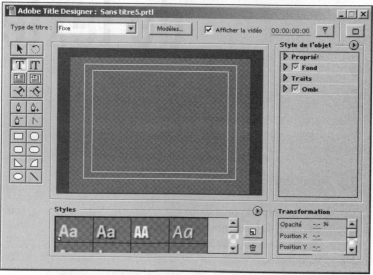

Figure 2-1 : Le Concepteur de titres Adobe

Vous allez commencer par créer un titre simple afin de prendre en main les commandes du **Concepteur de titres Adobe**.

Ouvrez Premiere et créez un nouveau projet. Enregistrez-le sous le nom Projet_Titre, par exemple.

2.2   Utilisation du Concepteur de titres Adobe

Raccourcis pour accéder au Concepteur de titres
Fenêtre Adobe Title Designer
Fichier/Nouveau/Titre
Touche de fonction F9
Palette *Commandes*/Bouton **Nouveau Titre** (F9)
Clic droit de la souris à l'intérieur d'un chutier de la fenêtre **Projet**
Fenêtre **Projet**/Clic sur icône *Créer élément/Titre*

Le **Concepteur de titres Adobe** est donc un tout nouveau programme permettant de créer du titrage, fixe ou déroulant, ainsi que des masques. Vous disposez de toute une panoplie d'outils situés à gauche de la fenêtre, accessibles par simple clic ou en appuyant sur une touche du clavier. D'autres fonctions sont apparues que nous verrons plus loin. Leur utilisation est directement issue d'After Effects 5.5.

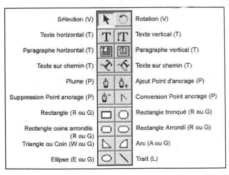

Figure 2-2 :
Outils du Concepteur de titres

Parmi les nouveautés, remarquons une rubrique *Styles* permettant d'appliquer des styles aux textes mais aussi aux figures géométriques.

Figure 2-3 :
Les différents styles proposés par Premiere 6.5

Astuce

Touches de raccourci - Pour accéder à l'un ou à l'autre des outils, il suffit de taper sur la lettre qui lui correspond autant de fois que nécessaire. Par exemple, la touche P *permet de choisir l'outil* **Plume** *mais aussi les outils* **Ajout** *et* **Suppression de points d'ancrage.**

Titre simple

Figure 2-4 :
Créer un titre

Créez un nouveau titre

1. Choisissez **Fichier/Nouveau/Titre**.

2. Enregistrez le titre : Ctrl+S ou **Fichier/Enregistrer**. Donnez-lui un nom significatif. Dans cet exemple, vous allez l'appeler Mon Titre.

   Si un chutier est activé au moment de la sauvegarde, le titre y est automatiquement inséré.

 Remarque

Menu Titre - Lors de la création d'un titre, un menu **Titre** *apparaît automatiquement dans la barre de menu principal, entre* **Fenêtre** *et* **Aide.** *Il permet d'avoir accès à toutes les fonctionnalités nécessaires.*

3. Créez un nouveau chutier que vous nommerez Chutier Titres. Glissez-y le titre que vous venez de créer.

4. Cliquez dans le menu **Titre** pour le dérouler puis sur **Affichage**. Les commandes **Marge admissible pour le titre, Marge admissible pour l'action** et **Lignes de base du texte** doivent être cochées.

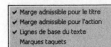

Figure 2-5 :
Commande Affichage du menu Titre

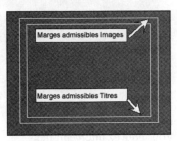

Figure 2-6 :
Marges admissibles

Les marges admissibles sont les limites qui permettent à votre titre et à vos images d'être correctement visibles sur un écran TV.

La zone de création de titres rappelle un document multi-calques Photoshop. Le fond contient un damier symbolisant la transparence. Cette zone prend automatiquement la taille de l'image spécifiée dans les **Réglages du projet**.

Vous allez importer un fichier vidéo dans la fenêtre **Projet**.

5. Activez le chutier Vidéo, puis appuyez sur la touche ⟨F3⟩. Allez dans le dossier *Sample Folder* de Premiere 6.5 et sélectionnez un fichier ou récupérez-en un dans vos dossiers personnels. Cliquez sur **Ouvrir**. Pour plus de commodité, nous allons le nommer Vidéo N°1.

6. Glissez l'élément *Vidéo N°1* sur la piste *Vidéo 1A*.

Affichez une image-échantillon dans la zone de dessin du Concepteur de titres

Plus besoin d'importer une image, simplement cocher une case et le résultat s'affiche de lui-même.

1. Cliquez sur la case *Afficher la vidéo*.

Figure 2-7 :
Afficher la vidéo

2. L'élément *Vidéo N°1* s'affiche dans la zone de dessin, par dessus le damier.

Figure 2-8 : La vidéo affichée

Afin de mieux visualiser les possibilités d'interactivité du **Concepteur de titres**, vous allez réduire la taille de la fenêtre, de manière à ce que vous puissiez apercevoir la fenêtre **Montage**. Vous pouvez intervenir dans Premiere sans que le **Concepteur de titres** soit fermé.

3. Dans la fenêtre **Montage**, placez le **Point d'insertion** (curseur bleu) sur une image au milieu du clip *Vidéo N°1* par exemple. Pour que la modification se répercute dans le **Concepteur de titres**, allez dans celui-ci et cliquez sur l'icône *Synchronisation avec le montage*, symbolisée par un curseur bleu identique à celui de la fenêtre **Montage**.

Figure 2-9 :
L'icône Synchronisation avec le montage

Difficile de faire plus simple. Mais il y a mieux. En effet, à moins de posséder un écran de 22 pouces ou un affichage double écran, il n'est pas toujours commode de travailler avec une multitude de fenêtres ouvertes. Pour changer l'image de fond sur laquelle vous désirez intervenir, Premiere propose un contrôle de texte réactif, placé à gauche de l'icône *Synchronisation avec le montage*. Voici comment l'utiliser.

Figure 2-10 :
Contrôle de texte réactif pour faire défiler
l'image de fond

1. Placez le curseur de la souris sur le contrôle de texte réactif (texte bleu souligné). Il prend la forme d'un doigt pointé posé sur une double flèche noire.

2. Faites glisser le curseur vers le haut ou le bas (ça marche aussi de droite à gauche et inversement) puis relâchez le bouton de la souris. L'image de fond change dans la zone de dessin. Vous pouvez aussi

indiquer précisément une valeur en double-cliquant sur le texte réactif et en tapant le chiffre correspondant à l'instant que vous désirez visualiser.

Figure 2-11 :
Zone de saisie du Contrôle de texte réactif pour afficher la vidéo

Créez votre texte

À présent, passons à la création du texte.

1. Appuyez sur la touche ⊤ de votre clavier pour sélectionner l'outil **Texte**. Le curseur de la souris se transforme en curseur d'insertion de texte.
2. Cliquez dans la zone de dessin. Un liseré rectangulaire blanc apparaît.
3. Tapez Mon Titre, puis cliquez à l'extérieur de la zone de texte.

Enregistrez votre titre.

Vous pouvez glisser-déposer votre texte à n'importe quel endroit à l'intérieur de la zone de dessin. Premiere assigne par défaut le premier style, en haut à gauche de la fenêtre **Styles**, à votre texte.

4. Assurez-vous que l'**Outil de Sélection** (Ⅴ) est sélectionné.
5. Cliquez sur le texte Mon Titre. Utilisez la souris ou les flèches de direction du clavier pour le déplacer.

Notez que, lorsqu'il est sélectionné, le bloc contenant votre texte est balisé par six carrés. Ils servent à déformer le titre ou à modifier le bloc au cas où votre texte ne s'afficherait pas comme vous le souhaitez. Ce dernier cas se produit lorsqu'on trace un rectangle avec l'outil **Titre** et que le texte tapé passe automatiquement à la ligne.

Figure 2-12 :
Texte trop long ?

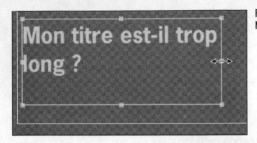

Figure 2-13 :
Modification du bloc

 Remarque

Renvoi à la ligne - *Par défaut, le Concepteur de titres ne renvoie pas le texte à la ligne. Cette option peut-être cochée dans la fenêtre **Titre**, de manière à ce que le texte passe à la ligne suivante lorsqu'il atteint une marge admissible. Si le renvoi à la ligne est désactivé, il faut utiliser la touche* ⟨Entrée⟩*.*

Choisissez une couleur pour le texte

L'image de fond étant choisie, vous allez modifier la couleur de votre texte. Ici aussi, cela n'a plus rien à voir avec l'ancienne fenêtre **Titre**. Il faut désormais se rendre dans la rubrique *Style de l'objet*.

Quatre sections composent cette rubrique : *Propriétés*, *Fond*, *Traits* et *Ombre*.

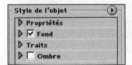

Figure 2-14 :
La rubrique Style de l'objet

1.   Cochez la case *Fond* si elle ne l'est pas puis cliquez sur le petit triangle pour dérouler le menu. Appuyez sur la touche ⟨T⟩ de votre clavier pour sélectionner l'outil **Texte**. Le curseur de la souris se transforme en curseur d'insertion de texte.

2.   Vérifiez que votre texte est bien sélectionné sinon, cliquez dessus avec l'**Outil de sélection** (⟨V⟩). Cliquez sur le petit carré gris clair en face du mot **Couleur**. Le **Sélecteur de couleurs** s'affiche.

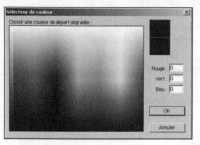

Figure 2-15 :
Sélecteur de couleurs

3. Choisissez une couleur, par exemple un rouge (255, 68, 20) et cliquez sur OK.

Le texte sélectionné s'affiche en rouge.

Modifiez la police de caractères

La police de caractères par défaut ne vous convient sans doute pas. La section **Propriétés** permet de gérer le texte. Vous pouvez choisir la police, la taille, modifier l'interlignage, etc.

1. Sélectionnez le texte Mon Titre.
2. Allez dans *Style de l'objet* et déroulez le menu de la section **Propriétés**.
3. Choisissez une police du menu **Police**, par exemple Arial MT.

Notre titre paraît un peu petit. Nous allons lui donner plus de présence.

1. Placez le curseur de la souris sur le contrôle de texte réactif placé en face d'**Aspect**. Faites-le glisser vers le haut jusqu'à ce qu'il affiche 200%. Le titre s'allonge vers la droite.
2. Cliquez dessus avec le bouton droit de la souris pour afficher un menu contextuel.

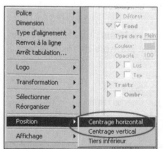

Figure 2-16 :
Menu contextuel

3. Choisissez **Position/Centrage horizontal** d'abord et **Centrage vertical** ensuite. Le titre est placé bien au centre de la zone de dessin. Vous pouvez utilisez les flèches du clavier pour le déplacer le cas échéant.

4. Redonnez un **Aspect** 100% à votre titre et passez la **Taille** à 130% Avant de le réajuster dans la zone de dessin, nous allons encore un peu le modifier.

5. Toujours dans la section **Propriétés**, cochez la case **Tout en majuscules**. Repositionnez le titre au centre en utilisant le menu **Titre** cette fois.

Donnez du relief au titre

Un titre plat, c'est bien joli mais on peut lui préférer plus de relief. Chose difficile voire impossible à réaliser avec l'ancienne fenêtre **Titre** mais d'une simplicité déconcertante avec le Concepteur de titres.

1. Sélectionnez le texte Mon Titre. Dans la rubrique *Style de l'objet*, déroulez la section *Fond* (qui doit être cochée).

2. Cliquez sur la barre marquée *Plein*, en face de *Type de remplissage* et choisissez *Biseau*.

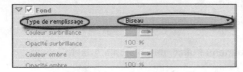

Figure 2-17 :
Créer un Biseau

3. Laissez *Couleur surbrillance* en rouge. Cliquez sur le carré (rouge pour le moment) en face de *Couleur ombre* et choisissez un marron foncé (R=118, V=75, B=0). Bien entendu, vous pouvez aussi utiliser les pipettes pour prendre la couleur de votre choix.

4. Cochez la case *Eclairé*. Passez *Balance* à 62 et *Dimension* à 95. Le biseau apparaît.

5. Passez *Luminosité* à 100. Le biseau est plus marqué mais nous pouvons l'intensifier encore.

6. Cliquez sur le triangle précédant *Petit angle*. Nous pouvons modifier l'angle d'éclairage du biseau en utilisant le contrôle de texte réactif ou bien le curseur circulaire.

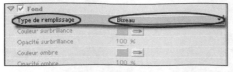

Figure 2-18 :
Créer un Biseau

7. Passez *Petit angle* à 32°.

Figure 2-19 :
Modifier l'angle d'éclairage

La différence de réglage est immédiatement visible.

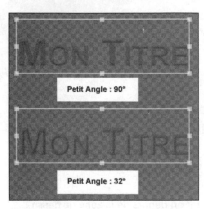

Figure 2-20 :
Le titre avant et après
modification de l'angle
d'éclairage

Enregistrez le style

Votre titre vous plaît et vous avez l'intention de le réutiliser.
Evidemment, régler les paramètres à chaque fois n'est pas de tout repos.
Alors pourquoi ne pas créer un style ?

1. Cliquez sur le triangle situé à l'extrême droite du libellé *Styles*.

Figure 2-21 :
Déroulez le menu Styles

2. Cliquez sur **Nouveau style**.

Figure 2-22 :
Nouveau style

3. Dans la fenêtre qui s'ouvre, donnez un nom à votre style, par
    exemple Mon Style. Cliquez sur OK.

Figure 2-23 :
Donnez un nom au style

4. Le nouveau style apparaît dans la liste des styles. Vous pouvez le
    réutiliser et le transformer à volonté.

Figure 2-24 :
Un nouveau style est créé

Ajoutez une image de fond

Après réflexion, vous préféreriez que votre titre ne soit pas en
surimpression sur vos images. Par contre, il vous faut un fond ? C'est
parti !

1. Désélectionnez le titre, en cliquant en dehors de la zone de dessin.
    Tapez ([R] ou [G]) pour sélectionner l'outil **Rectangle**.

2. Tracez un rectangle d'une dimension égale ou légèrement
    supérieure à la zone de dessin.

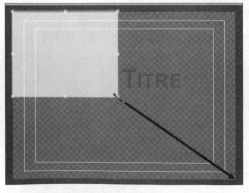

Figure 2-25 :
Tracez un fond
rectangulaire

3. Dans la section *Propriétés*, le *Type d'image* est bien sur *Rectangle*.
    Vous pouvez changez la forme de l'objet en déroulant ce menu. La

section *Fond* est cochée et le *Type de remplissage* est sur *Plein*. Peu importe la couleur car nous allons appliquer une texture. Cochez la case *Texture* et cliquez sur le petit triangle pour dérouler les options.

4. En face du mot *Texture* il y a un carré gris clair. Cliquez dessus pour charger une texture.

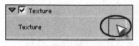

Figure 2-26 :
Chargez une texture

5. Premiere 6.5 est livré avec une pléthore de texture. Choisissez *Blue Sky Title Bkgd.tga*. Cliquez sur **Ouvrir**. Un magnifique nuage blanc dans un ciel azur orne à présent le rectangle. Une image de la texture appliquée est présente dans le carré gris de sélection.

6. Il faut à présent faire passer le fond en arrière-plan. Faites un clic droit de la souris sur le rectangle puis choisissez **Réorganiser** et **Envoyer à l'arrière-plan**. Le titre apparaît au milieu des nuages.

Ajoutez une ombre

Donnons plus de présence au titre en lui appliquant une ombre portée.

1. Tapez ([V]) pour sélectionner l'outil de **Sélection** puis sélectionnez Mon_Titre.

2. Cochez la case *Ombre* puis cliquez sur le petit triangle pour développer la section.

3. Laissez la couleur noir par défaut. Passez **Opacité** à 40%, **Angle** à 145°, **Distance** à 44 et **Etaler** à 50. Utilisez pour cela les **Contrôle de texte réactifs** ou bien cliquez dessus pour écrire directement la valeur. Le réglage de l'angle peut se faire de même ou en utilisant le curseur circulaire. En appuyant sur la touche [Maj] vous incrémentez ou décrémentez par 10.

Tapez du texte le long d'un chemin

C'est une des nouvelles fonctionnalités du Concepteur de titres, déjà présente dans Illustrator.

1. Cliquez sur l'outil **Texte sur chemin** de gauche.

2. Lorsque vous placez le curseur dans la zone de dessin, il prend la forme d'une plume.

Figure 2-27 :
Le curseur prend la forme d'une plume

3. Cliquez une première fois à gauche, sous Mon_Titre. Maintenez le bouton de la souris appuyé et tirez vers le bas. Placez-vous un peu plus haut puis procédez de même une deuxième fois, une troisième fois plus bas et terminez en remontant légèrement.

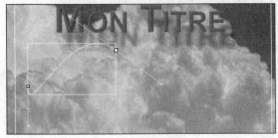

Figure 2-28 : Commencez à dessiner le chemin...

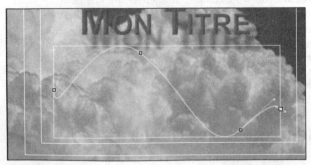

Figure 2-29 : Le chemin terminé

4. Placez maintenant le curseur sur le premier point, jusqu'à ce qu'il prenne la forme d'une barre d'insertion de texte.

Figure 2-30 :
Insertion de texte

5. Tapez votre texte. Nous avons tapé Titre suivant un chemin. Donnez-lui une couleur voyante, par exemple jaune vif et une ombre pour le détacher des nuages.

Figure 2-31 : Le texte inséré

6. Vous pouvez modifier la forme du chemin en manipulant les points d'ancrages, à l'aide de l'outil **Plume** ou de l'outil **Texte sur chemin**.

Créez un titre défilant horizontalement

Premiere vous offre la possibilité de faire défiler votre texte. Vous pouvez, bien entendu, utiliser les options du **Concepteur de titres**, mais aussi la fenêtre **Trajectoire**.

 Renvoi

L'utilisation des trajectoires est décrite dans le chapitre Trajectoires.

Dans l'exemple qui suit, vous utiliserez le **Concepteur de titres**.

1. Créez un nouveau projet ou ouvrez-en un.

2. Tapez [F9] pour ouvrir le **Concepteur de titres**.

3. Dans la rubrique *Type de titre*, choisissez *Déroulement horizontal*.

Figure 2-32 :
Type de titre

4. Appuyez sur la touche ⊤ pour sélectionner l'outil **Titre**.

5. Écrivez votre texte. Il peut être long ou n'être qu'un simple mot. Vous pouvez aussi lui appliquer un style.

6. Dans le menu **Titre**, choisissez **Options de déroulement à la verticale/horizontale**.

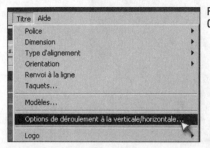

Figure 2-33 :
Options de déroulement

7. La boîte de dialogue **Options de déroulement à la verticale/horizontale** s'ouvre.

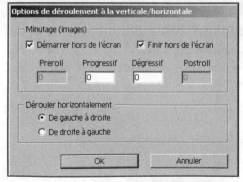

Figure 2-34 :
Réglez les options

8. Cochez les cases *Démarrer hors de l'écran* et *Finir hors de l'écran*. Dans la rubrique *Dérouler horizontalement*, conservez l'option *De gauche à droite*.

9. Enregistrez le titre et insérez-le dans une piste vidéo de la fenêtre **Montage**. Effectuez une prévisualisation.

Titre déroulant (générique)

La tradition veut qu'un film commence et se termine par un générique. S'il est rare, dans les productions actuelles, d'apercevoir le mot "Fin" à la dernière image du film, le générique, lui, est toujours présent. Simples cartons ou déroulant, il est la fiche technique et artistique du film.

Le générique de début peut être un simple titre précédé des noms et logos des productions et suivi par les noms des comédiens, du réalisateur et des principaux techniciens.

Cet exemple vous montre comment réaliser un générique de fin déroulant, tout simple, lettrage blanc sur fond noir.

Figure 2-35 :
Créer un générique de fin

Comme précédemment, vous allez vous servir des options du **Concepteur de titres**.

 Renvoi

L'utilisation des trajectoires est décrite dans le chapitre Trajectoires.

La procédure est très simple, enfantine presque. Elle reprend le principe du défilement horizontal.

1. Ouvrez ou créez un projet dans Premiere.

2. Appuyez sur F9 pour afficher le **Concepteur de titres**.

    Le générique défilera du bas vers le haut et sera affiché en blanc sur un fond noir.

3. Les différents éléments composants le générique sont créés en utilisant l'outil **Texte** et le style par défaut. Le nom du réalisateur peut être coloré. En modifiant la taille des polices et le type d'alignement, on obtient l'effet désiré. Nous avons utilisé plusieurs blocs textes dans cet exemple, placés aux endroits adéquats. N'oubliez pas qu'un générique se doit d'être lisible, proscrivez les polices manuscrites.

Figure 2-36 :
Le générique dans le
Concepteur de titre

4. Choisissez **Déroulement vertical** pour le **Type de titre**.

5. Ouvrez les **Options de déroulement à la verticale/horizontale**.
   Cochez les cases *Démarrer hors de l'écran* et *Finir hors de l'écran*.
   Vous pouvez spécifier un nombre d'images *Progressif* ou *Dégressif*.
   La vitesse du titre va augmenter jusqu'à atteindre la vitesse de
   défilement ou diminuer jusqu'à atteindre la fin du défilement.
   Cliquez sur OK.

6. A l'aide de l'outil de Sélection ([V]), sélectionnez vos blocs textes et
   positionnez-les en bas, à l'extérieur de la zone de dessin, sous la
   marge inférieure, de sorte que la barre de défilement à droite soit
   opérationnelle (elle va s'activer au fur et à mesure que les blocs vont
   descendre). En manipulant la barre de défilement, vous pouvez voir
   le générique défiler.

Figure 2-37 :
Déplacez le générique vers
le bas pour activer la barre
de défilement

7. Enregistrez le générique.

8. Placez le générique dans la fenêtre **Montage** pour le prévisualiser.
Vous pouvez modifier sa vitesse en modifiant son point de sortie.

2.3   Un générique à la "Star Wars"

Tatan tatatatanta tatatatanta tatatatan ! Musique de John Williams,
lettres blanches sur fond étoilé. Il y a longtemps, dans une galaxie
lointaine, très lointaine...

En 1977, George Lucas faisait entrer le cinéma dans une nouvelle ère.
Nombre de ses collaborateurs allaient développer des techniques qui
n'ont eu de cesse d'être améliorées au fil des années. N'importe, à
l'instar des frères Lumière, de Méliès et de tant d'autres, ils furent des
précurseurs. Lucas avait prédit qu'un jour n'importe qui pourrait
réaliser les effets de *Star Wars* chez lui. À défaut de vaisseaux spatiaux et
de sabres-laser, vous allez recréer le générique.

Figure 2-38 :
Générique façon Star Wars

Bien que nous ne doutions pas un seul instant que la force soit avec
vous, nous allons vous montrer pas à pas comment réaliser ce générique.
Contrairement à l'exercice précédent, il s'agit d'un générique de début,
en surimpression, lettres blanches sur fond d'étoiles.

Précisons tout de suite que Premiere n'est peut-être pas le meilleur outil
pour créer ce genre d'effet. After Effects est tout de même plus souple.

1. Ouvrez le projet dans lequel vous allez incruster le générique. Pour
cet exemple, nous avons pris les dimensions d'un projet QuickTime,
320 X 240, 15 images/seconde.

2. Ouvrez le **Concepteur de titres** (vous devez savoir comment faire à
présent).

3. Choisissez *Déroulement vertical* comme Type de titre puis cliquez sur l'outil **Texte de paragraphe horizontal**.

4. Tracez les limites de votre texte déroulant (n'hésitez pas à dépasser les limites de la zone de dessin). Nous avons gardé le style par défaut, en réduisant la taille de la police à 36.

> **Conseil**
>
> *Éditeur de texte - Le générique pouvant se révéler relativement long, il est recommandé de l'écrire dans un éditeur de texte et de procéder à un copier-coller.*

5. Tapez ou collez le texte. Si le cadre n'est pas assez long, utilisez l'outil **Sélection** pour le rallonger. Remarquez que la barre de défilement vertical s'est activée dès lors que nous sommes en **Déroulement vertical**.

> **Remarque**
>
> *Raccourcis claviers - Les raccourcis claviers pour copier ([Ctrl]+[C]), couper ([Ctrl]+[X]) et coller ([Ctrl]+[V]), sont utilisables dans le Concepteur de titres. Pour sélectionner un texte entier dans un bloc, utiliser le raccourci [Ctrl]+[A].*

6. Donnez un **Type d'alignement Centré** au texte.

7. Affichez les **Options de déroulement à la verticale/horizontale**. Cochez les cases *Démarrer hors de l'écran* et *Finir hors de l'écran*. Appuyez sur [Entrée] ou cliquez sur OK.

8. Vérifiez que le texte se déroule bien de bas en haut en l'incorporant dans la fenêtre **Montage** et en effectuant une prévisualisation.

9. Importez une image de fond étoilé dans votre projet et placez-la sur une piste vidéo, sous le générique. Étendez-la de manière qu'elle soit suffisamment longue.

> **Astuce**
>
> *Étoiles et toiles - Pour créer rapidement un fond étoilé avec Photoshop, créez un nouveau document du même format que le projet. Remplissez-le de noir, puis appliquez-lui un filtre Bruit - Monochromatique - Gaussien. Appliquez un Flou Gaussien pas trop élevé, puis tapez [Ctrl]+[L] pour ajuster les niveaux.*

10. La vitesse de défilement du générique sera conditionnée par sa longueur (nombre d'images) dans la piste vidéo. Vous réglerez cela plus loin.

11. Dans la palette des effets **Vidéo**, ouvrez le dossier *Transformation*. Sélectionnez l'effet **Vue de l'objectif** et faites-le glisser sur le titre déroulant.

    Dans la palette *Effets*, *Vue de l'objectif* s'affiche à la suite de *Trajectoire* et *Transparence*.

12. Cliquez sur *Configuration* pour afficher les paramètres de l'effet.

    Dans la fenêtre **Vue de l'objectif**, vous allez modifier quelques-uns des paramètres.

> **Attention**
>
> ***Paramètres -*** *Les réglages qui suivent concernent un projet en 320 x 240. À vous de les modifier en conséquence selon les dimensions de votre projet.*

13. Dans la rubrique *Configuration*, localisez le champ *Latitude*. Il est surmonté d'un curseur. Faites-le glisser vers la droite jusqu'à ce que le champ affiche 312°.

14. Modifiez aussi la *Distance focale*. Cliquez dans le champ correspondant et tapez 42.

15. Passez la *Distance* à 11 et le *Zoom* à 1,70. Décochez la case *Fond Alpha*. Cliquez sur OK.

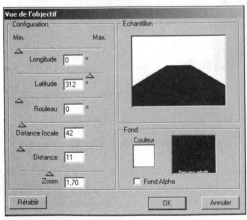

Figure 2-39 :
Réglages Vue de l'objectif

16. Faites une prévisualisation avec Alt+curseur ou en appuyant sur la touche Entrée si la prévisualisation temps réel est activée.

Si le texte va beaucoup trop vite, rallongez l'élément dans sa piste vidéo. Enregistrez votre projet.

Figure 2-40 :
Redimensionner l'élément

Ca fonctionne pas trop mal bien que le texte soit un peu baveux. En changeant le style de texte (taille, couleur) et en modifiant les réglages du filtre *Vue de l'objectif* on arrive à corriger un peu. Il ne manque pas grand chose pour recréer le générique de Star Wars.

2.4　Le sous-titrage

Le sous-titrage est employé en de nombreuses occasions : films en version originale, affichage du nom d'une personne interviewée, commentaires, etc. Il nécessite du soin et de la patience, et la visualisation du montage final dans son intégralité.

Premiere 6.5 permet de s'acquitter de cette pénible tâche beaucoup plus facilement que dans sa version précédente. Il s'agit encore une fois d'utiliser le **Concepteur de titres**.

Figure 2-41 :
Créer un sous-titre simple

 Remarque

Logiciels - Il existe un autre moyen de créer des sous-titres, en utilisant *Virtual Dub.*

Adresse : **http://virtualdub.sourceforge.net/**.

À cette autre adresse : **www.media-video.com/utilitaires.php**, *vous trouve-rez un patch français pour Virtual Dub et des utilitaires pour créer des sous-titres.*

Virtualdub : éditeur, compresseur vidéo.

1. Ouvrez le projet dans lequel vous allez incruster le sous-titrage. Pour cet exemple, nous avons pris les dimensions d'un projet QuickTime, 320 X 240, 15 images/seconde.

   Vous devez visualiser votre montage et placez des marques aux endroits où les sous-titres apparaîtront. Vous pouvez disposer des marques soit dans l'échelle de temps de la fenêtre **Montage**, soit dans les éléments constituant votre montage. Si votre montage final ne comporte qu'un seul élément vidéo et son, vous pouvez choisir de placer les marques dans la vue *Programme*.

   Supposons que votre montage définitif comprenne de nombreux éléments. Vous n'allez pas placer des marques dans chaque élément. Il vaut mieux marquer l'ensemble du montage définitif.

2. Dans la vue *Programme*, faites défiler le film. Cliquez Figure 2-42 : sur l'icône *Marque* pour poser vos repères.   Icône Marque

Figure 2-43 :
Poser des marques

Les marques s'affichent dans l'échelle temporelle de la fenêtre **Montage**.

Figure 2-44 :
Affichage des marques dans l'échelle
temporelle

Vous allez devoir (dans tous les cas) créer un nouveau titre par sous-titre. L'avantage de Premiere 6.5 est de pouvoir afficher la vidéo à l'intérieur du **Concepteur de titres** et d'y déplacer le **Point de montage**.

3. Tapez F9 pour créer un nouveau titre. Cochez la case *Afficher la vidéo*. Arrangez-vous pour que la fenêtre **Montage** soit visible (vous pouvez redimensionner la fenêtre du **Concepteur de titres**) et placez

le **Point de Montage** sur la première marque. Pour cela, cliquez sur l'icône **Marque** de la vue *Programme* et choisissez **Atteindre** ou faites un clic droit sur la ligne temporelle de la fenêtre **Montage** et sélectionnez **Atteindre la marque de montage** puis le numéro de la marque.

4. Cliquez sur l'icône **Point de Montage** du **Concepteur de titres**. L'image correspondant à la première marque s'affiche dans la zone de dessin. Tapez le texte qui servira de sous-titre. Placez-le dans la partie inférieure de l'image, en respectant les *Marges admissibles pour le titre*. Enregistrez le sous-titre.

5. Atteignez une autre marque et cliquez une nouvelle fois sur l'icône **Point de Montage** du **Concepteur de titres**. Tapez le deuxième sous-titre. Enregistrez le sous-titre sous un autre nom. Procédez ainsi jusqu'à ce que tous les sous-titres soient créés.

6. Cliquez sur l'icône de la vue *Programme* et choisissez **Atteindre**. Sélectionnez la première marque. Placez votre premier sous-titre à l'endroit où le curseur a atteint la marque, dans une piste vidéo au-dessus du clip devant être sous-titré.

7. Procédez de la même façon pour tous vos sous-titres.

 Attention

*Marques - Les raccourcis clavier ne sont pas les mêmes selon que les marques s'appliquent à un élément ou à l'échelle de temps de la fenêtre **Montage**. Les raccourcis clavier pour poser des marques sur un élément sont* [Ctrl]+[Alt]+[N]. *Les raccourcis clavier pour poser des marques sur l'échelle de temps de la fenêtre **Montage** sont* [Alt] + [Maj] +[N]. *Ce numéro est un chiffre de 0 à 9. Pour atteindre les marques d'un éléments, utilisez* [Ctrl]+[N] *ou* [Ctrl]+[→] *ou* [←]. *Pour atteindre les marques sur l'échelle de temps, utilisez* [Maj]+[N] *ou* [Maj]+[W] *ou* [Q].

2.5 Effet "machine à écrire"

C'est un effet réalisable avec Premiere, seul ou conjointement avec un autre logiciel, Photoshop, Illustrator, Painter ou autre.

Vous pouvez utiliser une trajectoire de balayage, mais l'effet n'est pas exactement celui qui est désiré.

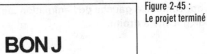

Figure 2-45 :
Le projet terminé

Avec Transition

1. Créez un nouveau titre.
2. Tapez votre texte (noir) et placez-le au milieu de la fenêtre.
   Enregistrez-le.

Figure 2-46 :
Tapez un texte

3. Placez votre titre sur la piste *Vidéo 1A*.
4. Dans la fenêtre **Projet**, cliquez sur l'icône *Créer élément* et choisissez **Cache couleur**.
5. Créez un cache blanc.
6. Faites glisser le cache blanc sur la piste *Vidéo 1B*.
7. Donnez une longueur convenable et identique à ces deux éléments.
8. Dans la palette *Transitions*, choisissez le dossier *Balayage* et l'effet **Balayage**.
9. Placez la transition sur la piste *Transition* et donnez-lui une longueur identique à celle des deux éléments.
10. Double-cliquez sur la transition pour afficher ses attributs.

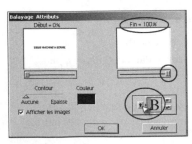

Figure 2-47 :
Transition Balayage

11. Cliquez sur la flèche bleue horizontale, à gauche de l'animation afin que le balayage s'effectue de gauche à droite.

12. Cochez afficher les images.

13. Glissez le curseur *Fin* à droite, jusqu'à 100 %.

14. Cliquez sur OK.

15. Prévisualisez l'animation.

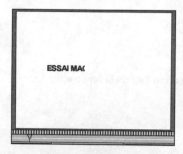

Figure 2-48 :
Prévisualisation

Le résultat n'est guère convaincant. La transition n'est pas le meilleur moyen de procéder. Les lettres n'apparaissent pas une par une, comme une vraie machine à écrire.

Un titre par lettre

Une autre solution consiste à fabriquer chaque lettre et à les disposer les unes à la suite des autres pour simuler la frappe de la machine. C'est long, laborieux, mais ça a le mérite de fonctionner.

1. Créez un nouveau projet. Choisissez une configuration automatique QuickTime multimédia en 320 x 240, 15 images/seconde. Vous pourrez adapter cet exemple sur de plus gros formats si vous le désirez. Nommez ce projet Typewriter_2.ppj.

   Vous allez créer le texte BONJOUR en blanc sur fond noir.

2. Créez un nouveau chutier et nommez le Chutier Titres.

3. Créez un Cache couleur blanc. Placez-le dans le *Chutier 1*, puis sélectionnez le chutier Titres.

4. Créez un nouveau titre.

5. Tapez le mot BONJOUR en majuscules et placez-le au milieu à gauche, à l'intérieur des marges admissibles du texte. Les lettres seront noires.

6. Enregistrez le titre sous le nom TW_1, par exemple.

7. Enregistrez-le cinq fois de plus de TW_2 à TW_7. Votre chutier Titres doit contenir sept éléments.

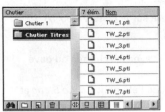

Figure 2-49 :
7 éléments

8. Rouvrez chaque titre et ôtez les lettres superflues. (Exemple : TW_1 doit contenir le B, TW_2 le O, etc.). Attention, il y a deux fois la lettre O, n'utilisez pas deux fois TW_2 par exemple, car la lettre n'est pas à la bonne place, contrairement à TW_5.

9. Dans le menu principal, cliquez sur **Montage/Options de pistes** pour afficher les **Options de piste**.

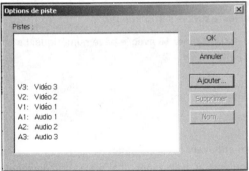

Figure 2-50 :
Options de piste

10. Cliquez sur **Ajouter** pour ouvrir la fenêtre **Ajouter des pistes**.

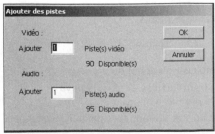

Figure 2-51 :
Ajouter des pistes

11. Dans le champ *Ajouter* de la rubrique *Vidéo*, tapez 6. Dans le champ de la rubrique *Audio*, tapez 0.

Six nouvelles pistes vidéo sont créées.

12. Sélectionnez le cache blanc et placez-le sur la piste *Vidéo 1A*.

Votre animation va durer 5 secondes.

13. Activez la vue *Programme* et tapez 500 avec les chiffres du pavé numérique.

14. Placez le curseur de la souris à droite de l'élément *Cache Blanc* et prolongez-le jusqu'au curseur.

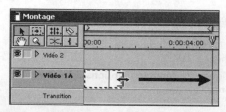

Figure 2-52 :
Prolonger l'élément

Vous allez placer une lettre toutes les 15 images.

15. Activez la vue *Programme* et tapez 15 avec le pavé numérique. Le curseur se déplace à l'instant 15.

Figure 2-53 :
Instant 15 images

16. Placez une marque en appuyant sur [Alt]+[Maj]+[0].

17. La vue *Programme* toujours activée, tapez 30 et placez une deuxième marque ([Alt]+[Maj]+[1]).

18. Procédez de la sorte jusqu'à la fin du montage.

Figure 2-54 :
Placement des marques

19. Appuyez sur [Q] pour vous replacer au début du montage.

20. Appuyez sur [Maj] et sur le [0] (zéro) du clavier (pas du pavé numérique) pour atteindre la première marque.

21. Glisser *TW_1* sur la piste *Vidéo 2* et prolongez-le jusqu'à 5 secondes.

22. Appuyez sur [Maj] et sur le chiffre [1] du clavier (pas du pavé numérique) pour atteindre la deuxième marque.

23. Glisser *TW_2* sur la piste *Vidéo 3* et prolongez-le jusqu'à 5 secondes.

24. Procédez ainsi jusqu'à placer tous les éléments.

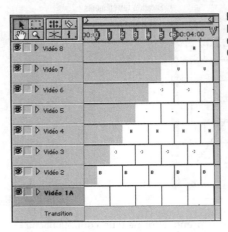

Figure 2-55 :
Les éléments placés en quinconce sur les différentes pistes

25. Prévisualisez, faites un Rendu et enregistrez le projet.

À voir le nombre de pistes (une par lettre) qu'il a fallu pour taper un simple Bonjour, vous percevez l'étendue du travail sur une phrase complète.

L'utilisation des éléments virtuels peut remédier à cela. Ce qui n'enlève rien au côté fastidieux de l'entreprise.

Utilisation d'un élément virtuel

Si vous avez suivi le premier chapitre, vous savez comment fonctionne la création d'un élément virtuel dans Premiere. Vous allez le revoir en détail.

1. Appuyez sur la lettre [M] pour sélectionner l'outil **Sélection de blocs**.

2. Appuyez une nouvelle fois sur [M] afin de sélectionner l'outil servant à la création d'éléments virtuels (il se nomme aussi **Sélection de blocs**).

Lorsque cet outil est sélectionné, le pointeur de la souris se transforme en flèche noire entourée d'un carré en pointillé.

3. Placez le pointeur à l'une des extrémités de votre montage, par exemple en bas à droite, et encadrez complètement tous les blocs du montage.

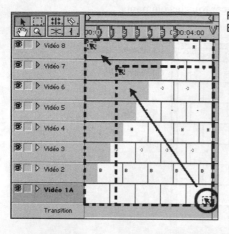

Figure 2-56 :
Encadrer les éléments

 Le curseur de la souris prend la forme d'une double flèche noire surmontant deux blocs verts.

4. Le curseur étant positionné dans la zone sélectionnée, appuyez sur la touche [Maj] et faites-le glisser sur un espace disponible dans une piste de la fenêtre **Montage**.

>> **Astuce**

Élément virtuel audio ou vidéo - En appuyant sur la touche [Maj], vous n'utilisez que les parties audio ou vidéo des éléments sources. Une fois la sélection effectuée, le curseur à double flèche doit être positionné sur une piste audio ou vidéo.

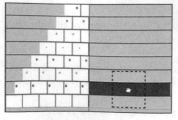

Figure 2-57 :
L'élément virtuel placé

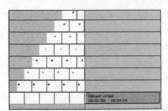

Figure 2-58 :
L'élément virtuel terminé

 Remarque

Nombre d'éléments virtuels - Premiere autorise jusqu'à 67 superpositions d'éléments virtuels.

5. Verrouillez les éléments sources. Vous pouvez utiliser plusieurs fois votre élément virtuel.

Variante

Simulez une frappe sur ordinateur

En utilisant un élément graphique et du texte créés dans le **Concepteur de titres**, vous pouvez simuler la frappe d'un texte sur un ordinateur.

La police de caractères doit correspondre à une police d'affichage à cristaux liquides fréquemment rencontrée sur les calculettes. L'élément graphique ne sera rien d'autre qu'un curseur. Texte et élément seront d'un vert fluo, le tout sur un fond noir.

À l'aide d'éléments virtuels vous pourrez recréer cet effet si caractéristique des premiers ordinateurs. Le principe utilisé est le même que celui qui a été examiné précédemment.

Figure 2-59 :
"Dave, arrêtez Dave, mon cerveau se vide..."

1. Créez un nouveau projet Premiere 320 x 240, 15 images/seconde, avec un chutier Image et un chutier Titre.

2. Tapez F9 pour ouvrir le **Concepteur de titres**. Tapez R pour sélectionner l'outil **Rectangle**(ou cliquez dessus).

3. Tracez un carré au milieu de l'écran, puis enregistrez votre titre sous le nom Curseur.

4. Cliquez sur le carré **Couleur** et choisissez, dans le **Sélecteur de couleurs** qui s'affiche, un vert pétant, bien informatique.

Figure 2-60 :
Tracez un carré

5. Ouvrez à nouveau le **Concepteur de titres** et tapez le mot HAL, par exemple, en majuscules (Hal est le nom de l'ordinateur de bord du vaisseau spatial *Discovery* dans *2001, L'Odyssée de l'espace*). Placez-le au milieu à gauche, à l'intérieur des marges admissibles du texte. Utilisez une police de caractère qui simule un affichage de type leds.

6. Enregistrez le titre sous le nom HAL_1.

7. Enregistrez-le deux fois de plus, de HAL_2 à HAL_3. Votre chutier Titres doit contenir quatre éléments.

8. Rouvrez chaque titre et ôtez les lettres superflues. (Exemple : *HAL_1* doit contenir le H, *HAL_2* le A, etc.)

9. Vous allez créer un curseur clignotant. Ajoutez six pistes vidéo supplémentaires.

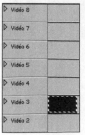

Figure 2-61 :
Ajoutez des pistes

Glissez le titre *Curseur* sur la piste *Vidéo 3* de la fenêtre **Montage**.
Vérifiez qu'une transparence de type *Alpha* lui est appliquée.

Figure 2-62 :
Réduire l'élément curseur à 5 images

10. Réduisez la longueur de l'élément *Curseur* à cinq images.
Dupliquez-le et placez le double à une distance de cinq images du
premier. Recommencez deux fois. Vous devez avoir quatre curseurs
de cinq images, séparés chacun par cinq images, sauf le dernier,
séparé de son prédécesseur par trois images.

Figure 2-63 : Dupliquez l'élément curseur

11. Placez l'élément *HAL_1* sur la piste *Vidéo 2*, au temps 0:28. Son point
d'entrée doit correspondre à celui de la dernière occurrence de
l'élément *Curseur* (le quatrième). Étirez cet élément jusqu'à ce que le
time code affiche 2:13.

12. Placez l'élément *HAL_2* sur la piste *Vidéo 4*, au temps 1:08 et étirez-le
jusqu'à 2:13.

13. Placez une copie du *Curseur* (pas une occurrence !) de cinq images
sur la piste *Vidéo 5*, au temps 1:08 jusqu'à 1:13 (cinq images).

14. Placez l'élément *HAL_2* sur la piste *Vidéo 6*, au temps 1:18 et étirez-le
jusqu'à 2:13.

15. Placez une copie de l'élément *Curseur* sur la piste *Vidéo 7*, au temps
1:18 jusqu'à 1:23 (cinq images).

16. Placez deux copies de l'élément *Curseur* sur la piste *Vidéo 8*, l'une au
temps 1:28, l'autre au temps 2:08. Chacune ne comporte que cinq
images, comme les précédentes.

Figure 2-64 : Les différents éléments en place

17. Prévisualisez, faites un Rendu et enregistrez.

2.6 Habillage TV

L'utilisation de texte se rencontre souvent dans les habillages TV. Par habillage, on entend l'esthétique graphique d'une émission, l'enrobage.

Vous allez d'abord créer un habillage simple, le chapitre *Multiécran* vous proposera des exemples plus élaborés.

Générique d'un journal télévisé

Figure 2-65 :
Un programme TV

Nous avons utilisé plusieurs titres afin de pouvoir contrôler leur apparition à l'image.

1. Créez un nouveau projet. Pour plus de réalisme, choisissez un format PAL en 725 x 576, 25 images/seconde.

2. Importez le ou les clips nécessaires à composer le fond.

3. Créez un nouveau titre. Cliquez sur le carré **Couleur de l'objet** et choisissez du blanc.

4. Sélectionnez l'outil **Rectangle** en appuyant autant de fois sur la touche [R] du clavier. Tracez un rectangle blanc de la largeur de l'image, que vous placerez en bas de l'écran. Copiez ce rectangle. Il servira de gabarit pour le deuxième titre.

Figure 2-66 :
Dessinez un rectangle blanc

5. Appuyez sur la touche T pour sélectionner l'outil **Texte** et créez deux chiffres. Un 19 et un 20 blanc. (Vous pouvez créer un seul chiffre 1920 séparé par des espaces). Placez-les sur le bord droit de l'image, au ras du bord supérieur du rectangle.

6. Appuyez sur R et tracez un rectangle qui sera le corps de la flèche.

7. Appuyez sur P pour sélectionner l'outil **Plume** et créez la pointe de la flèche.

> **Astuce**
>
> *Flèche -* Vous pouvez aussi utiliser une police de caractères comportant des flèches, genre Zapf Dingbats, Wingdings ou similaire.

Figure 2-67 :
Placez les chiffres et la flèche

8. Placez la flèche entre les deux chiffres et enregistrez le titre.

9. Appuyez sur F9 et créez un second titre. Collez le rectangle précédemment copié.

10. Avec l'outil **Plume**, tracez le fond du logo. Donnez-lui une couleur bleu ciel et une ombre légère (facultative). Le **Type d'image** doit être sur *Bézier rempli*.

Figure 2-68 :
Créez le logo

11. Placez un chiffre blanc avec une ombre au-dessus du polygone bleu et placez le tout en bas à droite de l'écran, dans le rectangle. Vous pouvez à présent effacer le rectangle (voir fig. 2-69).

12. Enregistrez le titre.

13. Créez un troisième titre.

14. Dans **Type de titre**, choisissez **Déroulement vertical**. Tracez les limites du titre à gauche de l'écran. Il doit faire toute la hauteur de l'écran.

15. Écrivez des noms de villes, séparés chacun par trois ou quatre (ou plus) sauts de ligne. Le texte doit être blanc. Choisissez une police lisible, comme Arial ou Helvetica, d'une taille convenable, par exemple 24 (voir fig. 2-70).

Figure 2-69 : Le logo terminé en place

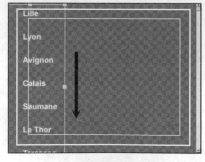

Figure 2-70 :
Créez un premier titre
déroulant vertical

16. Déplacez le titre vers le bas, de manière à activer la barre de défilement verticale.

17. Enregistrez ce titre, puis enregistrez-le sous un autre nom.

18. Changez les noms de villes, la taille de la police (plus grosse), l'interlignage.

19. Déplacez le cadre vers le haut, cette fois. Une fois superposés dans la fenêtre **Montage**, les deux titres vont s'entrecroiser au défilement.

20. Enregistrez le changement.

21. Dans la fenêtre **Montage**, ajoutez trois pistes vidéo.

Disposition des éléments		
Pistes	**Éléments**	**Transparence**
Vidéo 5	Logo	Inscrutation Alpha
Vidéo 4	Habillage_1	Inscrutation Alpha
Vidéo 3	Titre_2	Inscrutation Alpha
Vidéo 2	Titre_1	Inscrutation Alpha
Vidéo 1A	Images de fond	

22. Placez, dans l'ordre, l'élément de fond sur la piste *Vidéo 1A*, les deux titres comportant les noms de villes sur les pistes *Vidéo 2* et *Vidéo 3*, l'habillage contenant le rectangle sur la piste *Vidéo 4* et celui qui contient le logo sur la piste *Vidéo 5*.

23. Prévisualisez, faites un Rendu et enregistrez le projet.

Variante

Vous pouvez, bien sûr, améliorer le résultat, mais avec un peu plus de travail.

1. Créez un titre par nom de ville.

2. Appliquez une trajectoire verticale ou horizontale à chaque nom de ville.

3. Appliquez un changement d'opacité à chaque titre de nom de ville pour le faire disparaître progressivement, en utilisant soit la piste d'opacité soit une transition.

4. Utilisez des éléments virtuels pour combiner le tout.

5. Utilisez un logiciel comme Photoshop pour créer le logo.

Habillage d'un programme musical

Cet exemple est largement inspiré d'un programme musical connu. Il ne demande pas beaucoup de travail, et peut être exécuté rapidement en n'utilisant que les éléments du **Concepteur de titres**.

Pour cet exemple, vous aurez besoin des images nécessaires à l'illustration d'un clip musical. Le graphisme, l'esthétique du clip vous incombe.

Figure 2-71 :
Tout pour la musique

1. Créez un nouveau projet Premiere. Nous l'avons paramétré en 320 x
    240 pour des raisons de place, quitte à réaliser un vrai clip musical,
    autant utiliser une préconfiguration au format PAL, 720 x 576, 25
    images/seconde.

2. Créez les chutiers nécessaires à l'importation de vos éléments :
    images, sons, titres, etc.

3. Procédez au montage du clip, ajoutez les transitions, modifiez les
    images, bref, faites-vous plaisir.

4. Enregistrez votre projet, par exemple Clip_Musical.

À présent, deux solutions s'offrent à vous :

■   Vous exportez votre montage, en veillant bien à respecter l'ordre
    des trames et à ne pas compresser pour garder une qualité
    suffisante. Vous créez ensuite un deuxième projet qui servira à
    l'habillage du clip.

■   Vous créez un élément virtuel dans le projet initial et vous procédez
    à l'habillage. C'est cette solution que nous avons privilégiée.

1. Ouvrez votre Projet *Clip_Musical*. Rajouter des pistes vidéo si
    nécessaire afin de pouvoir travailler correctement.

2. Créez l'élément virtuel à partir de votre montage musical. Il
    comportera un élément virtuel image et un élément virtuel son.

3. Vous pouvez éventuellement verrouiller les éléments sources.

4. Tapez [F9] et créez un nouveau titre. Enregistrez-le sous le nom
    Clip_M8_Titre.

Figure 2-72 :
Dessinez un polygone noir avec un texte blanc

Tapez P pour sélectionner l'outil **Plume**. Tracez un trapèze noir, comme sur la figure. Ajoutez un texte blanc, en minuscules, par-dessus. Nous avons placé le tout aux limites des marges admissibles pour une visualisation sur écran d'ordinateur. Pour un écran TV, prenez bien soin de ne pas trop déborder.

5. Enregistrez votre titre sous le nom *Clip_M8_Barre*. Servez-vous du trapèze pour créer et placer deux autres polygones, des trapèzes aussi. L'un jaune, à gauche ; l'autre noir, à droite. Utilisez le menu contextuel (clic droit de la souris en sélectionnant la figure) ou le menu titre pour placer vos éléments au premier plan ou en arrière-plan.

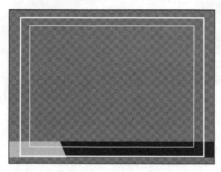

Figure 2-73 :
Créez une barre bicolore

Supprimez le trapèze noir et le texte initial.

6. Enregistrez ce titre sous Clip_M8_Infos. Placez un texte blanc sur le fond noir, par exemple le titre de l'album, le nom de l'interprète, du compositeur, etc.

Figure 2-74 :
Le titre de la chanson

Enregistrez le titre une fois les modifications effectuées.

7. Vous pouvez créer le dernier titre en utilisant l'un des précédents comme gabarit. Il est composé de deux larges bandes noires, en

haut et en bas, bordées par une ligne jaune. Dans le coin supérieur droit de la bande du haut, tracez un trapèze blanc estampillé du mot music en noir. À sa gauche, placez le clip. Nous l'avons réalisé rapidement et simplement : un M gras de couleur grise, surmonté d'un 8 blanc. Enregistrez ce titre sous le nom Clip_M8_Cadre, par exemple.

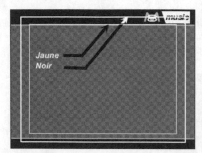

Figure 2-75 :
L'encadrement du clip

Si vous désirez le réutiliser, vous pouvez enregistrer cet encadrement comme modèle. Cliquez sur le bouton **Modèles**. Dans la fenêtre qui s'ouvre, sélectionnez le dossier *Modèles utilisateur* puis cliquez sur le bouton comportant un petit triangle noir. Choisissez **Enregistrer**. Une boîte de dialogue s'ouvre, vous invitant à donner un nom à votre modèle.

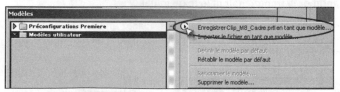

Figure 2-76 : Enregistrez comme modèle

Notre fenêtre **Montage** compte quatre pistes Vidéo (cinq avec *Vidéo 1B*), une piste *Transition*, trois pistes audio. À ce stade du projet, vous pouvez éventuellement supprimer les pistes qui ne vous serviront pas.

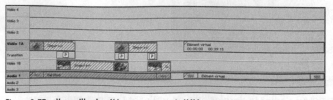

Figure 2-77 : Verrouillez les éléments sources de l'élément virtuel

8. Votre chutier Titres doit contenir quatre éléments. Glissez l'élément *Clip_M8_Cadre* sur la piste *Vidéo 2*, au-dessus de l'élément virtuel. Étendez-le jusqu'à ce que son point de sortie corresponde à celui de l'élément virtuel. Par défaut, Premiere lui applique une transparence de type *Incrustation Alpha*.

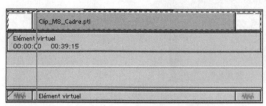

Figure 2-78 : Placez le cadre

Figure 2-79 :
Le résultat en image

9. Placez l'élément *Clip_M8_Titre* sur la piste *Vidéo 4* et procédez aux mêmes arrangements que précédemment.

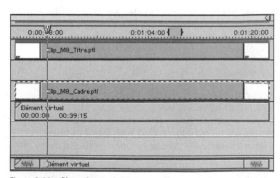

Figure 2-80 : Placez le premier titre

Figure 2-81 :
L'habillage est presque
terminé

10. Prévisualisez, puis enregistrez. Vous pouvez procéder à des aménagements, par exemple faire démarrer *Clip_M8_Titre* un peu après le début de l'élément virtuel.

11. Placez deux occurrences de *Clip_M8_Barre* sur la piste *Vidéo 3*. Le point d'entrée de la première doit se situer à peu près au niveau du premier tiers de l'élément virtuel.

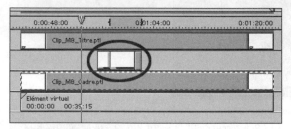

Figure 2-82 : Les deux occurrences

La première occurrence devra être plus courte que la seconde. En effet, vous allez lui appliquer une trajectoire dont la vitesse est conditionnée par la longueur de l'élément.

> **Renvoi**
>
> *L'utilisation des Trajectoires est étudiée dans le chapitre Trajectoires.*

12. Sélectionnez la première occurrence de *Clip_M8_Barre* et tapez Ctrl+Y. Dans la fenêtre **Trajectoire**, placez le *Début* à droite de la *Zone visible*.

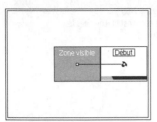

Figure 2-83 :
Placez le début à droite de la Zone visible

Placez la *Fin* au centre de la *Zone visible* en cliquant sur le bouton **Centrer**.

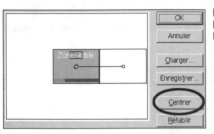

Figure 2-84 :
Placez la fin au centre de
la Zone visible

13. Cliquez sur OK pour appliquer la trajectoire.

14. Effectuez une prévisualisation. La barre jaune et noir vient de la droite et se place sous le titre.

Figure 2-85 :
La prévisualisation

Figure 2-86 :
La barre est placée sous le titre

15. Placez une occurrence de *Clip_M8_Infos* sur la piste *Vidéo 3*, à droite de *Clip_M8_Barre*.

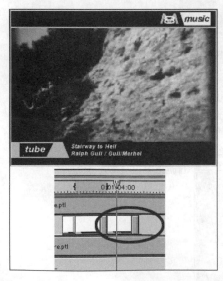

Figure 2-87 :
La nouvelle occurrence

Donnez-lui une longueur suffisante afin que le texte puisse s'afficher et être lu par les spectateurs.

16. Copiez la première occurrence de *Clip_M8_Barre* et collez-la à droite de *Clip_M8_Infos*.

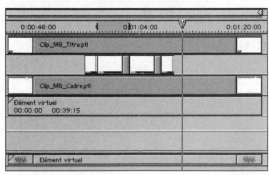

Figure 2-88 : Copiez la première occurrence

17. Gardez cet élément sélectionné et tapez [Ctrl]+[Y] pour afficher sa trajectoire.

18. Inversez les paramètres de la trajectoire : *Début* doit être centré dans la *Zone visible* et *Fin* centré à droite de la *Zone visible*.

Figure 2-89 :
Inversez les paramètres de trajectoire

Fenêtre Montage Clip_Musical			
Pistes	**Éléments**	**Transparence**	**Effets/Trajectoires**
Vidéo 4	Titre	Incrustation Alpha	
Vidéo 3	Barre/Barre/ Infos/Barre	Incrustation Alpha	Trajectoire/Aucun/ Aucun/Trajectoire
Vidéo 2	Cadre	Incrustation Alpha	
Vidéo 1A	Élément virtuel Vidéo	Aucun	Aucun
Audio 1	Élément virtuel Audio	Aucun	Aucun

19. Prévisualisez puis faites un **Rendu** et enregistrez votre projet.

2.7 Quelques effets de flou et de déformation

Grâce à une pléthore de transitions, vous avez les moyens de dynamiser vos textes. L'ajout d'effets vidéo multipliant encore les possibilités.

Attention toutefois à ne pas abuser, la sobriété est souvent de mise pour qu'un message puisse passer.

Nous allons passer en revue quelques transitions susceptibles de vous intéresser.

Élargissement

Figure 2-90 :
Un effet de flou et déformation sur un titre.

1. Créez un nouveau projet en 320 x 240, 15 images/seconde et enregistrez-le.
2. Créez vos chutiers Image, Titres, etc.
3. Tapez F9. Comme vous allez utiliser des transitions, la transparence ne sera pas appliquée. Changez la couleur de l'objet en blanc, par exemple. Appuyez sur T pour sélectionner l'outil **Texte** et tapez un mot, par exemple DEFORMATION. Utilisez une police grasse, qui occupe la largeur de l'écran ou un style prédéfini.

Figure 2-91 :
Tapez un mot.

4. Déposez le *Titre 1* sur la piste *Vidéo 1A*. Donnez-lui une longueur de 03:25 pour que la transition ne soit pas trop lente.

5. Créez un cache noir ou un élément *Vidéo noire* et placez-le sur la piste *Vidéo 1B*. Prolongez-le jusqu'à 10:10.

6. Ouvrez la palette *Transitions* et choisissez *Elargissement* dans le dossier *Elargissement*. Glissez la transition *Elargissement* sur la piste *Transitions*. Elle doit avoir la même longueur que *Titre 1*.

Figure 2-92 :
Placez la transition Elargissement.

7. Double-cliquez sur la trajectoire pour ouvrir sa fenêtre de paramétrage.

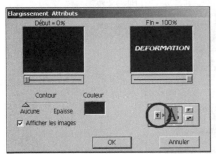

Figure 2-93 :
Attributs de la transition
Elargissement.

La petite flèche bleue dans l'animation, en bas à droite, doit être orientée vers le haut. La direction de la transition est indiquée par une flèche rouge, juste à droite de la flèche bleue. Cliquez sur OK.

8. Prévisualisez l'animation, faites un Rendu et enregistrez le projet.

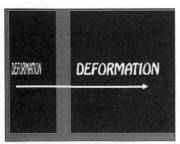

Figure 2-94 :
Les effets de la transition
Elargissement

9. Ajoutez une deuxième occurrence du *Titre 1*, à droite du premier. Son point de sortie sera situé à 06:04.

10. Ajoutez enfin une troisième occurrence, toujours à droite, dont le point de sortie correspond à celui de l'élément *Vidéo noire* (10:10).

Figure 2-95 :
Ajoutez une troisième
occurrence du titre

11. Dans le dossier *Elargissement* dela palette *Transitions*, choisissez *Ecrasement* et faites-la glisser sur la piste *Transitions*, exactement sous la troisième occurrence de *Titre 1*.

12. Double-cliquez dessus pour afficher ses attributs.

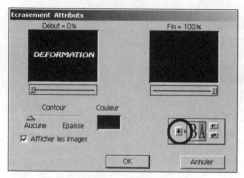

Figure 2-96 :
Attributs de la fenêtre
Ecrasement

La petite flèche bleue dans l'animation, en bas à droite, doit être orientée vers le bas. La direction de la transition est indiquée par une flèche rouge, juste à droite de la flèche bleue. Cliquez sur OK.

13. Prévisualisez l'animation, faites un Rendu et enregistrez le projet.

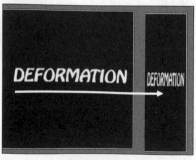

Figure 2-97 :
La déformation du texte,
avant et après

Fondu expansion

2

Dans le dossier *Elargissement* de la palette *Transitions*, il y a largement de quoi torturer vos textes.

1. Placez l'élément *Titre 1* sur *Vidéo 1A*.

2. Placez l'élément *Vidéo noire* sur *Vidéo 1B*, exactement en dessous.

   Nous leur avons donné, à chacun, une longueur d'environ 5 secondes afin que l'affichage de la transition soit rapide.

3. Faites glisser la transition *Fondu expansion* sur la piste *Transitions*, entre les deux éléments précédents.

Figure 2-98 :
Appliquez la transition sur
la piste Transitions

4. Ouvrez ses attributs.

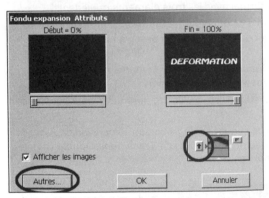

Figure 2-99 : Attributs de la fenêtre Fondu expansion

La petite flèche bleue dans l'animation, en bas à droite, doit être orientée vers le haut. La direction de la transition est indiquée par une flèche rouge, juste à droite de la flèche bleue.

Le bouton **Autres...** ouvre une fenêtre permettant de choisir le nombre de bandes.

Figure 2-100 :
Choisissez le nombre de bandes nécessaire à la déformation

5. Cliquez sur deux fois sur OK. Prévisualisez, faites un Rendu et enregistrez.

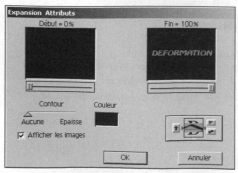

Figure 2-101 :
L'effet de la transition sur le texte

6. Créez un élément virtuel avec les trois éléments précédents.

7. Ouvrez le titre *Titre 1* en double-cliquant dessus. Enregistrez-le sous Titre 2. Changez la couleur du texte en orange, par exemple. Enregistrez.

8. Placez *Titre 2* sur *Vidéo 1A*. Donnez-lui la même dimension que l'élément virtuel que vous venez de créer.

9. Placez *Vidéo noire* sur la piste *Vidéo 1B*, dessous *Titre 2*. Ajustez sa longueur.

10. Dans *Elargissement*, cliquez sur la transition *Expansion* et placez-la entre *Titre 2* et *Vidéo noire*, sur la piste *Transitions*. Double-cliquez dessus pour afficher ses attributs.

Figure 2-102 :
La fenêtre Expansion et ses réglages

La petite flèche bleue dans l'animation, en bas à droite, doit être orientée vers le haut. La direction de la transition est indiquée par deux flèches rouges, horizontales, juste à droite de la flèche bleue. Cliquez sur OK.

11. Prévisualisez puis enregistrez. La transition *Expansion* étire le texte comme s'il était en caoutchouc, jusqu'à ce qu'il disparaisse. La position de la flèche bleue indique que vous avez inversé ce mouvement.

12. Placez l'élément virtuel sur la piste *Vidéo 2*, juste au-dessus de *Titre 2*. Tapez Ctrl+G pour afficher la transparence et appliquez-lui une *Incrustation de Type Filtre*.

Figure 2-103 :
Placez l'élément virtuel sur la piste Vidéo 2

13. Ouvrez la palette d'effets **Vidéo**. Dans le répertoire *Flou*, sélectionnez *Flou directionnel* et appliquez-le à l'élément virtuel.

Figure 2-104 :
Choisissez le filtre Flou directionnel

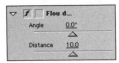

Figure 2-105 :
Les réglages du filtre dans la palette Effets

C'est un effet After Effects, comme l'indique la petite icône à gauche du nom. Laissez l'angle à 0 et placez la distance à 10.

14. Placez une occurrence de *Titre 2* sur une des pistes, à droite du montage. Sa longueur n'excédera pas quelques images.

Figure 2-106 :
Placez un petit morceau de Titre 2 sur la piste
Vidéo 1B.

15. Prévisualisez, faites un Rendu et enregistrez. Le cas échéant, modifiez les paramètres du *Flou directionnel* selon le résultat que vous désirez obtenir.

Figure 2-107 :
Le flou et la déformation
en même temps

Variantes

Bien que ce chapitre soit consacré au titrage, voici quelques déformations obtenues avec les transitions.

Figure 2-108 :
Une nouvelle transition

Figure 2-109 :
Un effet renversant

La transition *Trajectoire* est intéressante, car elle permet de charger des trajectoires existantes par l'intermédiaire de fichiers *.pmt*.

 Renvoi

Les fichiers PMT sont analysés au chapitre Trajectoires.

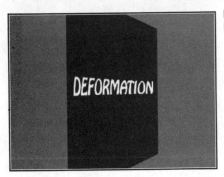

Figure 2-110 :
La transition Trajectoire

En mélangeant habilement transitions et éléments virtuels, vous pourrez créer les mouvements que vous désirez.

Masques, transparence et compositing

Dans le chapitre précédent, nous avons abordé la notion de transparence. Afin que les titres que vous aviez créés se détachent sur les images de votre montage, il fallait leur appliquer une transparence *Cache Blanc Alpha*.

Les masques et les transparences permettent d'effectuer du compositing, des incrustations.

Dans Premiere, cela se traduit par l'utilisation de la fenêtre
Transparence.

3.1 La fenêtre Transparence

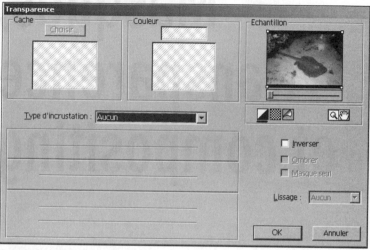

Figure 3-1 : La fenêtre Transparence

La fenêtre **Transparence** comporte une rubrique *Cache* qui, lorsqu'elle
est active (par exemple, avec une incrustation de type *Image Cache*),
permet de choisir une image qui servira de cache.

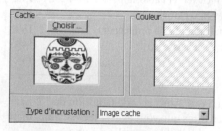

Figure 3-2 :
Vue Cache

La rubrique *Couleur* comporte une case qui affichera la couleur
sélectionnée dans une image. La case en dessous contient l'image dans
laquelle vous sélectionnez une couleur. Généralement, cette couleur
sera "éliminée" de l'image pour devenir transparente. C'est ce que l'on
appelle le "Keying".

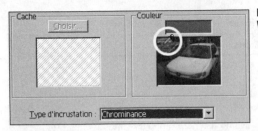

Figure 3-3 :
Vue Couleur

La rubrique *Type d'incrustation* comporte un menu déroulant permettant de choisir parmi les options de transparence.

Figure 3-4 :
Les types d'incrustation proposés par Premiere

La vue *Echantillon* affiche l'élément auquel vont être appliqués les types d'incrustation.

Figure 3-5 :
La vue Echantillon

Cinq icônes, un groupe de trois à gauche et un de deux à droite, complètent le tableau de bord.

Les icônes de la rubrique Echantillon	
Icône	**Signification**
	Le fond derrière l'image passe du blanc au noir

Les icônes de la rubrique Echantillon	
Icône	**Signification**
	Affiche un damier
	Affiche l'image sous-jacente réelle de la fenêtre **Montage**
	Zoom avant ou arrière (appuyez simultanément sur [Alt])
	Permet de déplacer l'image dans la vue lorsqu'on zoome

Une petite glissière permet de faire défiler la vidéo.

Aux quatre coins de la vue *Echantillon*, vous remarquerez des petits carrés qui sont des poignées. Vous pouvez les déplacer afin de créer un Garbage Matte.

> ### Remarque
>
> ***Garbage Matte ou cache de transparence -*** *Littéralement "cache déchet". C'est un cache créé manuellement autour d'une partie de l'image afin que seule cette partie soit affectée par les transformations. Le reste de l'image étant considéré comme du déchet.*

Figure 3-6 :
La vue Echantillon permet de créer un cache de transparence

Par exemple, il suffit de déplacer la poignée supérieure droite vers le milieu de l'image pour couper celle-ci en deux.

Figure 3-7 :
Un cache de transparence laissant apparaître
l'image sous-jacente

Vous pouvez également détourer grossièrement un personnage en manipulant les quatre poignées.

3.2 Le canal Alpha, définition et déclinaisons

Le canal Alpha (ou couche Alpha) est souvent cité dès lors que l'on parle graphisme (2D/3D), vidéo, cinéma et effets spéciaux/visuels.

 Remarque

SFX - *Aux États-Unis, les professionnels font bien la différence entre les effets spéciaux qui concernent les maquettes et les effets visuels qui concernent les trucages optiques, images de synthèse, etc.*

La vidéo a un système de codage sur 24 bits, c'est-à-dire 8 bits par couche Rouge, Vert et Bleu.

Le canal Alpha est une couche supplémentaire, en noir et blanc, qui va déterminer la transparence de l'image d'une façon très simple : le blanc correspond à l'opaque, le noir au transparent. Entre les deux, vous avez droit aux dégradés de gris, qui détermineront la semi-transparence. La couche Alpha peut être codée sur 8 bits, parfois 16 et même plus.

Petite expérience dans Photoshop.

1. Ouvrez Photoshop et créez un nouveau fichier, peu importe la taille, par exemple 320 x 240, résolution 72 pixels/pouce, Mode RVB, fond blanc.

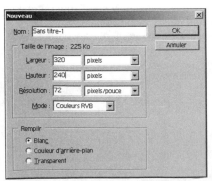

Figure 3-8 :
Créez un nouveau
document dans Photoshop

2. Ouvrez la palette *Couches*. Vous pouvez observer les trois couches, Rouge, Vert, Bleu, ainsi que la couche RVB finale.

Figure 3-9 :
Cliquez sur l'onglet Couches pour activer la palette des couches

3. À présent, utilisez l'outil de **Sélection circulaire** (appuyez sur M puis sur Maj+M) pour tracer un cercle au milieu de votre calque.

Figure 3-10 :
Outil Sélection circulaire

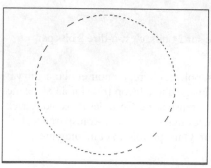

Figure 3-11 :
Tracez un cercle avec l'outil de Sélection circulaire

4. Dans le menu principal, choisissez la commande **Sélection/Mémoriser la sélection**. Dans la fenêtre qui s'ouvre cliquez sur OK.

5. Dans la palette *Couches*, une nouvelle couche vient d'apparaître. Elle contient un cercle blanc sur fond noir. C'est la couche Alpha. Le blanc sera totalement opaque, le noir entièrement transparent.

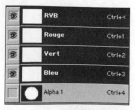

Figure 3-12 :
Une couche Alpha a été créée

Avantage ? Cela permet de combiner plusieurs pistes entre elles et de créer des effets. Par exemple, des incrustations.

Figure 3-13 : Incrustation grâce au canal Alpha

3.3   Écran bleu et écran vert

Lorsqu'on parle d'écran bleu, la première chose qui vient à l'esprit est la météo. Cet exemple est véritablement le plus connu et explique très bien cette technique que l'on nomme "Keying". Nous en avons touché un mot dans la présentation de la fenêtre **Transparence**.

Monsieur (ou madame) Météo est filmé, donc, devant un écran bleu. L'écran doit être lisse, sans ombre, correctement éclairé. Monsieur Météo ne doit pas être trop près de l'écran afin que ses contours ne soient pas absorbés par le bleu. Il doit être, lui aussi, correctement éclairé, en général par une lumière filtrée à la gélatine orange, et, condition sine qua non, ne pas avoir de bleu dans ses vêtements. Et pour cause, car c'est le bleu qui va devenir transparent. À la place, on incrustera une carte météo, de préférence ensoleillée.

Comment cela fonctionne ? En fait, on crée une couche Alpha à partir de la couleur bleue ou verte. On rend cette couleur transparente.

Pourquoi la couleur bleue ? Parce que c'est la couleur qui est la moins présente dans les tons chair.

En fait, avec les systèmes numériques, n'importe quelle couleur pourrait faire l'affaire. Tout n'est qu'une question de réglage. Mais attention, l'obtention de résultats convaincants nécessite beaucoup de préparation, de travail et de soin. Monsieur Météo est ce que l'on pourrait dire un "cas d'école". Il ne bouge pas trop et se contente de faire des choses simples.

Malheureusement, tout ne se passe pas toujours comme on le désire. Et il est à parier que le débutant aura fort à faire pour obtenir des tournages avec écran bleu (ou vert) digne des professionnels.

 Renvoi

La technique de l'écran bleu est également évoquée au chapitre Clonage.

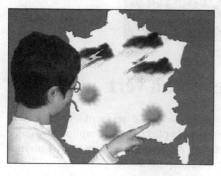

Figure 3-14 :
Présentation de la météo
(le choix du beau temps
dans la moitié sud est
totalement subjectif !)

Une émission météo

Voici comment vous pouvez faire l'essai d'une émission météo.

1. Préparer un fond vert ou bleu.

2. Placez l'acteur devant le fond coloré, éclairez-le correctement.

3. Dans Photoshop ou autre logiciel de graphisme, dessinez la carte météo.

4. Dans Premiere, placez la carte sur une piste, le personnage à incruster sur une piste au-dessus.

5. Appliquez une transparence de type *Filtre bleu* (ou *vert*) ou *Chrominance* afin de pouvoir régler un peu plus finement les différences de tons.

Dans un monde parfait, vous obtenez l'effet désiré. Dans la réalité, ce n'est pas toujours le cas, et il vous faudra souvent procéder à des retouches qui peuvent devenir autant de manipulations exaspérantes.

Comme vous le verrez plus loin à la section *Utiliser un logiciel de retouche d'image*, Photoshop peut venir à votre secours. Pour ceux qui en sont démunis, il reste quelques possibilités dans Premiere.

1. Créez un nouveau projet Premiere.

2. Importez le clip vidéo du personnage filmé sur fond bleu (ou vert). Appelons-le Perso_Bleu pour la suite.

 Remarque

> ***Couleur de fond -*** *Nous utiliserons un fond bleu dans cet exemple. Toutes les remarques s'y rapportant peuvent s'appliquer sur un fond vert.*

3. Placez une occurrence de *Perso_Bleu* sur la piste *Vidéo 2* afin de bénéficier de la transparence.

 Remarque

> ***Rappel -*** *Les pistes Vidéo 1A et Vidéo 1B ne permettent pas d'utiliser la transparence.*

Figure 3-15 :
Le personnage filmé devant
un écran bleu, trop foncé

Malgré le soin apporté à la prise de vue, le bleu de l'écran est bien trop foncé et pas assez uniforme.

4. Tapez Ctrl+G. Le fond de l'image étant bleu, vous vous dites qu'il est logique d'utiliser *Filtre bleu* comme *Type d'incrustation* pour détourer le personnage.

5. Afin de vérifier le résultat, fermez la fenêtre **Transparence** et créez un cache couleur jaune vif, par exemple. Placez-le exactement sous *Perso_Bleu*, sur la piste *Vidéo 1A*. Il servira de repère visuel.

Figure 3-16 :
Le cache jaune

6. Sélectionnez de nouveau l'élément *Perso_Bleu* et ouvrez sa fenêtre **Transparence**. Dans *Type d'incrustation*, choisissez *Filtre bleu*.

Figure 3-17 : Dans la fenêtre Transparence, choisissez une incrustation Filtre bleu

7. Sous la vue *Echantillon*, cliquez sur l'icône d'affichage de l'image sous-jacente (la troisième en partant de la gauche) pour apercevoir le cache jaune.

8. Dans notre exemple, nous avons réglé le *Seuil* sur 25 et la *Découpe* sur 24, et passé le *Lissage* sur *Faible*.

Figure 3-18 :
Réglage du seuil et de la découpe

9. Le résultat serait parfait si le fond jaune n'empiétait pas sur le visage du personnage. Il faut redéfinir le pourcentage de *Seuil* et de *Découpe*.

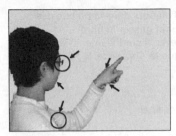

Figure 3-19 :
Le fond jaune empiète sur
le personnage

En passant *Seuil* à 32 avec un *Lissage Fort*, le jaune s'étend moins,
mais il reste des traces.

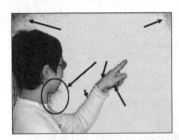

Figure 3-20 :
Artefacts (ou traces) du
fond bleu initial

10. Dans la palette d'effets **Vidéo**, ouvrez le dossier *Image* et faites
    glisser le filtre *Remplacement de couleur* sur l'élément *Perso_Bleu*.
    Ouvrez la **Configuration**. Avec la pipette, sélectionnez le fond bleu
    pour choisir la *Couleur cible*. Gardez le bleu (0,0,255) comme couleur
    de *Remplacement*. Cochez la case *Couleur opaque* et faites glisser le
    curseur de *Tolérance* vers la gauche.

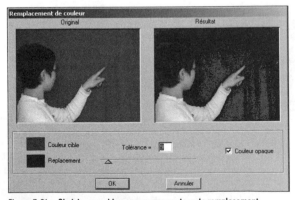

Figure 3-21 : Choisissez un bleu pur comme couleur de remplacement

11. Le résultat n'est pas encore parfait. Toujours dans la palette des effets **Vidéo**, ouvrez le dossier *Ajuster* et glissez le filtre *Luminosité/Contraste* (filtre *After Effects 4*) sur l'élément *Perso_Bleu*. En augmentant la *Luminosité* ainsi que le *Contraste*, le fond bleu commence à se détacher davantage.

Figure 3-22 :
Augmentez la luminosité et le contraste

12. Appliquez maintenant un filtre *Ajuster/Balance des Couleurs* afin de tonifier le bleu du fond.

Figure 3-23 :
Appliquez le filtre Balance des couleurs

 Attention

Balance des couleurs - *Il y a deux filtres Balance des couleurs. Un filtre Premiere dans le dossier Ajuster et un filtre After Effects 4 intitulé Balance des couleurs (TSL...) dans le dossier Image.*

13. Changez l'ordre des filtres dans la palette *Effets*. Placez *Luminosité/Contraste* avant *Balance des couleurs*, le tout au-dessus de *Remplacement de couleur*.

Figure 3-24 :
Inversez l'ordre des filtres

14. Redéfinissez la couleur cible et modifiez la *Tolérance*.

15. Effectuez une prévisualisation.

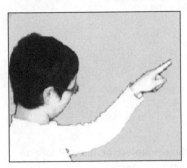

Figure 3-25 :
La prévisualisation de
l'incrustation

16. Le résultat n'est pas si mauvais. Si vous remplacez le fond jaune par une carte météo, la transparence s'avère tout à fait correcte.

Figure 3-26 :
Le fond jaune est remplacé
par la carte météo

Cependant, le personnage a un peu souffert de l'excès de luminosité. De plus, les bords sont encore frangés de la couleur du fond.

17. En dernier recours, vous pouvez remplacer le Cache couleur jaune par un Cache couleur bleu.

Figure 3-27 :
Remplacez le Cache couleur jaune par un
Cache couleur bleu

18. Exportez maintenant votre fichier, sans compresser les données pour éviter une dégradation de l'image.

Figure 3-28 :
Le personnage possède un
fond bleu parfait

19. Vous pouvez réimporter le fichier dans Premiere et lui appliquer un *Filtre bleu*. Faites un Rendu et enregistrez le projet.

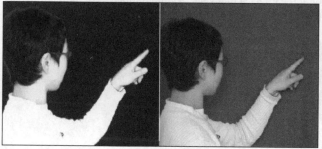

Figure 3-29 : La différence entre l'image initiale (à droite) et l'image au fond bleu corrigé. Le personnage y a perdu en définition

Variante 1

Le fichier que vous venez de créer n'est peut-être (certainement !) pas encore parfait.

Une solution consiste à l'utiliser comme cache après l'avoir nettoyé.

1. Importez le nouveau fichier avec fond bleu (*Perso_Bleu_2*) dans Premiere.

2. Appliquez-lui une transparence de type *Filtre bleu*.

3. Cochez la case *Masque seul*. Faites varier les curseurs *Seuil* et *Découpe* pour que le masque soit très contrasté. Cliquez sur OK.

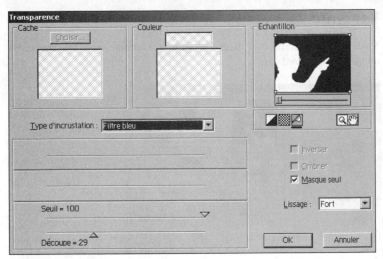

Figure 3-30 : Cliquez sur la case Masque seul

4. Ajoutez une nouvelle piste *Vidéo (3)* et glissez-y *Perso_Bleu_2* (avec sa transparence *Filtre bleu*, *Masque seul*).

5. Glissez une occurrence de *Perso_Bleu* sur la piste *Vidéo 2*, sous *Perso_Bleu_2*. Appliquez-lui une transparence de type *Cache de piste*.

Figure 3-31 :
Placez l'élément original sous le nouvel élément et son fond bleu.

6. Glissez une occurrence de l'élément *Carte Météo* sur la piste *Vidéo 1A*, sous les deux autres éléments.

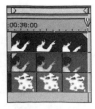

Figure 3-32 :
Placez l'image de fond (la carte météo)

7. Prévisualisez et faites un Rendu. Enregistrez le projet.

Variante 2

Vous pouvez également utiliser *Chrominance* comme type d'incrustation
à la place de *Filtre bleu*.

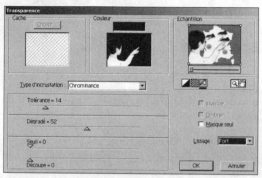

Figure 3-33 : L'incrustation Chrominance et ses paramètres

Les réglages proposés sont un peu plus fins, sans atteindre la finesse de
ceux qui sont proposés dans After Effects.

Une fois la couleur de fond choisie pour le Keying, il faut modifier
progressivement la *Tolérance* et le *Dégradé*, en vérifiant sans cesse que
seule la couleur du fond sera masquée.

Utiliser le Concepteur de titres de Premiere

Utilisée conjointement avec une trajectoire, il permet d'appliquer un
flou ou une mosaïque sur le visage d'un personnage, de masquer une
plaque minéralogique sur une voiture ou de changer un nom sur un
objet en mouvement.

Figure 3-34 :
La plaque minéralogique a
été masquée

Astuce

Didacticiel en ligne - *Le site d'Adobe comporte plusieurs didacticiels consacrés à Premiere, dont l'un explique comment masquer le visage d'un personnage. Ce didacticiel utilise Premiere 6 mais peut-être étudié pour un portage sur Premiere 6.5.*

Masquer le logo et la plaque d'immatriculation d'une voiture

1. Créez un nouveau projet.
2. Importez le clip contenant la voiture.
3. Ajoutez une piste vidéo supplémentaire.
4. Tapez F9 pour ouvrir le **Concepteur de titres**.
5. Affichez la vidéo afin de visualiser ce que vous allez modifier, le logo de la voiture en l'occurrence.
6. À l'aide de l'outil **Plume** (P), tracez les limites du logo. Donnez une couleur *Noir* à votre polygone ainsi qu'une opacité de 100 %. Le **Type d'image** doit être *Bézier rempli*. Sélectionnez l'outil **Rectangle** et tracez un rectangle qui couvre toute l'image. Donnez-lui une couleur *Blanc* et passez-le en arrière-plan.

Figure 3-35 :
Le masque du logo et de la plaque d'immatriculation

7. Enregistrez le titre.

Attention

Concepteur de titres - Le Concepteur de titres de Premiere 6.5 fournit automatiquement un canal Alpha aux objets (polygones, textes...) créés dans la zone de dessin. Dans notre exemple, il est indispensable de donner un fond blanc au titre (il doit être noir sur blanc) pour utiliser l'image cache sous peine d'obtenir une image finale entièrement noire.

Utiliser une image cache dans Premiere

1. Disposez l'élément voiture et le titre comme suit :

Paramètres de réglages			
Pistes	**Éléments**	**Transparence**	**Effets**
Vidéo 2	Voiture	Image cache (choisir *Titre.Ptl*)	Aucun

Figure 3-36 :
Appliquez une
Transparence Image cache

2. Appliquez une transparence *Image cache* à l'élément *Voiture*. Choisissez le titre que vous venez de créer.

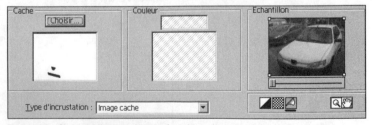

Figure 3-37 : Choisissez l'image qui servira de cache en cliquant sur le bouton Choisir

3. Prévisualisez.

Cela fonctionne parfaitement si le véhicule est immobile. S'il est en mouvement, pas de problème, nous changeons simplement de *Type d'incrustation*.

Utiliser une piste cache dans Premiere

1. Incorporez les différents éléments comme suit :

Paramètres de réglages			
Pistes	**Éléments**	**Transparence**	**Effets**
Vidéo 3	Titre	Aucun	
Vidéo 2	Voiture	Cache de piste	
Vidéo 1A	Voiture	Aucun	Flou gaussien

2. Deux occurrences de l'élément *Voiture* sont nécessaires, l'un placé sur *Vidéo 1A*, l'autre sur *Vidéo 2*. La piste supplémentaire ajoutée plus haut va servir à recevoir l'élément *Titre*.

Figure 3-38 :
L'élément Titre sert de cache

3. Ajustez les points de montage du titre en fonction du moment où vous désirez modifier certaines parties de l'élément *Voiture* (vous n'êtes pas obligé de masquer le logo sur tout le clip !).

4. Premiere donne automatiquement une transparence *Incrustation Alpha* au titre. Vous pouvez la passer sur *Aucun*, le titre étant noir sur fond blanc, c'est le *Cache de piste* qui détermine la transparence. Appliquez une transparence *Cache de piste* à l'élément placé sur *Vidéo 2* et un **Flou gaussien** (**Effet Vidéo/Flou/Flou gaussien**) sur l'élément situé sur la piste *Vidéo 1A*.

5. Effectuez une prévisualisation puis un Rendu si le résultat vous satisfait.

Remarquez que nous en avons profité pour masquer aussi la plaque minéralogique du véhicule. Le processus est rigoureusement identique.

Le véhicule n'étant plus immobile, le recours à une trajectoire est de rigueur.

 Renvoi

Nous aborderons les trajectoires dans le chapitre Trajectoires.

3.4   Utiliser un logiciel de retouche d'images

Photoshop et les logiciels similaires gèrent l'ajout et l'utilisation de couches Alpha, comme vous avez pu le constater plus haut.

En important une image de votre montage dans Photoshop, vous pouvez non seulement détourer plus précisément la partie à masquer, mais aussi appliquer des dégradés à votre masque.

Figure 3-39 :
Une image incrustée dans
le pare-brise du véhicule

1.   Dans Premiere, placez le curseur de la fenêtre **Montage** à l'endroit où vous avez choisi l'image à exporter.

2.   Appuyez sur Ctrl+Maj+M ou cliquez sur **Fichier/Exporter le montage/Image** pour afficher la fenêtre **Exporter l'image fixe**.

3.   Cliquez sur **Paramètres** et, dans la rubrique *Général*, choisissez *Targa* comme *Type de fichier*.

4.   Passez à la rubrique *Image clé et rendu* et choisissez *Aucune Trame* dans *Trames*.

5.   Dans la rubrique *Correction*, cliquez sur *Modifier* et cochez *Désentrelacer*.

6.   Validez, puis enregistrez votre fichier.

Ouvrez Photoshop :

1.   Ouvrez le fichier que vous venez de créer.

2.   À l'aide d'un outil de sélection, sélectionnez précisément le pare-brise du véhicule.

Figure 3-40 :
Détourez le pare-brise dans Photoshop

3. Mémorisez la sélection, puis ouvrez la palette *Couches*. Un canal Alpha doit y être.

Figure 3-41 :
Créez une couche Alpha

4. Sélectionnez-le et décochez les icônes de visibilité des autres canaux. Appuyez sur Ctrl+A pour tout sélectionner, puis effectuez un copier.

5. Appuyez sur Ctrl+N pour créer un nouveau fichier qui aura automatiquement la dimension du fichier *Masque*. Ouvrez la palette *Calques* et faites un coller puis aplatissez l'image.

Figure 3-42 :
Copiez le canal Alpha dans un calque

6. Inversez les couleurs de l'image (Ctrl+I) – la sélection doit être noire et le reste blanc –, puis enregistrez.

Figure 3-43 :
Le masque, après inversion des couleurs

7. Sélectionnez le cache noir et appliquez-lui un filtre *Flou directionnel* par deux fois, l'un de gauche à droite, l'autre de bas en haut.

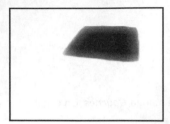

Figure 3-44 :
Appliquez un Flou
directionnel au masque
pour estomper les bords

8. Dans Premiere, appliquez l'image cache à l'élément *Voiture*. Le cache doit être placé sur la piste *Vidéo 3*. Appliquez-lui une transparence *Cache Blanc Alpha*.

Figure 3-45 :
Le masque du pare-brise,
placé au-dessus de
l'élément Voiture

3.5 Incrustation avec écran bleu/vert et Photoshop

Il s'agit là d'une variante qui utilise à la fois le Keying et les fichiers au format Filmstrip de Photoshop.

Globalement, le principe appliqué est celui de l'écran vert pour séparer le personnage du reste du décor.

Figure 3-46 :
Le personnage est filmé sur fond vert lors de la
prise de vue. Le tissu, déformé par le vent, va
générer des plis qui ne vont pas faciliter
l'incrustation

Figure 3-47 :
La falaise qui servira de
fond à l'incrustation

Figure 3-48 :
Le compositing terminé

1. Le personnage a été filmé directement sur un fond vert pendant le tournage.

2. La qualité étant très médiocre, il a fallu utiliser un Garbage Matte* dans la fenêtre **Transparence** de Premiere.

3. Puis le fichier a été exporté au format Filmstrip (.*flm*) pour être ouvert dans Photoshop, après avoir été détramé.

4. Le fond vert a été repeint image par image dans Photoshop.

5. Le fichier *Film fixe* (Filmstrip) a été importé dans Premiere. Une Incrustation de type *Chrominance* lui a été appliquée.

6. Le fond a été placé sur une piste libre, sous le fichier *.flm*.

7. Le faisceau laser du sabre a été créé dans Photoshop. Il s'agit d'un trait blanc avec un halo vert. Il a été placé sur le fichier *.flm* afin que l'on puisse l'orienter correctement.

8. Le faisceau laser et ses emplacements ont été enregistrés au format *.flm* sur fond noir, puis importés dans Premiere.

9. Le second fichier *.flm*, avec les faisceaux, a été placé sur une piste disponible au-dessus du premier fichier *.flm*. Une transparence de type *Alpha* lui a été appliquée, ainsi qu'un effet de flou.

 Renvoi

Le chapitre Corriger l'image vous montre l'utilisation des fichiers au format Film fixe (Filmstrip).

3.6 Utiliser un logiciel de dessin vectoriel

Illustrator et les autres logiciels vectoriels gèrent aussi les couches Alpha. Premiere reconnaît aussi bien les fichiers *.ai* que les fichiers *.eps*.

Cela permet de créer non seulement des titrages parfaits, mais aussi des décors des plus précis aux plus fantaisistes et, bien entendu, toutes sortes de masques, avec peut-être plus de précision que sous Photoshop.

Figure 3-49 :
Un écran TV dessiné
appliqué par-dessus
l'image

Pour vous en convaincre, vous allez créer un masque en forme d'écran TV, style dessin animé.

1. Créez un nouveau projet Premiere et enregistrez-le.
2. Ouvrez Illustrator et dessinez un écran TV, dont les dimensions seront identiques à celles de votre projet (par exemple 320 x 240).

Figure 3-50 :
Dessinez un écran TV

3. Sélectionnez la portion représentant le noir de l'écran (sans le reflet) et enregistrez-la séparément.

Figure 3-51 :
Sélectionnez le noir de
l'écran

4. Enregistrez séparément le reflet.

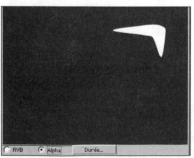

Figure 3-52 :
Enregistrez le reflet
séparément

> **Astuce**
>
> **Dimensions** - *Pour être certain que vos fichiers conserveront leurs proportions, gardez toujours en fond un rectangle au format de votre projet, mais avec un contour et une couleur d'objet vide (pas blanche).*

5. Importez les fichiers dans Premiere. Ajoutez une piste vidéo supplémentaire.
6. Placez l'élément de fond sur la piste *Vidéo 1A*.
7. Placez les éléments provenant d'Illustrator en vous aidant du tableau suivant.

Paramètres de réglages			
Pistes	**Éléments**	**Transparence**	**Effets**
Vidéo 4	Reflet	Alpha	Réglage d'opacité à 30 %
Vidéo 3	Écran noir	Alpha	
Vidéo 2	TV	Cache de piste	
Vidéo 1A	Fond	Aucun	

8. Sélectionnez l'élément de la piste *Vidéo 2* et tapez Ctrl+G. Appliquez lui une transparence *Cache de piste*. Sélectionnez l'élément de la piste *Vidéo 3* et appliquez-lui une transparence *Alpha*. Faites de même avec l'élément de *Vidéo 4*.

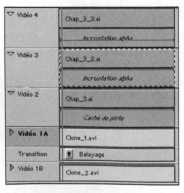

Figure 3-53 :
Les éléments avec leurs pistes d'opacité, les transparences et la transition

9. Cliquez sur le petit triangle à gauche du nom *Vidéo 4*, dans la fenêtre **Montage**, pour développer la *Piste d'opacité*.

10. Cliquez sur l'icône rouge d'*Étirement de l'opacité*.

11. En maintenant la touche [Maj] enfoncée, faites glisser les extrémités de la bande rouge d'opacité jusqu'à ce que 30 % s'affiche. Un petit + et un - rouges sont positionnés en haut et en bas de la poignée d'étirement.

Figure 3-54 :
Appuyez sur Maj pour afficher le pourcentage d'opacité

Glissez la poignée de gauche, puis celle de droite.

12. Vous pouvez également taper [U] pour activer l'outil **Réglage de fondu**. Placez le curseur sur la ligne rouge et baissez-la.

13. Il ne vous reste plus qu'à prévisualiser et à enregistrer votre projet.

Vous avez vu là un masque simple. Il est possible d'incorporer des éléments provenant d'Illustrator et de leur appliquer une trajectoire.

3.7 Caler une image dans un écran (TV ou ordinateur)

Lorsqu'on filme directement un écran TV ou un moniteur, la restitution des images n'est pas ce que l'on souhaitait. L'écran est traversé périodiquement par une barre noire horizontale, résultant du mauvais synchronisme entre la fréquence de trame du moniteur et l'obturateur de la caméra. Au cinéma, il arrive aussi qu'une action précise soit prévue pour apparaître sur un écran, mais que, au moment de la prise de vue, cette action ne soit pas encore filmée.

Là encore, l'incrustation vient au secours du réalisateur.

Figure 3-55 :
Maquettes de vaisseaux spatiaux incrustées dans un écran d'ordinateur

Cet effet peut être réalisé avec ou sans Photoshop. Lorsque l'image s'y prête, comme c'est le cas ici, le cache peut être dessiné dans le **Concepteur de titres** de Premiere.

Paramètres de réglages		
Pistes	**Éléments**	**Transparence**
Vidéo 3	Masque	Aucun
Vidéo 2	Film	Cache de piste
Vidéo 1A	Écran	Aucun

1. Créez un **Nouveau Projet** Premiere et enregistrez-le.
2. Importez une vidéo d'écran, TV, moniteur...

Figure 3-56 :
L'image de votre écran

3. Placez une occurrence de l'élément *Ecran* sur la piste *Vidéo 1A*.
4. Tapez F9 pour créer un nouveau **Titre**. Affichez la vidéo afin de visualiser l'image sur laquelle vous allez créer le masque.
5. Tapez R ou G pour sélectionner l'outil **Rectangle**.

 Remarque

> **Outil Plume -** *Si votre clip le nécessite, utilisez l'outil **Plume** (P) pour tracer le masque.*

6. Tracez le masque rectangulaire en suivant bien le pourtour de la partie sombre de l'écran.
7. Enregistrez le masque.
8. Ajoutez une piste vidéo supplémentaire dans la fenêtre **Montage**. Glissez-y une occurrence de l'élément *Masque*. Les points d'entrée et de sortie doivent correspondre avec ceux de l'élément de fond.

9. Tapez [Ctrl]+[G] et passez le type de la transparence à *Aucun*.

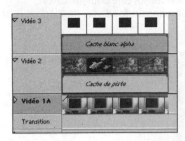

Figure 3-57 :
Utilisez une incrustation
Cache de piste

3

10. Importez un fichier vidéo dans le projet. Déposez-en une occurrence sur la piste *Vidéo 2*. Faites coïncider les points d'entrée et de sortie avec les deux autres éléments.

11. Tapez [Ctrl]+[G] et choisissez une transparence de type *Piste cache*. Cochez la case *Inverser*. Validez.

12. Prévisualisez et enregistrez.

Variante

L'exemple précédent est efficace, mais manque un tantinet de réalisme. En effet, vous n'avez fait que plaquer une image sur un écran, même si vous avez utilisé un masque.

L'astuce suivante va venir à votre secours. Vous allez utiliser un second cache pour créer des reflets

Figure 3-58 :
La même incrustation avec
des reflets sur l'écran

1. Double-cliquez sur le masque dans la fenêtre **Montage** ou dans le chutier de la fenêtre **Projet** pour l'ouvrir.

2. Enregistrez-le sous un autre nom, par exemple Masque_2.

3. Ouvrez les *Options de la fenêtre Titre*. Tracez un rectangle qui recouvre toute la zone de dessin. Donnez-lui une couleur verte (0,255,0) ou bleue (0,0,255). Vous obtenez un fond vert ou bleu. Passez le en arrière-plan.

Figure 3-59 :
Créez un fond vert ou bleu

4. Tapez Ⓥ pour actionner l'outil de **Sélection** et sélectionnez le masque. Dans la section *Fond*, choisissez *Dégradé linéaire* pour **Type de remplissage**. Cliquez sur chacun des taquets du dégradé et choisissez une couleur noire et une couleur gris très clair. Appliquez-lui un dégradé en diagonale en modifiant l'*Angle*, en respectant la direction de lumière de votre élément *Ecran* (dans notre cas, la partie la plus claire est en haut à droite, la plus sombre en bas à gauche). Vous pouvez aussi diminuer l'*Opacité taquet couleur*. Enregistrez le titre.

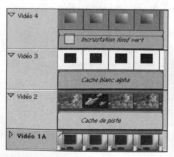

Figure 3-60 :
Ajoutez un dégradé noir et blanc sur une piste supplémentaire et appliquez-lui une incrustation Filtre vert ou Filtre bleu

5. Ajoutez une piste vidéo supplémentaire à la fenêtre **Montage** et glissez-y le deuxième masque que vous venez de créer. Appliquez-lui une *Transparence* de type *Filtre vert*.

6. En jouant sur le *Seuil* et la *Découpe*, vous allez atténuer la valeur du dégradé. Passez éventuellement la case *Lissage* à *Fort* ou *Faible* selon le résultat que vous désirez obtenir.

7. Prévisualisez et sauvegardez le projet.

3.8   Incrustation d'éléments 3D et fausse 3D

La plupart des logiciels 3D offrent l'exportation de canal Alpha lors du rendu. Encore faut-il utiliser le bon codec au bon format. Exporter vos séquences en milliers de couleurs + vous permettra d'incruster vos objets 3D dans Premiere. Vous pouvez aussi exporter une image fixe, par exemple un décor, très utile pour créer un Matte painting.

Un soft de création 3D est souvent très onéreux et difficile à maîtriser rapidement.

 Remarque

Softs 3D - *Certains logiciels 3D sont proposés gratuitement par leurs éditeurs : Blender, Strata Studio Pro existent en version gratuite pour Mac et PC... Poser 3 permet l'animation de personnages.*

Explosion d'une bouteille

Bien que cette section soit consacrée à la 3D et à l'image de synthèse, nous allons juste vous présenter un effet, réalisé sous 3D Studio Max, à seule fin de comparaison. Il s'agit d'une bouteille qui se brise au cours d'une fusillade.

La création de la bouteille n'est pas difficile en soi. Il faut simplement soigner le mapping, l'éclairage et l'effet de verre brisé.

L'incrustation dans Premiere peut sembler évidente, l'animation 3D possédant un canal Alpha. En fait, la caméra effectue un panoramique. La bouteille, elle, doit rester en place. À 25 images par seconde, pour une durée de 2 ou 3 secondes, le calcul est simple. Il faut caler la bouteille sur chaque image. C'est possible avec la fenêtre **Trajectoire**, au prix d'un travail énorme.

 Remarque

Outils de production - *Disons tout de suite qu'en production jamais nous n'aurions employé ce moyen. L'incrustation pouvant aussi bien se faire directement dans 3DS Max que dans After Effects.*

Figure 3-61 :
La bouteille créée
en images de
synthèse

Un modificateur "particules et dynamique" BombeP a été appliqué à la
bouteille, puis associé à un système de particules réseau.

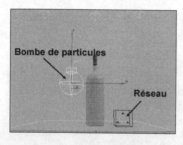

Figure 3-62 :
Un générateur de
particules type BombeP a
été appliqué à la bouteille

L'animation a été réglée en fonction des paramètres du projet Premiere
et de la longueur du plan à truquer.

Figure 3-63 :
L'effet d'explosion sur le
maillage de la bouteille

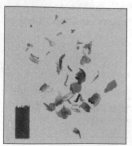

Figure 3-64 :
Le résultat avec les textures

L'animation a été rendue au format AVI avec un codec permettant le Milliers de couleurs +. Le + étant un canal Alpha. Un flou de mouvement a été ajouté pendant le rendu.

3

Figure 3-65 :
Après incrustation, calage
et un léger flou de
mouvement dans Premiere

Le fichier *Bouteille.Max* a été incorporé dans une piste vidéo permettant d'utiliser une transparence de type *Alpha*. La vidéo originale étant de qualité passable, le fichier a subi un étalonnage colorimétrique, et un flou lui a été appliqué.

Le reste du travail s'est porté sur la trajectoire, en utilisant le principe des Marques dans Premiere pour se caler précisément.

3.9   Caoua Caméra

Les parodies étant à la mode, nul doute que nombre d'entre vous ont songé à pasticher cette émission. Oui mais, l'envers d'une machine à café, ça ne se trouve pas à tous les coins de bureau. Sauf si, avec un peu d'astuce, on se donne la peine d'utiliser les logiciels adéquats. Démonstration.

Figure 3-66 :
Caoua Caméra

Commencez tout d'abord par créer un nouveau projet Premiere *Caoua-Caméra* et enregistrez-le.

Machine à café

Vous allez créer les bords de la machine à café dans Photoshop.

1. Ouvrez un nouveau document au format de votre projet Premiere.

2. Tracez les limites de la machine à café dans un nouveau calque, qui servira de gabarit. Commencez d'abord par le fond.

3. C'est une plaque trouée et chromée. Vous pouvez scanner une véritable grille si vous possédez une cafetière expresso, ou alors tout réaliser sous Photoshop. Vous allez créer une grille comportant 80 trous, soit 8 rangées de 10.

4. Ajoutez un calque à votre gabarit Photoshop. Affichez la grille (celle de Photoshop) et utilisez-la, ainsi que les repères pour vous y retrouver visuellement. Tracez un cercle assez petit avec l'outil de **Sélection circulaire** ([Alt]+[Maj] pour contraindre l'ellipse à devenir un cercle). Remplissez-le de noir. Déplacez le calque jusqu'au coin supérieur gauche, puis dupliquez-le. Déplacez-le vers la droite en vous aidant des repères. Liez les deux calques et fusionnez-les. Dupliquez le calque restant et déplacez le nouveau calque vers la droite. Vous devez avoir quatre cercles noirs en haut de votre document.

   En fusionnant, dupliquant et déplaçant vos calques, vous devez arriver à reconstituer la grille.

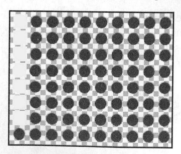

Figure 3-67 :
La grille reconstituée

5. Fusionnez tous les calques contenant les trous noirs en un seul calque. Appuyez sur la touche [Ctrl] et cliquez sur le calque pour sélectionner les trous. Allez dans **Sélection/Mémoriser la sélection** pour créer une couche Alpha des trous.

6. Créez un effet métal en remplissant le calque de noir, puis en ajoutant un *Bruit monochromatique* et un *Flou directionnel*.

7. Sélectionnez les trous sur un fond noir et appliquez un *Estampage*. Placez ce fond sous le fond métal. Appliquez un *Overlay* au fond métal.

8. Utilisez cette technique pour créer les plaques droite, gauche, et supérieure. Avec l'outil **Dégradé**, ombrez ces plaques pour donner de la perspective.

9. Le percolateur est une image que nous avons détourée et placée en haut et au milieu.

Figure 3-68 :
Le corps de la machine

Gobelet

Il existe plusieurs manières de réaliser le gobelet de café. Vous pouvez le filmer sur un fond neutre afin de le détourer, le réaliser sous Photoshop ou Illustrator, ce qui revient à le dessiner, ou bien à le créer de toutes pièces dans un logiciel d'images de synthèse. Ce qui permet de le positionner dans l'espace de façon relativement précise et surtout de lui donner les éclairages adéquats.

Dans l'exemple suivant, le gobelet a été dessiné dans Photoshop.

Figure 3-69 :
La structure du gobelet

1. Dans Photoshop, utilisez les outils **Ellipse** et **Rectangle de sélection** (M) pour tracer un gabarit. Aidez-vous d'une photo ou d'un vrai gobelet en plastique, le cas échéant.

2. Appliquez des ombres légères à l'aide des outils **Dégradé** (G) et **Aérographe** (J).

3. Photoshop met à votre disposition toute une batterie de filtres permettant d'optimiser le dessin. Nous avons utilisé *Artistiques/Emballage plastique* pour donner quelques reflets au gobelet, puis *Accentuation*. Mais d'autres combinaisons sont possibles.

Figure 3-70 :
Le gobelet finalisé

Bien que le résultat ne soit pas parfait, il va permettre de tester le projet Premiere. Libre ensuite à chacun d'optimiser à l'aide d'un Soft 3D par exemple.

4. Ajoutez un canal Alpha au gobelet et enregistrez le fichier au format TGA 32 bits (Gobelet.tga).

Café

Le plus délicat, finalement, est l'écoulement du café. Bien sûr, on peut utiliser encore l'image de synthèse, ou tenter de le reproduire image par image. Pour notre part, nous avons préféré le filmer. Le café étant assez foncé et le reste de la cafetière blanc, avec un bon éclairage il a été relativement facile d'obtenir un contraste. Cependant, nous avons préféré assurer le coup en exportant le fichier au format Filmstrip pour créer un masque.

1. Appliquez un effet **Vidéo Noir & Blanc** sur une occurrence du fichier.
2. Exportez-le au format Filmstrip (.*flm*).
3. Ouvrez le .*flm* dans Photoshop.
4. Ajoutez un calque.

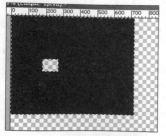

Figure 3-71 :
Sélection de la première
image du fichier Film fixe

5. Sélectionnez la première image et la partie où coule le café.

6. Remplissez de noir la sélection.

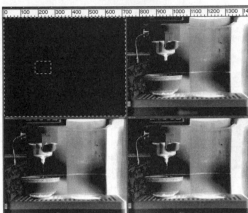

Figure 3-72 :
Remplissez la sélection de noir

7. Utilisez le raccourci clavier (Maj)+(Ctrl)+(Alt)+(Flèche) pour copier le masque noir sur les autres images du fichier.

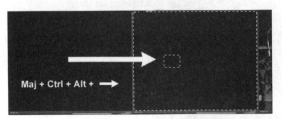

Figure 3-73 : Copiez la sélection et son contenu (noir) sur les autres images

8. Une fois le masque terminé, inversez les couleurs en tapant (Ctrl)+(I) (Négatif).

9. Aplatissez l'image et enregistrez le fichier sous Kaoua_2.flm.

 Remarque

Puissance de votre machine - *Selon la puissance de votre ordinateur, cette opération peut prendre beaucoup de temps.*

Vous avez maintenant un fichier vidéo avec le masque du café qui s'écoule.

10. Ouvrez Première et importez le fichier *Kaoua_2.flm*. Ajoutez deux pistes vidéo supplémentaires.

11. Placez le fichier *.flm* deux pistes au-dessus de l'élément original qui a servi à la création du fichier *Film fixe*.

12. Créez un cache bleu (0,0,255) et glissez-le sur la piste entre le masque et le fichier original. Appliquez-lui une transparence de type *Piste cache*.

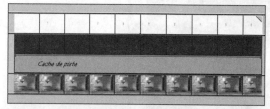

Figure 3-74 : Créez un Cache couleur bleu et glissez-le entre le masque et le fichier original

13. Prévisualisez et enregistrez.

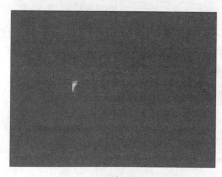

Figure 3-75 :
L'écoulement du café sur fond bleu dans une image

Finaliser le projet

1. Cliquez sur Ⓜ pour activer l'outil **Sélection de blocs** et créez un élément virtuel avec les trois éléments.

2. Importez les fichiers *Machine à café* et *Gobelet* dans le projet. Activez le **Rapport L/H constant** pour les deux.

3. Placez, dans l'ordre, un clip sur la piste *Vidéo 1A*, qui servira de fond avec un personnage, l'élément *Machine à café* sur *Vidéo 2*, le *Gobelet* sur *Vidéo 3* et l'élément virtuel *Café* sur *Vidéo 4*.

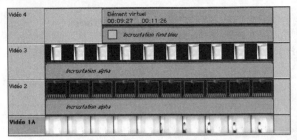

Figure 3-76 : Les éléments placés sur les pistes

4. Appliquez une transparence de type *Alpha* à *Machine à café* et à *Gobelet* et une transparence type *Filtre bleu* sur l'élément virtuel.

5. Sélectionnez l'élément *Gobelet* et tapez [Ctrl]+[Y]. Modifiez sa trajectoire. Placez le *Début* en haut de la *Zone visible*, avec une *Rotation* de - 25 et un *Zoom* de 60 %, par exemple.

Figure 3-77 :
Réglez le Début de trajectoire

6. Placez une Image-clé à 20 %, gardez le *Zoom* à 60 % (le facteur de zoom dépendra de la taille initiale de votre gobelet).

7. Paramétrez la *Fin* de trajectoire comme l'Image-clé à 20 %.

Figure 3-78 :
La trajectoire du gobelet dans la vue Zone visible de la fenêtre Trajectoire

> **Remarque**
>
> ***Image-clé -*** *Placer une image-clé à 20 % permet une descente rapide du gobelet à l'écran.*

8. Cliquez sur OK.

9. Selon la manière dont vous aurez filmé l'écoulement du café, il faudra appliquer une trajectoire à l'élément virtuel pour le caler exactement sous le percolateur et augmenter ou diminuer le facteur de *Zoom*.

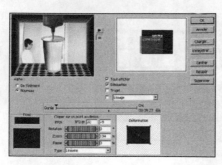

Figure 3-79 :
La trajectoire de l'élément
virtuel. Il faudra
certainement modifier le
facteur de Zoom

10. Une fois les réglages terminés, prévisualisez, faites un Rendu et
enregistrez votre projet.

Chapitre 4

Clonage

Il ne s'agit pas ici de réitérer l'exploit des scientifiques en recréant la vie. Nous allons seulement multiplier un objet ou un personnage à l'écran. Le cinéma abonde d'histoires de ce genre. Du temps du Grand Méliès on s'y amusait déjà. Plus récemment, Michaël Keaton laissait ses sosies travailler à sa place, Christian Clavier donnait la réplique à Jacquouille la Fripouille, Jet Li se battait avec lui-même dans *The One* et de nombreuses séries nous montrent les héros aux prises avec leurs doubles.

Une chose est essentielle : la préparation. Planifiez bien votre tournage, vos actions, vos effets. N'hésitez pas à répéter tant que vous n'êtes pas satisfait du résultat. Soignez les éclairages et les raccords. Si, en studio, il est relativement aisé de moduler un éclairage, en extérieur, cela demande encore plus de soin. Si vos deux clones doivent se battre ou simplement se retrouver à la même table, faites bien attention aux raccords lumière et aux ombres.

Pensez aussi à utiliser une doublure pour les directions de regards, les dialogues et éventuellement les ombres.

4.1 Utilisation d'une transition

Premiere, pour peu qu'on prépare le travail, permet facilement de cloner des personnages. Il suffit d'une simple transition pour que la magie opère. Alors, haut les cœurs et passons à l'acte.

Figure 4.1 :
Deux pour le prix d'une !

Paramètres	
Pistes	**Éléments**
Vidéo 1A	Personnage à gauche (Clone2)
Transitions	Balayage
Vidéo 1B	Personnage à droite (Clone1)

1. Créez un nouveau projet *Clone* dans Premiere.
2. Importez les clips dans les chutiers.

   Nous supposons que vous avez tourné les scènes en fonction de l'effet. Lors du tournage, vos personnages ne doivent pas franchir une ligne verticale imaginaire.

Vous allez utiliser deux pistes de la fenêtre **Montage** : *Vidéo 1A*, *Transitions*, *Vidéo 1B*.

3. Faites glisser le premier élément, appelons-le Clone1, sur la piste *Vidéo 1B*.

4. Faites glisser le second élément, appelons-le Clone2, sur la piste *Vidéo 1A*.

5. Dans la palette *Transitions*, ouvrez le dossier *Balayage* et choisissez la transition *Balayage*. Faites-la glisser sur la piste *Transitions*. Elle doit occuper la même longueur que les deux éléments *Clone1* et *Clone2*.

Figure 4.2 :
Appliquez une transition
Balayage

> ⟫ **Astuce**

Longueur de la transition - *Si la transition doit occuper la même longueur que les deux éléments présents dans les pistes Vidéo 1A et Vidéo 1B, lors de l'incorporation, placez la transition à gauche, elle va se caler automatiquement sur toute la longueur.*

6. Double-cliquez sur la transition pour afficher ses attributs.

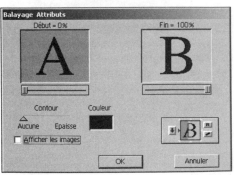

Figure 4.3 :
Affichez les attributs de la
transition

7. Cochez la case *Afficher les images*.

La transition *Balayage* effectue un recouvrement latéral (horizontal ou vertical) d'un élément par un autre. Le paramétrage par défaut est *Début à 0%* et *Fin à 100%*. Si vous appliquez des valeurs identiques pour le début et la fin, le résultat sera un plan unique avec le personnage cloné.

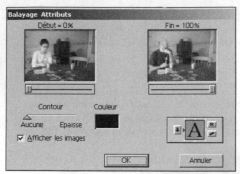

Figure 4.4 :
Cochez Afficher les images

8. Appuyez sur la touche [Maj] et cliquez sur le curseur de l'image *Début*.
    Positionnez-le à 50 %, ce qui représente la situation de la ligne
    verticale imaginaire à ne pas dépasser par les acteurs. En
    maintenant appuyée la touche [Maj], vous faites glisser de concert le
    curseur de *Fin* qui se positionne également à 50 %.

> ### Remarque
>
> ***Attention à la direction** - Faites bien attention à ce que la petite flèche
> rouge de l'animation soit positionnée horizontalement, à droite ou à
> gauche.*

Figure 4.5 : La flèche rouge
indique la direction du balayage

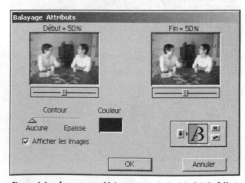

Figure 4.6 : Appuyez sur Maj pour contraindre à la fois le Début
et la Fin de transition

9. Si, comme dans l'exemple, vous avez utilisé une doublure, vous
    pouvez inverser le clonage. Il suffit de cliquer sur la flèche bleue et
    de la changer de sens.

Figure 4.7 : Inversez le
sens de la transition

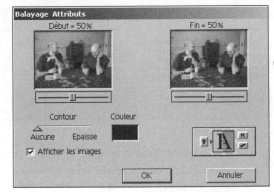

Figure 4.8 : Changement de personnage en cliquant
sur la flèche bleue

10. Revenez à votre clonage initial et cliquez sur OK.

Figure 4.9 :
Vraies fausses jumelles

11. Prévisualisez, faites un Rendu et enregistrez le projet.

Variante

Dans le chapitre *Masques, transparence et compositing*, vous avez découvert l'emploi du Garbage Matte ou cache de transparence.

Vous allez utiliser cet outil, disponible en ouvrant la fenêtre **Transparence** pour réitérer votre clonage.

Paramètres		
Pistes	**Éléments**	**Effets**
Vidéo 2	Personnage à gauche (Clone2)	Transparence/Garbage Matte

Paramètres		
Pistes	**Éléments**	**Effets**
Vidéo 1B	Aucun	
Transitions	Aucune	
Vidéo 1B	Personnage à droite (Clone1)	

1. Ouvrez le projet *Clone* et enregistrez-le sous le nom Clone_2.

2. Supprimez la transition et déplacez l'élément *Clone2* sur la piste *Vidéo 2*. En effet, il n'est pas possible d'utiliser la transparence sur les pistes *Vidéo 1A* et *Vidéo 1B*.

3. Sélectionnez *Clone2* et tapez Ctrl+G pour ouvrir la fenêtre **Transparence**.

4. Laissez *Type d'incrustation* sur *Aucun*.

5. Déplacez les poignées situées à droite, dans chaque coin de la fenêtre *Echantillon*, jusqu'à atteindre le milieu de l'image.

Figure 4.10 : Utilisez un cache de transparence...

Figure 4.11 : ...pour créer un clone

6. Cliquez sur OK et prévisualisez le résultat. Faites un Rendu et enregistrez le projet.

 Astuce

Diagonale - Vous pouvez déplacer les poignées du Garbage Matte de façon à couper l'image en diagonale, par exemple, si dans l'action le Clone1 envoie un coup et que le Clone2 recule pour l'éviter.

4.2 Utilisation de l'écran bleu ou de l'écran vert

Le chapitre précédent vous a montré les possibilités permises par l'emploi d'un écran bleu ou vert. Voici comment un clone de vous-même peut passer devant ou derrière vous. Comme vous risquez de le découvrir, tout ne se passe pas comme prévu, malgré les précautions et la préparation. L'exemple suivant en est une parfaite illustration.

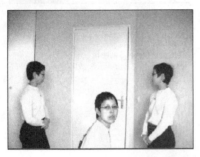

Figure 4.12 :
Triplés

Paramètres		
Pistes	**Éléments**	**Transparence/Effet**
Vidéo 2	Personnage central	Chrominance/Garbage Matte/Remplacement de couleur
Vidéo 1A	Personnage à gauche	
Transitions	Balayage	
Vidéo 1B	Personnage à droite	

1. Créez un projet *Clone2* dans Premiere. Enregistrez.

    Nous avons utilisé trois vidéos : un personnage arrivant de gauche, un restant à droite, le troisième assis au premier plan.

    Les deux personnages situés aux extrêmes ont été filmés alternativement. Le troisième a été filmé devant un fond partiellement bleu. Nous les nommerons Clone_1 (gauche), Clone_2 (droite), Clone_3 (centre).

Figure 4.13 : L'élément Clone_1

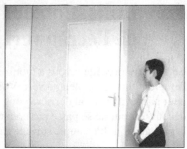

Figure 4.14 : L'élément Clone_2

Figure 4.15 :
L'élément Clone_3 avec le
fond bleu

2. Importez les vidéos dans le chutier de la fenêtre **Projet**.

3. Glissez l'élément *Clone_1* sur la piste *Vidéo 1A*, *Clone_2* sur *Vidéo 1B*.

4. Placez la transition *Balayage* entre les deux, sur la piste *Transitions*.

    Cette fois, pour procéder au réglage, nous avons utilisé le pan de mur le plus sombre, à droite. La limite verticale entre la zone foncée et la zone claire nous servira de repère.

5. Affichez les attributs de la transition *Balayage*.

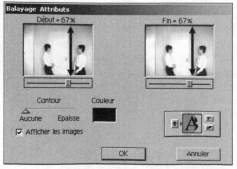

Figure 4.16 :
La limite de balayage est à
67 % dans cet exemple

Nous avons mis *Début* et *Fin* à 67 %, en nous servant du bord sombre, à droite.

6. Cliquez sur OK et prévisualisez. N'hésitez pas à procéder à d'autres réglages, le cas échéant, si vos rushes ne correspondent pas vraiment à ceux de cet exemple.

7. Faites un Rendu et enregistrez le projet.

Vous allez à présent placer le troisième personnage.

Il a été filmé devant un fond bleu placé sur une porte. Malgré les précautions, des plis apparaissent sur le tissu, ce qui risque de nous compliquer la tâche.

Figure 4.17 :
Le troisième personnage
filmé devant un fond bleu

Il faut non seulement rendre le fond bleu uniforme mais aussi se débarrasser du décor environnant.

1. Placez l'élément *Clone_3* sur la piste *Vidéo 2*, exactement au-dessus des autres éléments. Faites en sorte que sa longueur corresponde à celle de *Clone_1* et de *Clone_2*.

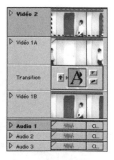

Figure 4.18 :
Placez l'élément Clone_3 sur la piste Vidéo 2

2. *Clone_3* toujours sélectionné, tapez [Ctrl]+[G] pour afficher sa fenêtre de transparence.

Figure 4.19 : Appliquez une incrustation de type Chrominance et utilisez un cache de transparence pour réduire le fond bleu à éliminer

3. Dans la liste déroulante *Type d'incrustation*, choisissez *Chrominance*. Lorsque vous survolez la rubrique *Couleur*, le pointeur de la souris se transforme en pipette. Sélectionnez la couleur bleue. Faites glisser les curseurs de *Tolérance* et de *Dégradé* jusqu'à ce que le bleu disparaisse dans la rubrique *Echantillon*.

Figure 4.20 :
Réduisez le bleu du fond à l'aide des curseurs de Tolérance et de Dégradé.

4. Utilisez la **Loupe** pour agrandir l'échantillon et vérifier que le sujet n'est pas abîmé par le retrait de couleur.

Figure 4.21 :
Utilisez la Loupe pour agrandir l'image dans la vignette Echantillon

5. Toujours dans la fenêtre *Echantillon*, utilisez l'outil **Main** afin de faire glisser les quatre petits carrés situés aux quatre coins de l'image pour former un Garbage Matte.

Figure 4.22 :
Créez un cache de transparence

6. Mettez *Lissage* sur *Fort*, puis cliquez sur OK.

7. Prévisualisez.

   Vous constatez qu'il reste encore un halo bleuté autour du personnage. Qu'à cela ne tienne, il existe un moyen pour remédier à cela.

8. Dans la palette d'effets **Vidéo**, ouvrez le dossier *Image*. Cliquez sur le filtre *Remplacement de couleur* et faites-le glisser sur *Clone_3*.

Figure 4.23 :
Appliquez un effet Remplacement de couleur

9. Rendez-vous dans la palette *Effets* et cliquez sur *Configuration*, à droite de *Remplacement de couleur* pour accéder aux paramètres visuels de l'effet.

Figure 4.24 : Cliquez sur Configuration

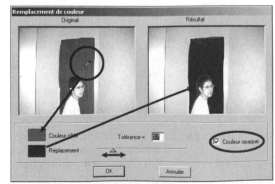

Figure 4.25 : Remplacez le bleu sale du fond par un bleu pur (0,0,255). Cochez Couleur opaque

10. Avec la pipette, sélectionnez le bleu initial de *Clone_3* dans la fenêtre *Original* pour étalonner la *Couleur cible*. Cliquez sur le carré de couleur *Remplacement* et choisissez un bleu pur (0,0,255). Cochez la case *Couleur opaque*. Faites varier le curseur de *Tolérance* pour uniformiser le bleu dans la rubrique *Résultat*. Cliquez sur OK lorsque le résultat vous satisfait.

11. Tapez [Ctrl]+ [G] pour ouvrir la fenêtre **Transparence** de *Clone_3*. Réajustez la *Tolérance* et le *Dégradé* pour éliminer davantage de bleu. Cliquez sur OK.

12. Prévisualisez. Le résultat n'est pas mal, mais il reste encore des artefacts bleus autour du personnage.

Figure 4.26 :
Les traces du fond bleu
autour du personnage

En fait, nous atteignons là les limites de ce qu'on peut faire avec un fond bleu de qualité moyenne sous Premiere.

Figure 4.27 :
Les traces de bleu sur la vue agrandie

13. Faites un Rendu et enregistrez votre projet.

Bien que quelques astuces permettent d'obtenir un résultat correct avec l'écran bleu, il n'en demeure pas moins que Premiere n'est pas fait pour le Keying. Les outils dont il dispose manquent de précision et de possibilités de réglages fins.

Préparez vous à un énorme travail de retouche si votre fond n'est pas correct. Tout repose sur la qualité de l'écran bleu ou vert utilisé. De plus, dans une pièce mal ou insuffisamment éclairée, des problèmes de luminosité peuvent surgir. Si vous utilisez un tissu, veillez à ce qu'il ne comporte pas de plis visibles, véritables pièges à ombre.

4.3 Masques et fichiers FLM, un travail colossal

En dernier recours, il peut se révéler nécessaire d'utiliser la retouche image par image. Vous avez vu dans le chapitre précédent qu'il était possible de corriger un fond bleu. Parfois, cela ne suffit pas, et il faut utiliser d'autres moyens. Autant le préciser d'emblée : c'est un travail pénible, qui demande beaucoup de soin. Mais, avec un minimum de préparation, le résultat s'avère convaincant.

Nous allons donc retravailler le projet ci-dessus avec écran bleu.

Figure 4.28 :
On prend les mêmes et on recommence !

Plusieurs possibilités s'offrent à vous, notamment d'enregistrer les masques en noir et blanc des images filmées sur écran bleu. Retravaillées sous Photoshop, elles permettront une meilleure incrustation.

Paramètres		
Pistes	**Éléments**	**Transparence/Effet**
Vidéo 3	Personnage central	Filtre bleu ou Chrominance/Remplacement de couleur
Vidéo 2	Image de fond	

1. Appliquez une transparence *Filtre bleu* ou *Chrominance* à l'élément afin d'ôter une grosse partie du bleu de l'écran. Ce dernier étant de piètre qualité, appliquez également un effet vidéo **Remplacement de couleur** afin de récupérer un bleu plus soutenu.

   Le résultat n'étant pas probant, vous allez utiliser le masque créé par la transparence pour retravailler le clip dans Photoshop.

2. Sélectionnez l'élément et tapez [Ctrl]+[G] pour ouvrir la fenêtre **Transparence**.

3. Dans la rubrique *Echantillon*, cochez la case *Masque seul* et raccourcissez éventuellement le masque en utilisant un Garbage Matte. Pointez le curseur de la souris sur l'un des petits carrés entourant l'échantillon et rétrécissez la fenêtre. Passez le *Lissage* sur *Fort*.

Figure 4.29 : Créez un Garbage Matte
(cache de transparence)

Figure 4.30 : Passez le Lissage
sur Fort

Modifiez le *Seuil* et la *Découpe* (*Filtre bleu*) et/ou *Tolérance* et *Dégradé* (*Chrominance*) afin de n'avoir plus qu'une silhouette sur fond noir.

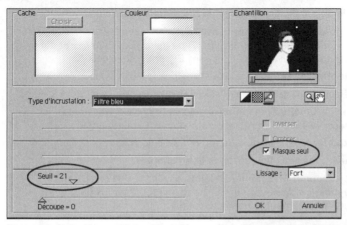

Figure 4.31 : Cochez Masque seul et modifiez la Découpe et le Seuil sur l'incrustation Filtre bleu...

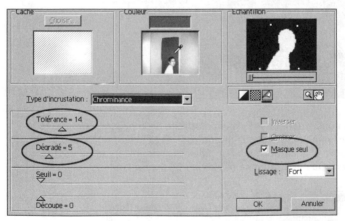

Figure 4.32 : Cochez Masque seul et modifiez la Tolérance et le Dégradé sur l'incrustation Chrominance

4. Cliquez sur OK.

5. Sélectionnez la zone de travail à exporter en utilisant les marques de la zone de travail (bande jaune en haut de la fenêtre **Montage**).

Figure 4.33 :
La bande jaune définissant la zone de travail

6. Cliquez sur **Fichier/Exporter le Montage/Séquence** ou tapez Ctrl+M.

7. Dans la fenêtre **Exporter la séquence**, cliquez sur *Paramètres*. Dans la rubrique *Général*, choisissez *Type de fichier : Film fixe* et dans *Etendue : Zone de travail*. Laissez *Exporter vidéo* coché.

8. Exportez au format Film fixe. Appelons-le Masque.flm.

9. Sélectionnez de nouveau l'élément, cliquez dessus et tapez Ctrl+G.

10. Dans la fenêtre **Transparence**, décochez la case *Masque seul* et passez le *Type d'incrustation* sur *Aucun*. Cliquez sur OK.

11. Exportez le film à nouveau en *.flm*. Appelons-le Origine.flm.

12. Ouvrez les deux fichiers dans Photoshop.

13. Sélectionnez *Masque.flm* et faites-en glisser une copie dans *Origine.flm*. Appuyez sur Maj pendant tout le temps pour centrer automatiquement le nouveau calque.

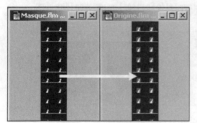

Figure 4.34 :
Copiez Masque.flm sur un nouveau calque dans Origine.flm.

14. En vous aidant des réglages d'opacité de la palette *Calques*, vous allez rectifier le masque image par image avec l'outil **Pinceau** pour le rendre plus conforme à l'original, notamment en adoucissant les bords du personnage afin d'éviter un aspect crénelé.

Figure 4.35 :
La palette Calques de Photoshop (fichier Origine.flm) avec le calque du masque et le fond original

C'est un travail de longue haleine, qui réclame de la patience et une machine offrant des performances suffisantes, notamment beaucoup de mémoire vive.

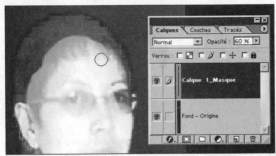

Figure 4.36 : Rectification du calque Masque à l'aide de l'outil Pinceau. L'opacité à été réduite à 60 % pour détourer par rapport au fond

Appliquez éventuellement un léger *Flou gaussien* pour adoucir les contours.

Figure 4.37 :
Le masque terminé

15. Une fois le masque entièrement retouché, aplatissez le document et enregistrez-le sous Masque_2.flm.

16. Importez le masque dans le projet Premiere. Placez-le sur une piste (*Vidéo 3*) au-dessus de l'élément original (*Vidéo 2*) qui a servi à créer *Masque.flm*.

17. Appliquez une transparence *Piste Cache* à l'élément original.

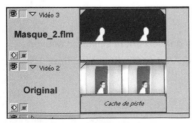

Figure 4.38 :
Appliquez une transparence Piste Cache

18. Effectuez un Rendu, puis enregistrez le projet.

19. Créez un élément virtuel avec l'original et le masque. Placez-le sur une piste au-dessus de l'élément à composer et appliquez-lui une transparence de type *Différence RVB*.

Figure 4.38 :
Créez un élément virtuel à partir de l'élément original et du masque

Variantes

Il peut arriver que, malgré tout ce travail, l'incrustation laisse encore à désirer. Vous pouvez, dans ce cas, transformer le fichier *Original.flm* directement dans Photoshop.

Voici deux méthodes, tout aussi contraignantes, mais qui peuvent vous donner le résultat escompté.

1. Importez *Masque* et *Original* dans Photoshop.
2. Placez *Masque* sur un calque au-dessus de *Original*. Désactivez l'affichage du fond (icône *Visualiser* symbolisée par un œil).
3. Sélectionnez toutes les parties noires du calque *Masque*.

Figure 4.39 :
Copiez le fichier Masque.flm sur un calque du fichier Original.flm dans Photoshop et sélectionnez les parties noires de l'image. Désactivez l'affichage du fond

4. Créez un nouveau calque, tout en conservant la sélection activée.
5. Remplissez de bleu (0,0,255) ou de vert (0,255,0) la sélection.

Figure 4.40 :
Colorez la sélection en bleu

4

6. Supprimez le calque *Masque*.
7. Ajustez le bleu ou le vert en fonction du calque *Origine* du fond.
8. Aplatissez le fichier.

Figure 4.41 :
Procédez à un ajustage du bleu sur le
personnage, image par image

9. Importez-le dans Premiere et appliquez-lui une transparence de type
   Chrominance, Filtre bleu ou *Filtre vert*.

Autre méthode

1. Reprenez les étapes 1 à 3 précédentes.
2. Ouvrez la palette *Couches* et activez la couche Alpha en cliquant sur
   l'icône *Visualiser* (œil). Décochez les icônes de visualisation des
   autres couches pour les masquer.
3. Remplissez de noir.

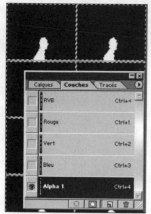

Figure 4.42 :
Sélectionnez uniquement la couche Alpha 1 et
remplissez de noir

4. Désélectionnez, puis retournez dans la palette *Calque* et supprimez le calque *Masque*.

5. Aplatissez le fichier et enregistrez-le au format Film fixe.

6. Importez le fichier dans Premiere et appliquez-lui une transparence de type *Alpha*.

    Prenez soin avant de remplir la couche Alpha de vérifier la précision de votre sélection. N'hésitez pas à retoucher au moindre doute en utilisant les outils de sélection de Photoshop (fonction **Masque**, touche ⒬).

Cette dernière méthode s'avère, de loin, la plus convaincante. Attention, une fois de plus, à vos ressources machine. Sélectionner dans un fichier Film fixe peut très vite saturer votre capacité en mémoire vive. Préférez exporter des Filmstrip très courts, de manière à soulager l'ordinateur, quitte à retoucher plusieurs fichiers.

Chapitre 5

Trajectoires

L es trajectoires permettent non seulement d'animer des éléments mais aussi de les placer à l'écran, de les déformer, de les multiplier.

5.1 La fenêtre Trajectoire

Pour afficher la fenêtre **Trajectoire**, vous devez sélectionner un élément dans la fenêtre **Montage**. C'est sur cet élément que va s'appliquer la trajectoire.

 Astuce

Raccourcis pour accéder à la fenêtre Trajectoire -

- ■ Ctrl + Y
- ■ *Palette Effets/Trajectoire/Configuration*
- ■ *Clic droit de la souris sur le clip.*

Figure 5-1 :
Ouvrir la fenêtre Trajectoire dans la palette Effets

Nous l'avons signalé au début de cet ouvrage : la fenêtre **Trajectoire** pêche par son manque de précision à certains endroits. Nous allons y revenir après une brève description.

Par défaut, à l'ouverture, Premiere affiche une trajectoire rectiligne, de gauche à droite, visible dans la vue en haut à gauche. Un bouton **Lecture** et un bouton **Pause** permettent de visualiser cette trajectoire.

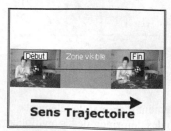

Figure 5-2 :
Sens de la trajectoire

La vue de droite montre la zone visible, c'est-à-dire ce que vous voyez à l'écran (et donc dans la vue de gauche) ainsi que le *Début* et la *Fin* de la trajectoire, matérialisés chacun par un petit carré blanc. Le début et la fin sont reliés par une ligne noire symbolisant la durée et la direction de la trajectoire.

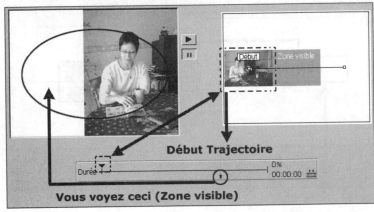

Figure 5-3 : Début de trajectoire

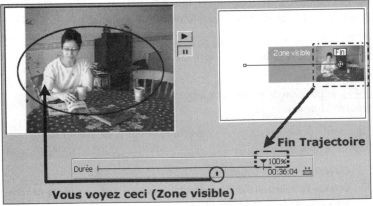

Figure 5-4 : Fin de trajectoire

La durée est également définissable dans la rubrique *Durée*. Il s'agit d'une ligne noire allant de 0 à 100 %. Le gros triangle noir au-dessus de la ligne indique le *Début* lorsqu'il est à gauche, et la *Fin* lorsqu'il est à droite. Tout le long de cette ligne (qui est votre trajectoire, en fait), vous pouvez ajouter d'autres triangles, qui seront autant de points-clés.

La petite flèche noire au-dessous de la ligne indique la progression de la trajectoire. En la faisant glisser, vous visualisez ce qui se passe dans la zone visible. Elle permet une lecture manuelle.

La zone visible de la vue droite correspond à la vue gauche.

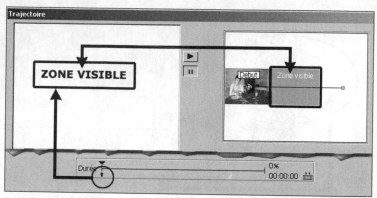

Figure 5-5 : La zone visible

À droite de la ligne de *Durée*, notez la présence d'une icône bleue surmontée de deux flèches rouges, qui indique la durée exacte de la trajectoire. Il s'agit du commutateur de calcul de durée.

Lorsque les deux flèches se touchent, le temps est mesuré par rapport à la durée de l'élément dans la fenêtre **Montage**.

Lorsque les flèches sont écartées, le temps indiqué correspond à la position du point par rapport au début du projet dans la fenêtre **Montage**.

Une petite démonstration sera plus claire. Vous allez utiliser la trajectoire par défaut.

1. Ouvrez la fenêtre **Trajectoire**.

2. Laissez la trajectoire défiler pour la visualiser dans la vue de gauche, puis cliquez sur **Pause** (les deux barres noires parallèles).

Figure 5-6 : Lecture à gauche et Pause à droite

3. Avec le pointeur de la souris, cliquez sur la petite flèche noire de la rubrique *Durée* et faites-la glisser de gauche à droite. Dans la vue de gauche, votre trajectoire défile.

Figure 5-7 : Le curseur de visualisation de la trajectoire

4. Par défaut, le triangle noir de *Début* est placé à gauche, à côté du libellé *Durée*. Dans la vue de droite, l'image de votre élément est bien à gauche de la *Zone visible* et le petit carré de *Début* clignote. Placez le pointeur de la souris à droite, sur la petite barre verticale terminant la ligne de *Durée*, là ou s'affiche 0 %. Lorsque le pointeur prend la forme d'une main avec le doigt pointé, cliquez.

   Le gros triangle noir et la petite flèche se déplacent vers la droite, et 100 % s'affiche. Dans la vue en haut à droite, l'image de l'élément s'est déplacée à droite de la *Zone visible*. Le petit carré en son centre surmonté du nom *Fin* clignote.

5. Dans la rubrique *Durée*, cliquez sur le *Début* de la trajectoire.

6. Dans la vue *Zone visible* (vue en haut à droite), placez le pointeur de la souris sur le carré marqué *Début*. Il prend la forme d'un doigt gris tendu. Cliquez et déplacez l'image dans le coin supérieur gauche de la vue.

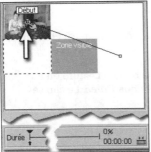

Figure 5-8 :
Déplacez le Début de la trajectoire en le sélectionnant dans la vignette Zone visible

7. Dans la rubrique *Durée*, cliquez sur la *Fin* de la trajectoire.

8. Dans la vue *Zone visible*, placez le pointeur de la souris sur le carré marqué *Fin*. Lorsqu'il prend la forme d'un doigt gris tendu, cliquez et déplacez l'image dans le coin inférieur droit de la vue.

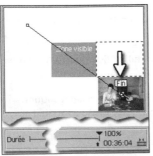

Figure 5-9 :
Déplacez la Fin de la trajectoire en la sélectionnant dans la vignette Zone visible

Vous pouvez utiliser les flèches de votre clavier pour ajuster finement le placement du bloc. Remarquez la rubrique *Infos*, située juste en dessous de la *Durée*, dessous *Cliquer sur un point au-dessus*.

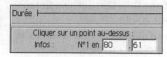

Figure 5-10 :
Infos de Fin de trajectoire

Elle affiche *N°1* en 80, 61 dans notre exemple (la précision, ici, n'a pas grande importance).

N°1 indique ici la *Fin* de trajectoire.

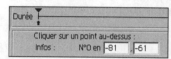

Figure 5-11 :
Infos de Début de
trajectoire

Précédemment, elle affichait *N°0* en - 81, - 61. *N°0* indique TOUJOURS le *Début* de trajectoire.

9. Visualisez la trajectoire en cliquant sur le bouton **Lecture** ou en faisant glisser la flèche noire dans la rubrique *Durée*. Le clip se déplace de haut en bas, en diagonale.

> **Attention**
>
> *Numérotation des points-clés - N°0 indique donc toujours le Début de la trajectoire. N°1, lui, indique la Fin, seulement s'il n'y a pas d'autres points-clés (hormis celui du Début) sur la ligne de Durée. Si c'est le cas, la numérotation se fait toujours à partir du premier point-clé situé après celui de Début.*

Pour bien comprendre le fonctionnement de la rubrique *Durée*, vous allez modifier la trajectoire.

1. Placez la flèche de lecture à peu près au milieu de la barre de *Durée*. Attention, soyez attentif à la manipulation qui va suivre.

2. Placez le pointeur de votre souris sur la flèche noire sans cliquer. Déplacez le pointeur verticalement vers le haut jusqu'à ce qu'il se transforme en triangle noir. Cliquez.

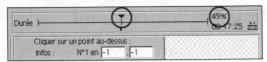

Figure 5-12 : **Ajoutez un point-clé à la trajectoire**

5

Un triangle noir apparaît maintenant au milieu de la ligne de *Durée* de la trajectoire. Dans la vue de droite, l'image du clip est au milieu de la *Zone visible*, avec un carré clignotant au milieu.

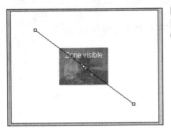

Figure 5-13 :
Le point-clé situé à 50 %,
dans la vue Zone visible

Vous venez de créer un point-clé. Ce point-clé, vous pouvez le modifier à la fois dans la ligne de *Durée* et dans la vue de droite (*Zone visible*).

3. À droite de la ligne de *Durée*, notez le pourcentage affiché : 49 %. Cliquez sur le triangle noir et faites-le glisser le long de la ligne, vers la droite, jusqu'à ce que s'affiche 50 %.

4. Déplacez la flèche de lecture sous le triangle.

5. Déplacez le triangle encore vers la droite, jusqu'à 60 %.

Dans la vue gauche, l'image se déplace et remonte en diagonale. Notez que rien n'a changé dans la vue de droite.

6. Déplacez la flèche sous le triangle. L'image de la vue gauche se cadre plein écran.

> ⊗ **Attention**
>
> *Gare aux confusions ! - Bien que très facile de maniement, la trajectoire demande un minimum d'attention. NE CONFONDEZ PAS la flèche de lecture et le triangle noir de point-clé.*

7. Dans la vue de droite, cliquez sur le carré clignotant et déplacez-le vers le coin inférieur gauche.

Notez que les infos affichent *N°1* en - 20,28.

5.2   Utilisation des fichiers .pmt

Premiere nomme ses fichiers de trajectoire des "Motions Presets". Ils
sont enregistrés dans le répertoire de Premiere, dans le dossier *Motion*.
Si vous ouvrez ce dossier *Motion*, vous y découvrirez des fichiers *.pmt*.
Chaque fichier *.pmt* est une trajectoire comportant tous les paramètres
requis : position de l'image, rotation, zoom, etc. L'intérêt de ces *.pmt* est
que vous pouvez les modifier en les ouvrant dans un éditeur de texte.

```
[MOT5]
colr=16777215
smooth=1
fillA=0
smoothMethod=1
count=9
[MOPT]
spot=40,20
hasfrac=1
zoom=50
motionMethod=0
time=0
delay=0
rot=0
fracH=0
fracV=0
spotfrac=0,0
ratio=49152
code=TYTC
dest=0,0,80,0,80,60,0,60
```

Figure 5-14 :
Extrait d'un fichier .pmt ouvert dans un éditeur de texte

Pourquoi s'embêter à utiliser un Notepad, alors que Premiere propose
une interface graphique ? Parce que, dans le fichier texte, vous pouvez
modifier les données plus facilement. Pas convaincu ?

Alors rendez-vous dans la fenêtre **Trajectoire** et essayez de créer une
trajectoire circulaire, qui ne soit pas bancale. Pas facile, n'est-ce pas ? La
solution se trouve dans les fichiers *.pmt*.

Vous allez créer une trajectoire circulaire. L'emploi de Photoshop ou
d'Illustrator est requis.

1.   Créez un nouveau projet en 320 x 240 (utilisez une préconfiguration
      QuickTime ou Vidéo for Windows).

2.   Importez un clip, glissez-le dans la fenêtre **Montage**, puis
      sélectionnez-le.

3.   Ouvrez sa fenêtre de trajectoire et appuyez sur le bouton **Pause**.

4.   Le début de trajectoire étant sélectionné, cliquez sur **Centrer**.
      Procédez de même pour la fin de trajectoire. Ainsi, votre clip est
      centré dans la *Zone Visible*.

5.   Sélectionnez le début de trajectoire et jetez un coup d'œil sur les *Infos*.

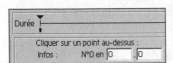

Figure 5-15 :
Sélectionnez le Début de
trajectoire

Le point-clé *N°0*, correspondant au début de trajectoire, indique X =
0, Y = 0.

Vous allez enregistrer la trajectoire pour pouvoir l'utiliser plus tard,
mais surtout pour l'ouvrir dans un éditeur de texte.

Enregistrer une trajectoire

1. Cliquez sur le bouton **Enregistrer...**

Figure 5-16 :
Cliquez sur Enregistrer

2. Dans la fenêtre **Enregistrer**, atteignez le répertoire *Motion*, qui
   doit se trouver dans le dossier consacré à Adobe Premiere, et
   donnez un nom à votre trajectoire, par exemple Circle.pmt.
   Cliquez sur OK.

3. Ouvrez le fichier *Circle.pmt* avec le Bloc-notes ou un autre éditeur
   de texte.

4. Repérez la ligne [MOPT]. Dessous, il y a une ligne spot = 40,30.

Figure 5-17 :
La ligne Spot = 40,30

Cette ligne donne les coordonnées de votre image dans la trajectoire : 40 correspond à X = 0, 30 correspond à Y = 0.

INFOS	Fenêtre Trajectoire	Fichier .pmt
Correspondance Trajectoire/Fichier .pmt		
X	0	40
Y	0	30

Partant de là, on peut arriver à calculer une position avec une relative précision. Il suffit d'ôter ou d'ajouter une unité en X et en Y dans la fenêtre **Trajectoire** de Premiere, de réenregistrer celle-ci et de comparer dans le Bloc-notes.

INFOS	Fenêtre Trajectoire	Fichier .pmt
Correspondance Positions trajectoire/Fichier .pmt		
X,Y	0,0	40,30
X,Y	- 1,- 1	39,29
X,Y	1,1	41,31
X,Y	- 1,1	39,31
X,Y	1,- 1	41,29

Créez le projet dans Premiere

Créez un nouveau projet Premiere.

Pour obtenir une trajectoire circulaire, il faut utiliser un gabarit. Vous allez le dessiner dans Illustrator.

Créez le gabarit dans Illustrator

1. Dans Illustrator, tracez un rectangle de 320 x 240 pixels sur un calque. Le fond doit être transparent.

2. Placez, en son centre, un cercle de 174 pixels environ sur un deuxième calque (le fond du cercle doit aussi être transparent).

Remarque

Dimensions - Les dimensions du cercle sont choisies en fonction du parcours que l'image devra franchir. Le diamètre ne doit pas être trop grand afin que l'élément auquel est appliquée la trajectoire demeure toujours visible dans l'écran et qu'il ne soit pas coupé.

3. Créez un troisième calque et tracez une ligne rouge verticale partant du centre du cercle vers le haut.

4. Sélectionnez cette ligne et appliquez-lui une rotation de 11° 25'. Recommencez sept fois, jusqu'à ce que le quart supérieur droit du cercle soit terminé.

5. Verrouillez les calques pour éviter de les modifier malencontreusement.

6. Enregistrez le fichier au format AI (Illustrator) ou EPS sous le nom Cercle ou Gabarit, par exemple.

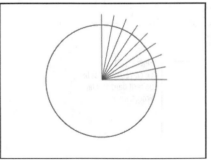

Figure 5-18 :
Le fichier Illustrator.
Chaque ligne est espacée
de 11° 25'

Importez le gabarit dans Premiere

1. Importez ce fichier dans Premiere. Placez-le dans la fenêtre **Montage** sur la piste *Vidéo 1A*.

Paramètres de réglages		
Pistes	**Éléments**	**Transparence**
Vidéo 2	Carré (Titre)	Cache Blanc Alpha
Vidéo 1A	Gabarit	Aucun

2. Tapez F9 pour créer un nouveau titre. Sélectionnez l'outil **Rectangle** (R ou G) et dessinez un petit carré de couleur voyante (mauve, rouge, bleu...) au milieu de la fenêtre. Conservez un fond transparent.

Figure 5-19 :
Dessinez un petit carré qui servira à visualiser la trajectoire

3. Dans le menu **Titre** ou en cliquant sur le carré avec le bouton droit de la souris pour afficher le menu contextuel, cliquez sur **Position** puis **Centrage Horizontal**. Recommencez l'opération et choisissez **Centrage Vertical**.

4. Enregistrez le titre contenant le carré, puis placez l'élément contenant ce carré sur la piste *Vidéo 2*, exactement au-dessus de l'élément *Gabarit*. Par défaut, Premiere lui applique un *Type d'incrustation Alpha*. Tapez Ctrl+Y pour ouvrir sa fenêtre de trajectoire.

Figure 5-20 :
Incorporez l'élément Gabarit sur la piste Vidéo 1A

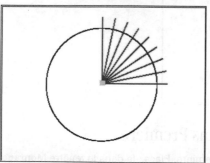

Figure 5-21 :
Le carré mauve et le gabarit dans la vue Programme

5. Créez sept nouveaux points-clés, chacun disposé à égale distance des autres, sur la ligne *Durée*.

Figure 5-22 : Créez 7 points-clés sur la ligne de Durée de la trajectoire

À chaque point-clé devra correspondre une position du petit carré sur la jonction d'une ligne et du cercle.

6. Cliquez sur le point-clé de *Début*. À l'aide des flèches du clavier, déplacez le carré jusqu'à ce qu'il atteigne le sommet de la ligne verticale, exactement là où elle coupe le cercle.

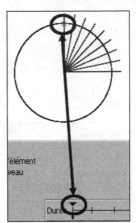

Figure 5-23 :
Correspondance entre le Début de trajectoire sur la ligne de Durée et sa visualisation dans la vue gauche de la fenêtre Trajectoire

5

7. Sélectionnez le second point-clé et placez le carré au même endroit, sur la deuxième ligne.

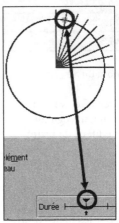

Figure 5-24 :
Placez le carré à la jonction du cercle et de la deuxième ligne, au point-clé N°1

8. Procédez de même pour tous les autres points-clés, jusqu'à la *Fin*. Vous pouvez vérifier la position de la silhouette du carré dans la vue de droite, comportant la *Zone visible*. Utilisez le bouton **Lecture** ou la flèche noire de la ligne *Durée* pour visualiser votre trajectoire en temps réel.

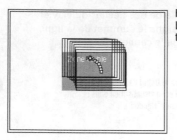

Figure 5-25 :
Le premier quart de la
trajectoire

Profitez-en pour vérifier le bon alignement des points.

Correspondance Positions trajectoire/Fichier .pmt		
Points-clés (position)	Infos Trajectoire (X,Y)	Fichier .pmt
1 Début (0 %)	0,- 21	40, 9
2 (12 %)	4,- 21	44, 9
3 (24 %)	8,- 20	48, 10
4 (36 %)	12,- 18	52, 12
5 (50 %)	15,- 15	55, 15
6 (62 %)	18,- 12	58, 18
7 (74 %)	20,- 8	60, 22
8 (86 %)	21,- 4	61, 26
9 Fin (100 %)	21,0	61,30

9. Enregistrez la trajectoire, par exemple sous le nom Circle_2.pmt.
   Cliquez sur OK.

Bien sûr, vous auriez pu créer toute la trajectoire circulaire avec un
gabarit, mais il n'est pas certain qu'elle aurait été vraiment régulière.
Alors qu'en utilisant le fichier *Circle_2.pmt* dans un éditeur de texte,
vous allez pouvoir changer les paramètres très facilement et compléter
la trajectoire.

10. Ouvrez *Circle_2.pmt* dans un éditeur de texte.

Deux choses sont essentielles : repérer les positions des point-clés (
%) et les *Infos* (X,Y). Les infos sont caractérisées par les lignes Spot.
Les points-clés sont indiqués par le mot Time. Par exemple, le point-clé
de *Début* est référencé par Time = 0, le point-clé 11 % est référencé
Time = 126.

Vous allez modifier les paramètres Time afin d'obtenir des chiffres
ronds, comme stipulé dans le tableau suivant. Utilisez la commande

Rechercher de l'éditeur de texte pour atteindre le mot Time et modifier ces paramètres.

Points-clés et positions		
Graduation	**Trajectoire (X,Y fichier .pmt)**	**Trajectoire (% Time)**
1 (Début)	40, 9	Time = 0
2	44, 9	Time = 120
3	48, 10	Time = 250
4	52, 12	Time = 370
5	55, 15	Time = 500
6	58, 18	Time = 620
7	60, 22	Time = 750
8	61, 26	Time = 870
9 (Fin)	61,30	Time = 1 000

11. Ces modifications effectuées, sélectionnez le texte, en partant de la ligne Spot = 40,9, directement sous la ligne [MOPT] jusqu'à la fin.

12. Copiez le texte sélectionné. Rendez-vous à la fin du texte, faites un retour chariot et tapez en majuscule QUART INFERIEUR DROIT. Collez le texte. Vous saurez où repérer le texte collé.

13. SOYEZ TRÈS ATTENTIFS À CE QUI SUIT :

Le premier quart du cercle de gabarit comporte neuf graduations, espacées chacune de 11° 25'.

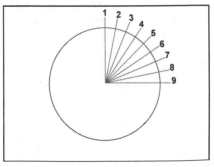

Figure 5-26 :
Les 9 graduations

Il y a une graduation verticale (1), une horizontale (9) et sept graduations obliques (2 à 8).

Le cercle complet aura donc 4 x 7 graduations obliques, plus 2 x 2 graduations verticales et horizontales, soit un total de 32 graduations.

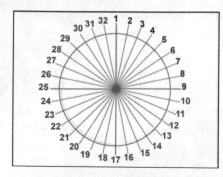

Figure 5-27 :
Le cercle complet

  Remarque

Graduation - Dans notre illustration, la graduation 1 correspond au début de la trajectoire, soit le N°0 dans Infos, c'est à dire 0%. La graduation 2 correspond donc au N°1 et ainsi de suite.

14. Comme vous avez procédé au copier-coller du texte, vous vous retrouvez avec deux fois les mêmes paramètres de points-clés et de positions. Vous allez modifier les paramètres de la portion de texte ajoutée, au-dessous de QUART INFERIEUR DROIT, mais aussi une nouvelle fois les paramètres Time du texte original.

En effet, prenons la graduation 5. Son point-clé est à 50 %, ce qui correspond à un Time = 500. Or, pour avoir une trajectoire circulaire complète, vous devez passez le Time de la graduation 17 à 500, soit 50 %. La graduation 9 qui avait un Time de 1 000 (100 %) doit passer à 250 (25 %). Suivez le tableau suivant pour vérifier les modifications.

Points-clés et positions Moitié Droite		
Graduation	**Trajectoire (X,Y fichier .pmt)**	**Trajectoire (% Time)**
1 (Début)	40, 9	Time = 0
2	44, 9	Time = 30
3	48, 10	Time = 60
4	52, 12	Time = 90
5	55, 15	Time = 120
6	58, 18	Time = 150
7	60, 22	Time = 180
8	61, 26	Time = 210

Points-clés et positions Moitié Droite		
Graduation	Trajectoire (X,Y fichier .pmt)	Trajectoire (% Time)
9	61,30	Time = 250
10	61, 34	Time = 280
11	60, 38	Time = 310
12	58, 42	Time = 340
13	55, 45	Time = 370
14	52, 48	Time = 400
15	48, 50	Time = 430
16	44, 51	Time = 460
17(Milieu)	40, 51	Time = 500

Toujours avec la fonction Rechercher, modifiez les Time du texte collé (Graduation 10 à 17).

15. Rechercher ensuite le mot Spot = (à partir de la ligne QUART INFERIEUR DROIT) et modifiez les positions X et Y.

16. Supprimez les lignes à partir du dernier mot Spot.

17. Supprimez la ligne QUART INFERIEUR DROIT.

18. Ajoutez, en fin de texte, une ligne MOITIE GAUCHE.

19. Sélectionnez le texte à partir de [MOPT] jusqu'à la fin. Copiez-le et collez-le sous la ligne MOITIE GAUCHE.

20. Reportez-vous au tableau suivant pour les changements de paramètres.

Points-clés et positions Moitié Gauche		
Graduation	Trajectoire (X,Y fichier .pmt)	Trajectoire (% Time)
18	36,51	Time = 530
19	32,50	Time = 560
20	28,48	Time = 590
21	25,45	Time = 620
22	22,42	Time = 650
23	20,38	Time = 680
24	19,34	Time = 710
25	19,30	Time = 750
26	20,22	Time = 780

Points-clés et positions Moitié Gauche		
Graduation	Trajectoire (X,Y fichier .pmt)	Trajectoire (% Time)
27	22,18	Time = 810
28	25,15	Time = 840
29	28,12	Time = 870
30	32,10	Time = 900
31	36,9	Time = 930
32	40, 9	Time = 1 000

21. Enregistrez le fichier sous Circle_3.pmt.

Charger une trajectoire

1. Revenez à votre projet dans Premiere. Sélectionnez le petit carré bleu de la piste *Vidéo 2*. Tapez [Ctrl]+[Y]. Chargez la trajectoire *Circle_3.pmt*.

   Visiblement il y a un problème. Nous n'avons pas indiqué le nombre d'images-clés dans l'en-tête du fichier *Circle_3.pmt*.

Figure 5-28 :
Repérez la ligne count =

2. Ouvrez le fichier *Circle_3.pmt* dans l'éditeur de texte. Allez au début du texte. Repérez la cinquième ligne sous la rubrique [MOT5] : count =. Ajoutez 32. Enregistrez le fichier.

3. Retournez dans Premiere et chargez le fichier *Circle_3.pmt*.

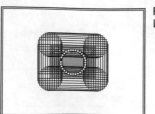

Figure 5-29 :
La trajectoire circulaire terminée

Cette fois, tout fonctionne. Félicitations, vous venez de créer une trajectoire entièrement circulaire, que vous pourrez appliquer sur tous les éléments que vous désirez.

Un ballon qui rebondit

5

À présent que vous savez utiliser les trajectoires, vous pouvez les appliquer comme bon vous semble sur vos clips.

Figure 5-30 :
Un ballon bondissant

Paramètres de réglages		
Pistes	**Éléments**	**Transparence**
Vidéo 2	Ballon	Cache Blanc Alpha
Vidéo 1A	Rue	Aucun

1. Dans Illustrator, créez un nouveau document.
2. Dessinez un ballon sur un fond blanc et enregistrez-le au format adéquat (EPS, AI).

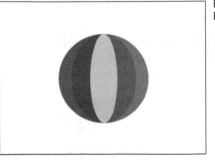

Figure 5-31 :
Dessinez un ballon

3. Créez un projet *Ballon* dans Premiere.

4. Importez un clip qui servira de fond, par exemple une rue, et le ballon.

5. Placez le fond sur *Vidéo 1A* et le ballon sur *Vidéo 2* afin de bénéficier de la transparence.

6. Sélectionnez l'élément *Ballon* et tapez Ctrl+Y pour ouvrir la fenêtre **Trajectoire**.

7. Cliquez sur le bouton **Charger...** et dans le dossier *Motion* de Premiere, cliquez sur *Bounce-In.pmt*. Dans la rubrique *Alpha*, cochez *De l'élément*. Cliquez sur OK.

8. Prévisualisez, faites un Rendu, puis enregistrez.

Un tout petit ballon arrive de la gauche et vient jusqu'au premier plan en grossissant.

Variante

Vous allez modifier la trajectoire.

1. Sélectionnez l'élément *Ballon* et tapez Ctrl+Y.

2. Ajoutez un point-clé avant celui de *Fin*.

3. Sélectionnez le point-clé de *Début* et modifiez le facteur de *Zoom*.

4. Procédez de même sur les autres point-clés de façon à grossir le ballon.

5. Cliquez sur le point-clé de *Fin* et déplacez le ballon pour qu'il sorte de l'écran.

6. Cliquez sur l'avant-dernier point-clé et modifiez la *Rotation* ainsi que la position du ballon.

7. Cliquez sur le bouton **Enregistrer...** et nommez votre nouvelle trajectoire Bounce-In_2.pmt.

8. Cliquez sur OK, puis prévisualisez la trajectoire.

9. Faites un Rendu et enregistrez le projet.

Essayez d'ajouter un deuxième ballon, gris foncé par exemple, et de modifier sa trajectoire pour en faire l'ombre du ballon coloré. Il vous faudra utiliser l'option *Déformation* dans la trajectoire.

Figure 5-32 :
Ajout d'une ombre sous le ballon

5.3 Utiliser les caches couleurs (introduction au multiécran)

La fenêtre **Trajectoire**, si elle permet évidemment le mouvement d'une image, peut être utilisée pour composer une image multiple.

En effet, il suffit de centrer le *Début* et la *Fin* de la trajectoire, puis de redimensionner l'image affectée et de la placer où nous voulons dans l'écran. Il devient ainsi possible, en jouant sur la taille de l'image, le zoom, de pratiquer des effets intéressants.

Figure 5-33 :
Un carré par couleur

1. Créez un nouveau projet Premiere (QuickTime 320 x 240, 15 images/seconde).

2. Cliquez sur l'icône *Créer élément* de la fenêtre **Projet** et choisissez *Cache couleur*.

3. Créez quatre caches : rouge, vert, bleu, jaune, ou de la couleur de votre choix.

4. Ajoutez trois pistes vidéo supplémentaires à la fenêtre **Montage**.

5. Glissez les éléments (caches couleurs) dans la fenêtre **Montage**, les uns au-dessus des autres.

Fenêtre Montage	
Piste	**Élément**
Vidéo 5	Cache Vert
Vidéo 4	Cache Jaune
Vidéo 3	Cache Bleu
Vidéo 2	Cache Rouge

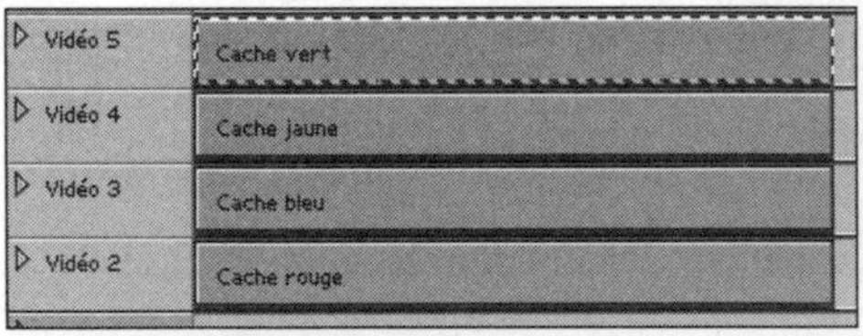

Figure 5-34 :
Les caches couleurs
disposés sur les pistes

6. Sélectionnez l'élément de la piste *Vidéo 2* et tapez Ctrl+G pour ouvrir sa fenêtre de transparence. Choisissez *Alpha* comme *Type d'incrustation*.

7. Tapez Ctrl+Y pour ouvrir la fenêtre **Trajectoire**. Stoppez le déroulement de la trajectoire en cliquant sur le bouton **Pause**. Positionnez-vous sur le *Début* de la trajectoire (*N°0*) et cliquez sur le bouton **Centrer**. Faites de même avec la *Fin* (*N°1*) de trajectoire. Saisissez les paramètres du tableau suivant.

Infos trajectoire		
	N°0 (Début)	**N°1 (Fin)**
X,Y	- 20,15	- 20,15
Zoom	50	50

Vous avez réduit la taille de l'élément en *Début* et en *Fin* de trajectoire en réduisant le facteur *Zoom* de moitié. Les coordonnées d'Infos X et Y correspondent à une position en quart inférieur droit de l'image.

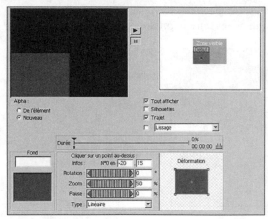

Figure 5-35 : La trajectoire du cache couleur rouge

8. Cliquez sur OK ou appuyez sur [Entrée] pour valider.

9. Copiez l'élément de la piste *Vidéo 2*. Faites un clic droit sur l'élément de la piste *Vidéo 3* et choisissez **Coller les attributs**. Cliquez sur le bouton d'options **Attributs** et décochez les cases *Filtres* et *Intensité*. Cliquez sur **Coller**.

10. Cliquez sur l'élément de la piste *Vidéo 4*. Faites un clic droit avec la souris et choisissez, dans le menu contextuel, **Répéter Coller les attributs**.

11. Procédez de même pour l'élément de la piste *Vidéo 5*.

Vous devez changer certains paramètres de trajectoires des éléments des pistes *Vidéo 3, Vidéo 4 et Vidéo 5*.

Infos trajectoires pistes Vidéo 3, Vidéo 4 et Vidéo 5			
Pistes	**Paramètres**	**N°0 (Début)**	**N°1 (Fin)**
Vidéo 5	X,Y	20,- 15	20,- 15
Vidéo 4	X,Y	- 20,- 15	- 20,- 15
Vidéo 3	X,Y	20,15	20,15

Variante

En utilisant le même principe, il est possible de jouer avec des caches couleurs pour créer certains effets. Il suffit de rendre dynamique la trajectoire, et le tour est joué.

Dans l'exemple qui suit, vous allez faire traverser l'écran en diagonale à vos blocs de couleurs afin de les faire permuter.

Figure 5-36 :
Les 4 caches dans la vue Programme

1. Vous pouvez utiliser le même projet.

2. Dupliquez les éléments et repositionnez-les plus loin, dans le même ordre.

3. Placez les en quinconce, le point de sortie d'un élément coïncidant avec le point d'entrée du suivant.

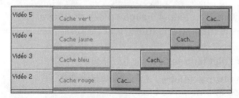

Figure 5-37 :
Disposez les éléments en quinconce

4. Sélectionnez l'élément de la piste *Vidéo 2* et tapez Ctrl+Y.

   Vous allez changer certains paramètres de sa trajectoire.

5. Placez la *Fin* de trajectoire dans le coin supérieur droit de l'écran (*Zone visible*), coordonnées X,Y = 20,- 15.

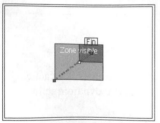

Figure 5-38 :
Placez la Fin de trajectoire dans le coin supérieur droit de la vignette Zone visible

6. Conservez le *Zoom* à 50.

7. Placez le *Début* de trajectoire dans le coin inférieur gauche, coordonnées X,Y = - 41,31.

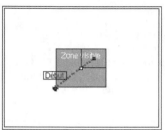

Figure 5-39 :
Placez le Début de
trajectoire dans le coin
inférieur gauche de la
vignette Zone visible

8. Passez le *Zoom* à 0.

9. Cliquez au milieu de la bande de *Durée* et placez un point-clé à 50 %.

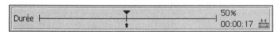

Figure 5-40 : Créez une image-clé au milieu (50 %) de la trajectoire

10. Cliquez sur le bouton **Centrer**. Passez le *Zoom* à 100.

11. Copiez l'élément et collez ses attributs (uniquement *Trajectoire*) sur les trois autres éléments.

12. Modifiez les trajectoires des trois éléments restants selon les paramètres du tableau suivant.

Infos trajectoires pistes Vidéo 3, Vidéo 4 et Vidéo 5						
	Vidéo 5		Vidéo 4		Vidéo 3	
	X,Y	ZOOM	X,Y	ZOOM	X,Y	ZOOM
N° 0 (Début)	41,- 31	0	- 41,- 31	0	41,31	0
N° 1 (50 %)	0,0	100	0,0	100	0,0	100
N° 2 (Fin)	- 20,15	50	20,15	50	- 20,- 15	50

13. Glissez une occurrence de chaque cache couleur à côté de son homonyme.

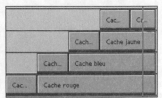

Figure 5-41 :
Rajoutez les éléments pour augmenter leur durée à l'écran

14. Appliquez-leur à chacune une trajectoire avec un *Zoom* à 50. Les coordonnées de *Début* et de *Fin* de la trajectoire correspondent respectivement aux coordonnées de fin des éléments en quinconce.

Infos trajectoires pistes Vidéo 2, 3, 4 et 5							
	Vidéo 5		Vidéo 4		Vidéo 2		Vidéo 2
	X,Y	ZOOM	X,Y	ZOOM	X,Y	ZOOM	X,Y	ZOOM
N° 0 (Début)	- 20,15	50	20,15	50	- 20,-15	50	20,-15	50
N° 2 (Fin)	- 20,15	50	20,15	50	- 20,-15	50	20,-15	50

15. Prévisualisez, effectuez un Rendu et enregistrez le projet.

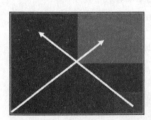

Figure 5-42 :
Les caches rouge et bleu se croisent avant de se placer aux extrémités

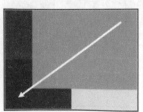

Figure 5-43 :
Le cache vert vient se placer dans le coin inférieur gauche

5.4 Caches couleurs au service de l'info

Une chaîne de télévision utilise fréquemment des blocs colorés pour présenter ses Infos. Vous allez reprendre ce principe en utilisant la méthode décrite ci-dessus.

Figure 5-44 : Le projet final

Créez les logos et les lignes

Vous allez utiliser des blocs et des lignes créées dans la fenêtre **Titre**.

1. Créez un nouveau projet Premiere (QuickTime 320 x 240, 15 images/seconde).

2. Créez trois caches couleurs : un rouge (255,67,0), un gris (153,153,153), un noir (0,0,0).

3. Tapez [F9]. Tapez [T] pour activer l'outil **Texte**. Tapez un M majuscule puis donnez-lui une couleur rouge (le même rouge que le cache couleur). Choisissez une police grasse, Futura, par exemple, de taille 72 (voir fig. 5-45).

   Cliquez sur la lettre avec le bouton droit de la souris pour afficher le menu contextuel. Cliquez sur **Position** puis **Centrage horizontal** ensuite sur **Centrage vertical**. Enregistrez votre titre (Titre_M) (voir fig. 5-46).

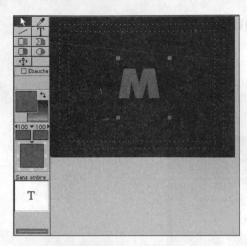

Figure 5-45 :
La première étape de la
création du logo

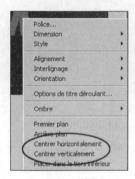

Figure 5-46 :
Centrez horizontalement et verticalement

4. Désélectionnez le M et choisissez une couleur blanc (255,255,255).
   Tapez ⊤. Tapez le chiffre 8, de même dimension que le M. Placez-le
   ensuite sur le M, en vous servant du menu contextuel pour le
   centrer. Déplacez-le ensuite avec les flèches du clavier pour le
   positionner correctement.

Figure 5-47 :
Le logo finalisé

5. Supprimez le M rouge et enregistrez votre titre sous un autre nom (Titre_8). Appliquez éventuellement une ombre sur le 8 pour le faire ressortir.

6. Créez deux autres titres : une barre blanche de 2 pixels horizontale (*Barre_H*) et une barre blanche verticale (*Barre_V*) de 2 pixels également.

Créez l'affichage du logo de début

1. Dans la fenêtre **Montage**, ajoutez sept pistes Vidéo.

2. Activez la vue *Programme* et tapez 500 pour placer le curseur à l'instant 05:00. Placez une marque 0.

Figure 5-48 :
Placez une marque sur la ligne temporelle

3. Glissez une occurrence de l'élément *Titre_M* sur la piste *Vidéo 1A*. Prolongez-la jusqu'à la marque 0. Faites un clic droit pour afficher le menu contextuel et cliquez sur **Options Vidéo/Rapport L/H constant**.

4. Placez une marque 1 à l'instant 01:00. Glissez l'élément *Titre_8* sur la piste *Vidéo 2*. Caler son point d'entrée sur la marque 1. Prolongez son point de sortie (*Out*) jusqu'à la marque 0.

5. Placez une marque 2 à l'instant 01:15. Glissez une occurrence de l'élément *Barre_H* sur la piste *Vidéo 3*. Placez son *In* sur la marque 2.

6. Ajoutez une marque 3 à l'instant 05:00 et prolongez le *Out* de *Barre_H* jusqu'à cette marque.

7. Sur la piste *Vidéo 4*, parfaitement au-dessus de *Barre_H*, glissez l'élément *Barre_V*. Les deux éléments doivent avoir la même Longueur.

8. Placez une marque 4 à l'instant 10:00. Glissez l'élément *Cache noir* sur la piste *Vidéo 1B*. Prolongez son *Out* jusqu'à la marque 4 (voir fig. 5-49).

   Le M est à l'écran, le 8 vient se superposer dessus, puis les deux barres blanches.

9. Sélectionnez l'élément *Barre_H* et tapez Ctrl+Y. Dans la ligne *Infos*, passez *N°0* en 0,- 12. Cliquez sur la *Fin* de trajectoire et passez *N°1* en 0,- 12. cliquez sur OK.

10. Sélectionnez l'élément *Barre_V* et tapez Ctrl+Y. Dans la ligne *Infos*, passez *N°0* en 12,0. Cliquez sur la *Fin* de trajectoire et passez *N°1* en 12,0. Cliquez sur OK.

11. Prévisualisez, puis enregistrez le projet.

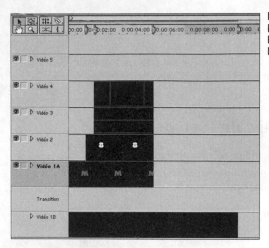

Figure 5-49 :
Placez les éléments,
légèrement décalés, sur
les pistes

Créez la disparition du logo de début

1. Prolonger l'élément *Barre_H* jusqu'à l'instant 06:15, de même que *Barre_V*.

2. Prolonger l'élément *Titre_M* jusqu'à l'instant 06:18, de même que *Titre_8*.

3. Sur la piste *Vidéo 5*, placez une copie de l'élément *Barre_H* de la piste *Vidéo 3*. Son *In* doit être sur 05:00 et son *Out* sur 06:15.

4. Sur la piste *Vidéo 6*, placez une copie de l'élément *Barre_V* de la piste *Vidéo 4*. Son *In* doit être sur 05:00 et son *Out* sur 06:15.

5. Affichez la trajectoire de *Barre_V*. Paramétrez *N°0* en 39,0 et *N°1* en 12,0. Cliquez sur OK.

6. Sélectionnez *Barre_H* et affichez sa trajectoire. Paramétrez *N°0* en 0,31 et *N°1* en 0,12. Cliquez sur OK.

7. Prévisualisez et enregistrez.

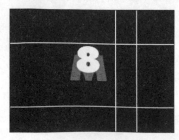

Figure 5-50 :
Les lignes verticales et
horizontales se croisent, et
M8 disparaît

Créez un élément de transition

1. Copiez et collez, à côté, *Barre_V* sur *Vidéo 6*. Changez ses coordonnées de trajectoire : *N°0* en 12,0 et *N°1* en - 41,0. Prolonger son *Out* jusqu'à la marque 4 (10:00).

2. Copiez et collez, à côté, *Barre_H* sur *Vidéo 5*. Changez ses coordonnées de trajectoire : *N°0* en 0,12 et *N°1* en 0,- 29. Prolonger son *Out* jusqu'à la marque 4 (10:00).

3. Copiez et collez, à côté, *Barre_H* sur *Vidéo 3*. Changez ses coordonnées de trajectoire : *N°0* en 0,- 12 et *N°1* en 0,32. Prolonger son *Out* jusqu'à la marque 4 (10:00).

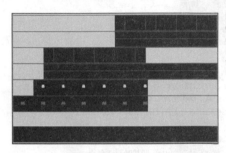

Figure 5-51 :
Copiez et collez les éléments Barre_H et Barre_V, et modifiez leurs trajectoires

4. Prévisualisez et enregistrez.

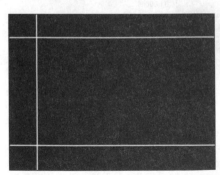

Figure 5-52 :
Une ligne verticale qui va vers la droite, et une horizontale qui monte

Créez l'affichage du deuxième logo

1. Créez un élément virtuel (*EV 1*) avec tous les éléments précédents.

2. Placez une marque 5 à l'instant 23:00. Vous allez positionner la deuxième partie du montage à partir de cette marque. Placez une marque 6 à l'instant 44:24.

3. Tapez F9 et créez un titre (Titre_Actu) en blanc sur fond transparent, dimension 18. Tapez Une seconde. Centrez-le dans la fenêtre et enregistrez.

Figure 5-53 :
Créez un titre "Une seconde" en blanc sur fond noir

4. Créez un autre titre (Titre_M8). Il s'agit de la lettre M rouge et du 8 blanc ombré, tous deux de dimension 36. Placez-les dans le coin supérieur gauche de l'écran. À l'extrême gauche, à environ 8 ou 10 pixels du bord gauche, tracez une ligne blanche verticale.

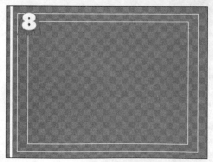

Figure 5-54 :
Créez un logo plus petit avec le titre M8. Placez une ligne verticale blanche à gauche

5. Placez une occurrence de l'élément *Cache noir* sur la piste *Vidéo 1B*, de la marque 5 à la marque 6.

6. Placez une occurrence de l'élément *Barre_H* sur la piste *Vidéo 3*, le *In* à la marque 5, le *Out* à l'instant 26:15. Appliquez-lui une trajectoire (*N°0* en 0,32, *N°1* en 0,- 14).

7. Copiez cet élément et placez-le sur la piste *Vidéo 3*, *In* à 26:15, *Out* à 44:24 (marque 6). Paramétrez sa trajectoire, *N°0* et *N°1* en 0,- 14.

8. Placez une occurrence de l'élément *Titre_M8* sur la piste *Vidéo 4*. *In* à 26:15, *Out* à 30:00. Trajectoire *N°0* en - 13,0, *N°1* en 5,0. Copiez et collez cet élément sur la même piste, à côté. Prolongez son *Out* jusqu'à la marque 6. Placez le *N°0* et le *N°1* de la trajectoire en 5,0.

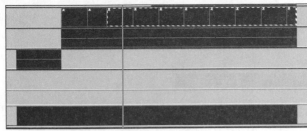

Figure 5-55 : L'élément Titre_M8 sur la piste Vidéo 4. Copiez et collez-le à côté, et prolongez son point de sortie

9. Prévisualisez et enregistrez.

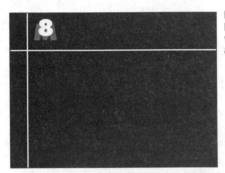

Figure 5-56 :
M8 apparaît et la ligne verticale s'arrête un peu avant

Créez l'affichage des lignes blanches supplémentaires

1. Copiez l'élément *Barre_H* placé sur *Vidéo 3* et positionnez-le à l'instant 31:21. Placez le *Out* à l'instant 33:12. Ouvrez sa trajectoire et paramétrez le *N°0* en 0,32 et le *N°1* en 0,- 12.

2. Copiez et collez cet élément à côté, sur la même piste. Prolongez son *Out* jusqu'à la marque 6. Paramétrez sa trajectoire sur 0,- 12 pour *N°0* et *N°1*.

3. Copiez l'élément *Titre_M8* de la piste *Vidéo 4* et collez-le à côté, sur la même piste. Prolonger son *Out* jusqu'à la marque 6. Paramétrez sa trajectoire en 5,0 pour *N°0* et *N°1*.

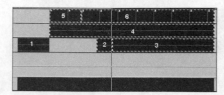

Figure 5-57 :
Les éléments numérotés
sur les pistes

4. Prévisualisez et enregistrez.

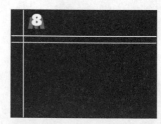

Figure 5-58 :
Une deuxième ligne horizontale vient se caler
sous la première

Créez l'affichage du bloc rouge

1. Placez une marque 7 à l'instant 33:12 et une marque 8 à l'instant 38:12.

2. Placez une dernière marque (9) à l'instant 43:12.

3. Glissez une occurrence du cache rouge sur la piste *Vidéo 5*, avec *In* sur la marque 7, *Out* sur la marque 8. Tapez Ctrl+Y. Paramétrez la trajectoire : *N°0* en - 80,17 et *N°1* en - 7,17.

4. Glissez une occurrence de l'élément *Barre_V* sur la piste *Vidéo 6*, avec *In* sur la marque 7, *Out* sur la marque 8. Tapez Ctrl+Y. Paramétrez la trajectoire : *N°0* en - 40,0 et *N°1* en 33,0.

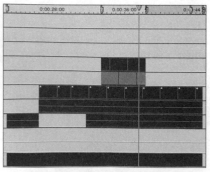

Figure 5-59 :
Un cache couleur rouge est
incorporé dans le montage,
au-dessus des éléments
précédents

5. Prévisualisez et enregistrez.

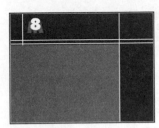

Figure 5-60 :
Le bloc rouge glisse vers la droite, précédé par
une ligne verticale blanche

Créez l'affichage du titre de l'émission dans le bloc rouge

Le volet rouge arrive de la gauche pour se placer et ne plus bouger.

1. Copiez l'élément *Cache rouge* de la piste *Vidéo 5* et collez-le à côté, sur la même piste. Prolongez le *Out* jusqu'à la marque 6 (44:24). Paramétrez la trajectoire : *N°0* et *N°1* en - 7,17.

2. Copiez l'élément *Barre_V* de la piste *Vidéo 6* et collez-le à côté, sur la même piste. Prolongez le *Out* jusqu'à la marque 6. Paramétrez la trajectoire : *N°0* et *N°1* en 33,0.

3. Placez une occurrence de l'élément *Titre_Actu* sur la piste *Vidéo 7*, *In* à la marque 8, *Out* à la marque 6. Paramétrez la trajectoire : *N°0* et *N°1* en 16,- 9.

4. Placez une occurrence de l'élément *Cache rouge* sur la piste *Vidéo 8*, *In* à la marque 8, *Out* à la marque 9. Paramétrez la trajectoire : *N°0* en - 7,17et *N°1* en - 80,17.

5. Placez une occurrence de l'élément *Barre_V* sur la piste *Vidéo 9*, *In* à la marque 8, *Out* à la marque 9. Paramétrez la trajectoire : *N°0* en 33,0 et *N°1* en - 40,0.

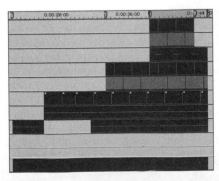

Figure 5-61 :
Placement des derniers
éléments

6. Prévisualisez et enregistrez.

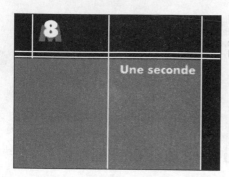

Figure 5-62 :
La barre blanche verticale
se dédouble et repart vers
la gauche

La barre blanche repart vers la gauche, dévoilant le titre *Une seconde*.

Créez l'affichage du bloc gris et du titre de la rubrique

1. Créez un élément virtuel (*EV 2*) avec les éléments de la marque 5 à la marque 6. Créez également un petit élément virtuel (*EV 3*) à partir des éléments compris entre la marque 6 et la marque 9.

2. Effacez toutes les marques précédentes. Placez une nouvelle marque 0 à l'instant 01:06:00, une marque 1 à 01:09:15, une marque 3 à 01:10:00 et une marque 4 à 01:15:00.

3. Placez une occurrence de l'élément *Barre_H* sur la piste *Vidéo 3*, *In* à la marque 0, *Out* à la marque 1. Paramétrez la trajectoire : *N°0* en 0,32 et *N°1* en 0,- 4.

4. Copiez cet élément *Barre_H* et collez-le à côté, sur la même piste. Prolongez le *Out* jusqu'à la marque 3. Paramétrez la trajectoire : *N°0* et *1* en 0,- 4.

5. Placez une occurrence de l'élément *Cache gris* sur la piste *Vidéo 4*, *In* à la marque 2, *Out* à la marque 3. Paramétrez la trajectoire : *N°0* en - 80,25 et *N°1* en - 1,25.

6. Placez une occurrence de l'élément *Barre_V* sur la piste *Vidéo 6*, *In* à la marque 2, *Out* à la marque 3. Paramétrez la trajectoire : *N°0* en - 40,0 et *N°1* en 39,0.

7. Créez un nouveau titre. Tapez en lettres blanches majuscules sur fond noir, dimension 18 (en Futura MD BT), LES NIOUZES. Centrez le texte dans le cadre. Enregistrez sous Titre_Actu_2. Placez une occurrence de cet élément sur la piste *Vidéo 5*, de la marque 2 à la marque 4. Paramétrez la trajectoire : *N°0* en - 80,3 et *N°1* en 21,3. Cliquez sur OK.

8. Récupérez l'élément virtuel *EV 3* et placez-le sur la piste *Vidéo 2*, à la marque 0. Dupliquez-le six fois. Ramenez le *Out* du dernier à la marque 3.

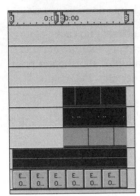

Figure 5-63 :
Dupliquez 6 fois l'élément virtuel EV 3

9. Prévisualisez puis enregistrez.

Créez l'animation finale

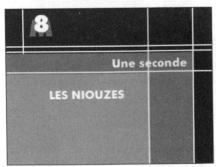

Figure 5-64 : Le bloc gris arrive de la gauche et s'arrête au niveau du noir, précédé par une bande verticale blanche. Le titre Les Niouzes apparaît en même temps

1. Créez un élément virtuel (*EV 4*) de ce dernier montage.

   Il ne vous reste plus qu'à grouper *EV 1*, *EV 2* et *EV 4* sur une même piste pour obtenir le déroulement complet.

2. Faites un Rendu et enregistrez le projet.

5.5 Effet de loupe

En combinant une transparence avec une trajectoire et une déformation, il est possible de réaliser un effet loupe des plus réussis.

Il y a au moins deux manières de procéder. En utilisant un cache et un contre-cache ou alors une piste cache. Cette dernière solution étant la plus aisée à mettre en place. Cependant, nous allons d'abord opter pour la première méthode, afin de vous faire manipuler plus d'éléments.

Figure 5-65 :
Un effet de loupe

Technique de cache - contre-cache

Créez le cache

1. Créez un nouveau projet Premiere et enregistrez-le sous le nom Projet_Loupe.

2. Créez un nouveau chutier Titre.

3. Renommez *Chutier 1* en Chutier Clips

4. Importez le clip qui servira à l'effet **Loupe** dans le *Chutier Clips*. Pour plus de commodité, nous le désignerons par le nom Clip_Loupe.

5. Appuyez sur F9 pour ouvrir le **Concepteur de titres**.

6. Tracez un cercle plein noir au milieu de l'écran et enregistrez le titre en tant que Loupe1.

7. Sélectionnez le cercle noir et passez sa couleur en blanc. Donnez-lui un contour noir (Déroulez le menu **Traits**, puis cliquez sur **Ajouter**, en face de **Traits externes**. Le **Type** doit être **Bord**, la **Dimension** 5 et le **Type de remplissage** sur **Plein**). Enregistrez le titre en tant que Loupe2.

8. Ajoutez trois pistes vidéo supplémentaires à la fenêtre **Montage**.

5

9. Placez *Loupe1* sur *Vidéo 2* et *Loupe2* sur *Vidéo 3*, l'un au-dessus de l'autre.

10. Placez l'élément *Clip_Loupe* sur la piste *Vidéo 1A*. Donnez à *Loupe1* et à *Loupe2* la même longueur que cet élément, puis supprimez *Clip_Loupe* de la piste *Vidéo 1A*.

11. Sélectionnez *Loupe1* et tapez [Ctrl]+[G] pour afficher sa fenêtre de transparence. Vérifiez bien que *Type d'incrustation* est sur *Alpha*. Cliquez sur OK.

12. Appuyez sur [Ctrl]+[Y] pour ouvrir la fenêtre de trajectoire de *Loupe1*. Conservez les paramètres par défaut mais passez la couleur du *Fond* en noir puis validez.

 Astuce

*Activer la trajectoire - Vous pouviez aussi simplement cliquer sur le petit carré vide qui précède **Trajectoire** dans la palette Effets pour l'activer.*

13. Cliquez sur *Loupe1* et appuyez sur [Ctrl]+[C] pour le copier. Sélectionnez l'élément *Loupe2* et faites un clic droit de la souris pour afficher le menu contextuel. Choisissez **Coller les attributs....**

14. Dans la fenêtre **Coller les attributs**, cochez *Attributs*, puis laissez cochés *Transparence* et *Trajectoire*. Cliquez sur **Coller**. Tapez [Ctrl]+[G] pour afficher sa fenêtre de transparence et cochez la case *Inverser*.

Figure 5-66 :
Glissez un cache couleur
sur la piste Vidéo 1A pour
visualiser le cache

15. Effectuez une prévisualisation. Pour mieux vous rendre compte, nous vous conseillons d'ajouter un cache de couleur sur la piste *Vidéo 1A*. Supprimez ce cache lorsque vous êtes satisfait et enregistrez votre travail.

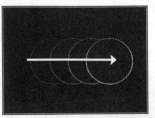
Figure 5-67 :
Prévisualisez la trajectoire du cache

Vous allez utiliser ces deux éléments pour créer un élément virtuel.

16.  Appuyez sur Ⓜ pour sélectionner l'outil **Sélection de blocs**. Appuyez autant de fois sur Ⓜ qu'il le faut pour que la bonne icône s'affiche.

17. Sélectionnez *Loupe1* et *Loupe2* et faites-en un élément virtuel, que nous baptiserons arbitrairement EV 1. Appuyez sur Ⓜaⱼ le temps du déplacement, pour ne pas dupliquer une piste audio, et déposez le tout sur *Vidéo 3*, en laissant un espace avec *Loupe2*.

Figure 5-68 :
Créez un élément virtuel avec les deux éléments cache. N'oubliez pas d'ôter le cache couleur

Notez que, lorsque vous appuyez sur Ⓜaⱼ, l'icône change.

18. Verrouillez *Loupe1* et *Loupe2* (**Elément/Verrouiller l'élément sur le montage**).

Figure 5-69 :
Verrouillez les éléments sources

Créez l'effet de loupe sur l'élément de fond

1. Faites glisser l'élément *Clip_Loupe* sur la piste *Vidéo 2*, exactement sous l'élément virtuel *EV 1* que vous venez de créer.

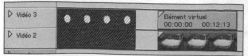

Figure 5-70 :
Placez l'élément virtuel au-dessus de l'image de fond

5

2. Sélectionnez l'élément *Clip_Loupe*. Appliquez-lui un effet **Vidéo/Vue de l'objectif**.

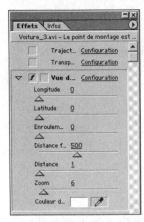

Figure 5-71 :
Appliquez un effet Vue de l'objectif à l'image de fond

3. Cliquez sur **Configuration** pour ouvrir la boîte de dialogue **Vue de l'objectif**. Ne modifiez que les paramètres *Distance* et *Zoom*. Faites des essais, en sachant que plus vous zoomerez et plus votre image risque d'être pixellisée.

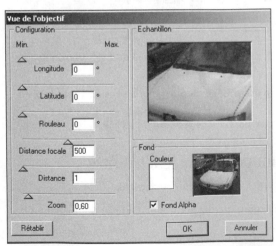

Figure 5-72 : Paramétrez l'effet Vue de l'objectif de façon à agrandir légèrement l'image

Cliquez sur OK lorsque vous avez terminé (les paramètres sont modifiables lorsque la fenêtre est fermée).

4. Cliquez sur l'élément virtuel *EV 1* et appuyez sur Ctrl+G. Dans la rubrique *Type d'incrustation*, sélectionnez *Alpha*. Cochez la case *Inverser*, puis cliquez sur OK. Vous pouvez effectuer une prévisualisation pour vérifier.

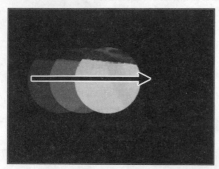

Figure 5-73 :
Prévisualisez l'effet et la trajectoire

5. Appuyez sur M pour sélectionner l'outil **Sélection de blocs** et créez un deuxième élément virtuel avec *EV 1* et *Clip_Loupe*.

Figure 5-74 :
Créez un élément virtuel avec le précédent élément virtuel et le fond comportant l'effet

Placez *EV 2* sur la piste *Vidéo 3*, à proximité de *EV 1*. Verrouillez *EV 1* et *Clip_Loupe*.

6. Faites glisser une occurrence de *Clip_Loupe* sous *EV 2*, sur la piste *Vidéo 2*.

7. Appliquez une transparence de type *Alpha* à *EV 2*.

Dessinez une loupe dans la fenêtre Titre

Vous allez dessiner une Loupe dans la fenêtre **Titre**.

1. Dans la fenêtre **Projet**, ouvrez le Chutier Titres et double-cliquez sur *Loupe1*.

   Le titre *Loupe1* contient un cercle noir.

2. Enregistrez sous Loupe3 votre titre. Sélectionnez le cercle et essayez de lui donner un peu de relief, en utilisant un **Type de remplissage** en **Biseau** pour le **Trait externe** par exemple. puis en lui appliquant une ombre douce en dégradé.

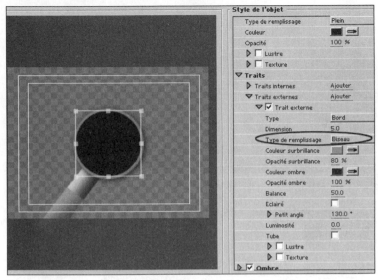

Figure 5-75 : Dessinez une loupe. Utilisez le Biseau pour donner un peu de relief

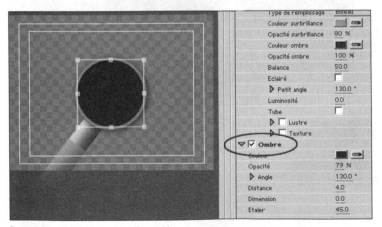

Figure 5-76 : Ajoutez une ombre à l'ensemble

Utilisez l'outil **Plume** (P) pour dessiner la virole et le manche. Nous avons utilisé un dégradé quadrichromique bleu pour la virole et un dégradé linéaire marron pour le manche puis nous leur avons appliqué à chacun la même ombre que le cercle.

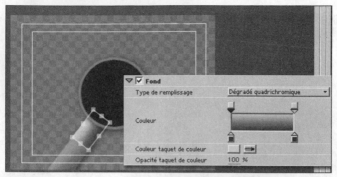

Figure 5-77 : La virole a été dessinée selon le même principe...

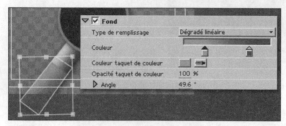

Figure 5-78 : ...de même que le manche

3. Une fois le corps de votre loupe dessiné, enregistrez.

4. Glissez l'élément *Loupe3* sur la piste *Vidéo 4*, au-dessus de *EV 2*, et redimensionnez-le si besoin est.

Figure 5-79 :
Placez l'élément contenant la loupe au-dessus
de l'élément virtuel

Figure 5-80 :
Prolongez son point de sortie

5. Cliquez sur l'élément *Loupe3* puis tapez [Ctrl]+[G] pour afficher la transparence. Choisissez un type d'incrustation *Luminance* avec un *Seuil* de 22. Cliquez sur OK. Effectuez une prévisualisation. Vous pouvez aussi choisir un type d'incrustation *Cache différentiel* avec

une *Tolérance* de 22. Dans ce dernier cas, cochez la case. Vous pouvez passer le *Lissage* sur *Fort* et cocher la case *Ombrer*.

6. Cliquez sur l'élément *Loupe1* ou *Loupe2* et tapez [Ctrl]+[C] pour le copier, après l'avoir déverrouillé. Sélectionnez à nouveau *Loupe3* et faites un clic droit avec la souris pour ouvrir le menu contextuel. Choisissez **Coller les attributs....**

7. Dans la fenêtre **Coller les attributs**, cochez *Attributs* puis laissez coché *Trajectoire*. Cliquez sur **Coller**.

8. Prévisualisez. Si le résultat vous convient, enregistrez votre projet.

Effet de loupe avec un halo

Bien entendu, il y a toujours moyen de peaufiner. Vous allez ajouter un halo à votre loupe pour lui donner un peu de reflet et un effet **Vidéo/Sphérisation** pour accentuer la déformation.

1. Créez une vidéo noire en cliquant sur l'icône *Nouveau* de la fenêtre **Projet**, puis en choisissant **Vidéo noire**. Placez l'élément *Vidéo noire* sur la piste *Vidéo 5*, en prenant soin de l'aligner sur les éléments des pistes inférieures.

Figure 5-81 :
Ajoutez un élément Vidéo noir ou Cache couleur noir

2. Appliquez lui une transparence de type *Filtre*. Collez-lui les attributs de trajectoire de *Loupe3*. Enfin, appliquez-lui un effet **Vidéo/Halo**.

Figure 5-82 :
Appliquez un effet Halo

Figure 5-83 :
Modifiez les paramètres du halo

3. Cliquez sur **Configuration** pour ouvrir la fenêtre **Halo** et régler les paramètres à votre convenance. Choisissez plutôt une focale fixe 105 mm, qui donne un meilleur effet de reflet. La luminosité a été réglée sur 92 %. Enfin, déplacez la petite croix pour positionner le halo.

4. Prévisualisez, puis enregistrez.

5. Déverrouillez l'élément *Clip_Loupe* situé sous *EV 1* et appliquez lui un effet **Vidéo/Déformation/Sphérisation**. Là aussi, n'exagérez pas trop la déformation. Vous pouvez cliquer sur **Configuration** pour observer l'effet en temps réel sur l'élément.

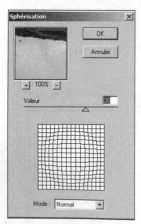

Figure 5-84 :
Appliquez un effet Sphérisation

En agissant sur un élément composant d'un élément virtuel vous changez les paramètres de cet élément virtuel. Par conséquent, la sphérisation se répercute sur *EV 2*.

6. Effectuez une prévisualisation de l'effet avec *Halo* et *Sphérisation*, puis enregistrez le projet.

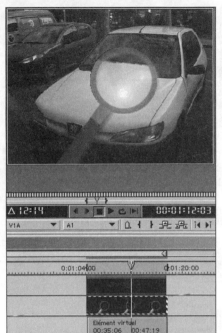

Figure 5-85 :
L'effet final avec le halo
rajouté pour simuler le
verre de la loupe

La méthode est longue, mais efficace, et vous a permis de manipuler de nombreuses fonctions de Premiere. En ce qui concerne l'utilisation des caches et des contre-caches, il existe une deuxième possibilité, plutôt une subtilité.

Variante

Dans l'exemple suivant, nous avons utilisé deux fichiers TGA, un cercle blanc sur fond noir avec une transparence type *Cache Noir Alpha* et un cercle noir sur fond blanc avec une transparence type *Cache Blanc Alpha*.

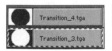

Figure 5-86 :
Les 2 caches complémentaires

Figure 5-87 :
Les deux éléments caches
dans la vue Programme. On
distingue un léger contour
circulaire

Une même trajectoire a été appliquée aux deux éléments. Un élément
virtuel a ensuite été créé et placé au-dessus d'une image de fond, sur
laquelle un effet **Vidéo/Vue de l'objectif** a été appliqué pour agrandir
l'image.

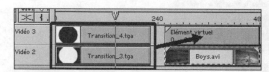

Figure 5-88 :
Créez un élément virtuel à
partir des 2 éléments
caches

Figure 5-89 :
L'image de fond apparaît
bien dans le cercle

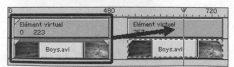

Figure 5-90 :
Créez un deuxième
élément virtuel

Figure 5-91 :
L'effet final

5.6 Effet de cible

L'exemple précédent était assez long à réaliser. Vous allez voir à présent que vous pouvez réaliser un effet similaire en utilisant simplement une piste cache, sans avoir recours aux éléments virtuels.

Pour cet effet, vous allez utiliser l'option *Cache de piste* de la fenêtre **Transparence**. L'effet produit est le même que celui qui est décrit dans l'effet **Loupe**, mais ne nécessite qu'un cache au lieu de deux. De plus, il permet de s'affranchir de l'élément virtuel. Quant à la trajectoire, à vous de lui appliquer celle qui convient à votre film.

Notez que le cercle n'est pas réalisé dans la fenêtre **Titre** de Première mais dans Photoshop, Illustrator ou autre logiciel traitant l'image.

Vous utiliserez aussi une technique pour donner à votre image dans la cible un effet de vision nocturne.

Figure 5-92 :
Target !

1. Créez un nouveau projet *Cible* dans Premiere.
2. Créez un cercle noir sur fond blanc dans Photoshop, par exemple. Le format doit être identique à celui de votre projet. Enregistrez-le sous le nom Viseur_1. Nous avons utilisé le format TGA.

Figure 5-93 :
Créez un cercle noir aux dimensions de la cible

3. Enregistrez votre image sous Viseur_2 et tracez les pointes de la mire en vous servant du cercle.

4. Utilisez l'outil **Texte** pour placer des chiffres sur la mire. Texte et mires sont en noir. Effacez le cercle une fois que tous les éléments sont calés. Enregistrez.

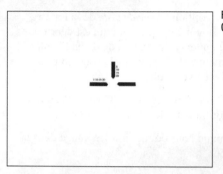

Figure 5-94 :
Créez les réglages de mire

5. Ajoutez trois pistes vidéo supplémentaires.

6. Placez un élément contenant un personnage (par exemple) sur la piste *Vidéo 1A*. Appliquez-lui un traitement Infrarouge.

> **Renvoi**
>
> *La création d'une image infrarouge est décrite dans le chapitre Corriger l'image.*

Ajoutez-lui un effet **Balance des couleurs RVB** et manipulez les curseurs pour donner à l'élément une teinte verte assez fluo.

Figure 5-95 :
Ajoutez un effet Balance des couleurs. Réglez les curseurs de manière à obtenir un vert fluo

7. Placez une occurrence de votre personnage sur la piste *Vidéo 2*, donnez-lui la même longueur que l'élément de la piste *Vidéo 1A*. Les deux éléments doivent se trouver l'un au-dessus de l'autre.

8. Appliquez-lui une transparence de type *Piste cache*.

9. Placez une occurrence de l'élément *Viseur_1* sur *Vidéo 3*, exactement au-dessus des deux autres éléments, et de la même dimension. Pas besoin d'appliquer de transparence sur cet élément.

10. Placez une occurrence de l'élément *Viseur_2* sur *Vidéo 4*, exactement au-dessus des trois autres éléments, et de la même dimension. Appliquez-lui une transparence *Multiplication* ou *Cache Différentiel*. Dans ce dernier cas, vous pouvez appliquer un *Lissage* et modifier la *Tolérance*.

11. Sélectionnez l'élément de la piste *Vidéo 1A* et tapez [Ctrl]+[Y]. Augmenter légèrement le facteur *Zoom*. Passez-le à 105 ou 110 %.

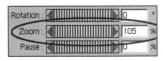

Figure 5-96 :
Augmentez légèrement le
pourcentage du Zoom

12. Sélectionnez l'élément *Viseur_1* et tapez [Ctrl]+[Y]. Paramétrez la trajectoire afin de placer le cercle du viseur exactement sur le visage du personnage. Laissez coché *De l'élément* dans la rubrique *Alpha*.

13. Copiez l'élément et collez les attributs sur l'élément *Viseur_2*. Ne laissez coché que *Trajectoire*. Cliquez sur **Coller**.

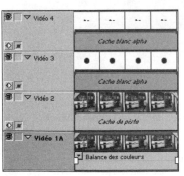

Figure 5-97 :
Les différents éléments
placés sur les pistes

14. Prévisualisez, puis faites un Rendu et enregistrez votre projet.

Variante : image vidéo

Vous allez rajouter un petit effet image vidéo à votre cible.

Figure 5-98 :
Les bandes simulant la
vidéo sont bien visibles

1. Gardez votre projet Premiere ouvert.
2. Ouvrez Photoshop et créez un nouveau document, du même format que votre projet.
3. Avec l'outil **Trait**, créez une ligne horizontale noire (5 pixels, pour un format 720 x 576). Placez-la tout en haut du calque.

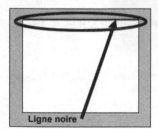

Figure 5-99 :
Tracez une ligne continue noire et placez-la au
sommet de l'image

4. Tracez immédiatement dessous une ligne blanche aux mêmes dimensions (ou dupliquez la noire et déplacez-la après l'avoir remplie de blanc).

Figure 5-100 :
Les 2 bandes noire et blanche (le damier est le
fond transparent dans Photoshop)

5. Sélectionnez les deux bandes (fusionnez éventuellement les calques si elles sont sur deux calques séparés) et dupliquez-les jusqu'à remplir complètement le calque.

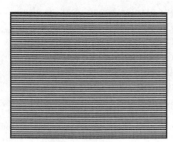

Figure 5-101 :
Les bandes noires et
blanches alternées

Ce document va vous servir à créer un effet vidéo. Enregistrez-le au format TGA, par exemple (Bandes_Vidéo).

6. Revenez dans votre projet Première. Ajoutez une piste vidéo supplémentaire.

7. L'élément *Bandes_Vidéo* devra être placé sur la piste *Vidéo 2*. Vous devez déplacer les autres éléments en respectant leur hiérarchie.

8. Appliquez, par exemple, une transparence de type *Multiplication* à *Bandes_Vidéo*. Déplacez le curseur de *Découpe* à environ 33. Cliquez sur OK.

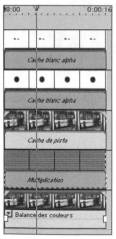

Figure 5-102 :
Incorporez l'élément contenant les bandes
noires et blanches dans le montage

9. Prévisualisez et enregistrez.

10. Vous pouvez également appliquer une trajectoire à *Viseur_1* et à *Viseur_2* pour qu'ils se déplacent en même temps que le personnage de l'élément placé sur *Vidéo 1A*.

Il existe beaucoup d'autres possibilités pour arriver aux mêmes résultats. A chacun d'expérimenter. En mêlant adroitement la Transparence et les Eléments virtuels, vous pourrez créer des effets très sympas, à condition toutefois de ne pas négliger la puissance de la machine. Le jeu doit en valoir la chandelle et il est parfois plus efficace d'utiliser un logiciel spécialisé pour réaliser certains effets plutôt que de risquer un ralentissement des performances quand ce n'est pas tout simplement un plantage.

Chapitre 6

Dynamiser un montage

S i un film s'efforce d'être parfait, il arrive que des séquences comportent des erreurs, heureusement pas toujours décelables, parfois flagrantes, pour ne pas dire honteuses, et que d'aucuns considèrent comme des perles. Dans ces plans, un comédien peut changer d'accessoire d'une prise à l'autre, ou bien un avion peut traverser le ciel dans un film ou l'idée de voler n'avait pas encore germée. Des exemples ? La montre au poignet d'un figurant de *Ben Hur*, la cascade filmée à l'envers dans *Anaconda*, la tête de Carl Weathers qui change de direction de regard d'un plan à l'autre dans *Chasse à mort*, etc. La liste est longue.

Il arrive aussi, parfois, qu'au cours du montage l'on constate un manque de matière. Si certains réalisateurs renommés peuvent se payer le luxe de refilmer les plans défectueux ou de déléguer une deuxième équipe afin d'avoir des images supplémentaires (voire refaire une trilogie avec de nouveaux effets spéciaux !), il n'en est pas de même pour les équipes à faible budget ou les amateurs. Souvent, il faut composer avec ce que l'on a, quitte à réinventer ce qui n'a pas été filmé. C'est là que l'expérience du monteur, alliée à un peu d'astuce, prend toute sa signification.

Vous allez pouvoir vous en faire une idée à travers quelques cas concrets, qui, s'ils s'appliquent à des situations particulières, vous aideront certainement à surmonter les problèmes que vous pourriez rencontrer. La liste n'est pas exhaustive, et nul doute que chacun saura trouver chaussure à son pied.

Les exemples illustrés ici sont tirés de deux courts-métrages. L'un fut tourné sur pellicule dans les années 80, l'autre en vidéo VHS en 1991. Malgré la numérisation, l'image reste ce qu'elle est. Il a fallu la nettoyer, mais, et c'est ce qui nous intéresse ici, il a surtout fallu corriger des fautes de raccord et ajouter quelques effets qui n'avaient pu être tournés, faute de moyens. Encore une fois, il s'agit de procéder à des corrections graphiques. Les maladresses de mise en scène ne peuvent malheureusement pas être gommées.

6.1 Recadrage et zoom sur un personnage

Figure 6.1 :
Un zoom sur le personnage
a été appliqué dans
Premiere

Voici un cas typique de dynamisation d'un plan. Il s'agissait là de donner plus de "pêche" à l'action.

Figure 6.2 :
Premier plan

Le personnage du plan n° 1 vient de prendre un coup.

Figure 6.3 :
Troisième plan

Le plan n° 3 à été tourné à la suite, dans la continuité. Au cours du montage, il s'est avéré qu'il fallait scinder l'action pour légitimer la présence du personnage du plan n° 2.

Figure 6.4 :
Deuxième plan

Rien de plus facile : un plan de coupe de ce personnage existait. Malheureusement, ce plan était fixe et l'acteur se contentait de pivoter la tête. L'idée vint alors d'utiliser les possibilités de Premiere pour simuler un zoom avant rapide sur le visage du personnage du plan n° 2. Le principe était de faire comprendre au spectateur que ce personnage devinait que quelque chose d'anormal se passait et que son ami était en difficulté.

Voici le processus à suivre.

 Astuce

Clavier - Appuyez sur la touche $\boxed{V}$ *du clavier afin d'activer l'outil de sélection.*

1. Sélectionnez le plan fixe sur lequel vous allez appliquer le zoom. Il devra être placé sur la piste *Vidéo 1A*.

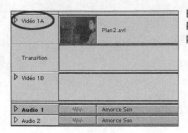

Figure 6.5 :
Placez le plan fixe sur la
piste Vidéo 1A

> **Remarque**

Méthode - *Il existe différentes méthodes pour appliquer un zoom sur un clip avec Premiere. Pour cet exemple, vous utiliserez une transition.*

2. Dupliquez ce plan et posez-le exactement sous l'autre, sur la piste *Vidéo 1B*.

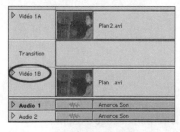

Figure 6.6 :
Le plan est dupliqué est
placé sur la piste Vidéo 1B

3. Ouvrez la palette *Transitions*, si elle n'est pas présente sur le plan de travail (**Menu principal/Fenêtre/Afficher Transitions**).

4. Dans la palette *Transitions*, repérez le dossier *Zoom* (au besoin, utilisez le défilement vertical pour accéder au dossier).

Figure 6.7 :
Sélectionnez la trajectoire Zoom avant-arrière

5. Dans le dossier *Zoom*, sélectionnez *Zoom avant-arrière*. Placez la transition sur la piste *Transition*, entre les deux plans.

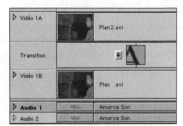

Figure 6.8 :
Placez la transition sur la
piste Transition

6. L'**Outil de sélection** doit être toujours sélectionné. Si ce n'est pas le cas, appuyez sur la touche [V]. Placer le pointeur à droite et/ou à gauche de la transition et prolongez-la afin qu'elle ait exactement la même longueur que les deux plans.

Figure 6.9 : Prolongez la transition sur toute la longueur de l'élément

7. Double-cliquez sur la transition afin d'en régler les paramètres.

8. Dans la fenêtre **Zoom avant-arrière Attributs**, cochez la case *Afficher les images*.

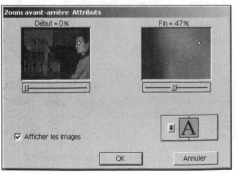

Figure 6.10 :
Cochez la case Afficher les
images pour visualiser la
transition entre les 2
éléments

9. Sur l'image de gauche, laissez *Début* à 0 %. Un petit carré blanc se trouve au centre de l'image. Déplacez-le sur l'œil du personnage.

10. Faites glisser le curseur situé sous l'image de droite (*Fin*), jusqu'à ce que le facteur de zoom vous convienne (il est de 47 % dans notre exemple). Placez le petit carré blanc à peu près au même endroit que sur l'image de gauche. Cliquez sur OK.

11. Effectuez un rendu rapide par curseur+Alt afin de vous assurer que le zoom vous convient, qu'il est régulier. N'hésitez pas à recommencer vos réglages à partir de l'étape 8 si vous n'êtes pas satisfait.

12. Appuyez sur Entrée pour faire une prévisualisation.

 Conseil

> *Réglage - La vitesse du zoom sera conditionnée par le pourcentage de Fin. Il faut procéder par tâtonnements pour obtenir l'effet voulu.*

6.2 Effet miroir : inverser une image pour rectifier une entrée/sortie de champ

Figure 6.11 : Le raccord plan 1-plan 2 final

Une des principales faiblesses des débutants est de vouloir tourner, filmer à tout prix. Si le manque de temps et d'argent peut justifier ce parti pris, il n'en reste pas moins que cela finit par provoquer des erreurs dues à une trop grande précipitation. Lors du tournage, le stress créé par le manque de préparation risque d'être fatal au film. Dans le cas présent, il s'agit de deux plans, champ et contrechamp tournés dans la continuité. La caméra n'était tout simplement pas placée au bon endroit. Une erreur impardonnable, mais pas irrémédiable, cette fois.

Figure 6.12 : Le raccord original

Lorsqu'on effectue le montage des deux plans, on s'aperçoit immédiatement qu'il y a une faute de raccord. Le personnage de la jeune femme sort par la gauche dans le plan n° 1 et rentre par la gauche dans le plan n° 2. C'est une erreur d'entrée et de sortie de champ caractéristique. Même en insérant un plan de coupe entre les deux, il y a une certaine gêne visuelle.

Fort heureusement, Premiere peut permettre la rectification de ce genre d'erreur, à condition que les images tournées s'y prêtent, ce qui est le cas ici. Si une telle chose vous arrive, voici comment procéder.

1. Raccordez les deux plans incriminés. Au besoin, choisissez celui des deux plans que vous allez modifier.

> **Conseil**
>
> ***Choix du plan -*** *Cela peut paraître anodin, mais le choix du plan à modifier dépend du montage général et de l'ambiance que vous voulez instaurer. Il peut s'avérer qu'un choix qui paraissait logique au début ne soit pas le plus judicieux par rapport à l'ensemble de la séquence.*

2. Ouvrez la palette des effets **vidéo** si elle n'est pas présente sur le plan de travail (**Menu principal/Fenêtre/Afficher les effets vidéo**).

3. Dans la palette des effets **vidéo**, repérez le dossier *Transformation* (au besoin, utilisez le défilement vertical pour accéder au dossier).

4. Cliquez sur la flèche située à droite du nom *Transformation* pour développer les options du dossier.

Figure 6.13 :
Appliquez un effet Miroir horizontal

5. Vous allez utiliser un effet **Miroir horizontal**. Cliquez sur l'effet **Miroir horizontal** et glissez-déposez-le sur le plan à modifier.

Figure 6.14 : L'effet Miroir horizontal appliqué au plan n° 2

L'effet appliqué apparaît dans la palette *Effets*.

Figure 6.15 :
La palette Effets renseigne sur le nombre d'effets appliqués à un élément

6. Faites une prévisualisation rapide en déplaçant le curseur (le repère d'instant courant bleu) tout en appuyant sur la touche [Alt] de votre clavier.

7. Si l'effet vous satisfait, effectuer une prévisualisation avec la touche [Entrée] et repassez la séquence dans son ensemble pour vérifier que rien n'est choquant. Enregistrez votre travail.

8. Vous pouvez commencer à affiner le raccord.

 Remarque

Choix du plan (bis) - *Dans le cas précis de cette séquence, il était plus logique de modifier le plan n° 2, pour plusieurs raisons. Le plan n° 1 possède une dynamique intéressante (il y a un train qui déboule en même temps que le personnage). Les marquages sur le train font qu'il est impossible de lui appliquer un effet* **Miroir** *(à moins de tout rectifier image par image, ce qui n'est pas forcément le bon choix). Le plan n° 2 est assez sombre, et aucun détail ne permet de distinguer l'effet* **Miroir***.*

 Astuce

Peaufiner le raccord - *Lorsqu'un de vos personnages court ou marche, comme c'est le cas ici, veillez à bien faire attention à la manière dont les pas sont effectués d'un plan à l'autre. Utilisez les points d'appui du personnage pour éviter les raccords boiteux (c'est le cas de le dire). Utilisez le modeRaccord pour monter à l'image près.*

6.3 Effet reflet dans l'eau : habiller une image lorsqu'on manque de matière

Figure 6.16 :
L'image originale, inversée et placée dans une flaque d'eau. Le plan doit être suffisamment court pour que l'œil du spectateur ne s'attarde pas sur les détails qui révèlent la supercherie, les bords de la flaque, par exemple

Cet effet a été réalisé pour renouveler un raccord et réutiliser un décor filmé. La flaque a été dessinée dans Photoshop. Les différentes composantes du fichier ont été importées dans Premiere.

Figure 6.17 :
Le même trucage, sur une autre image. L'effet ressemble plus à une flaque d'huile

1. Sélectionnez le plan que vous allez modifier dans Premiere.
2. Au besoin exportez-en une image.
3. Dans Photoshop, créez un nouveau document aux mêmes dimensions que votre projet Premiere.
4. Créez une texture réaliste sur le calque de fond ou importez-en une.

Figure 6.18 :
Créez une texture dans Photoshop (ou autre)

5. En utilisant l'outil **Lasso**, tracez la forme d'une flaque sur un deuxième calque.

Figure 6.19 :
Tracez la forme de la flaque sur un deuxième calque

La flaque doit être noire.

Figure 6.20 :
La forme de la flaque

6. Appliquez un effet **Biseautage et estampage** à ce calque. Les paramètres dépendront du résultat que vous désirez obtenir. Faites des essais pour vous approcher d'un effet liquide.

Paramètres de Biseautage et estampage	
Structure	**Ombrage**
Estampage Oreiller	Angle = 131
Profondeur = 100	Éclairage global désactivé
Direction = haut	Tons clairs : superposition = 100
Longueur = 8	Ombrage : produit = 80
Flou = 14	

Figure 6.21 :
Le calque de la flaque avec
les effets

7. Cliquez sur l'icône des effets avec le bouton droit de la souris, à droite du calque de la flaque noire.

Figure 6.22 :
Cliquez sur le f pour afficher les calques sur
lesquels sont appliqués les effets

Cliquez sur **Créer des calques**.

Figure 6.23 :
Créez des calques indépendants

Si vous décochez l'icône de vision (œil) du calque 1 (flaque noire), vous avez une vision de ce que donnent les reflets.

Figure 6.24 :
L'effet "liquide" rendu visible en occultant la forme noire de la flaque

8. Sélectionnez le calque 1 (Ctrl+clic sur le calque) puis cliquez sur **Sélection/Mémoriser la sélection** afin de créer un canal Alpha.

9. Masquez les autres calques et enregistrez la flaque noire sur fond blanc dans un autre document. Ce fichier pourra servir de cache. Appelez-le Masque_noir.

10. Revenez au document principal, supprimez le calque 1, et aplatissez le document après avoir affiché les calques masqués. Enregistrez-le sous un nom reconnaissable, par exemple Flaque.

11. Revenez dans Premiere. Tapez F3 pour importer les deux nouveaux fichiers, le masque et la flaque.

12. Placez une occurrence de l'élément *Flaque* sur la piste *Vidéo* au-dessus de l'élément à modifier. Appliquez-lui une transparence de type *Image cache*. Dans la rubrique *Cache*, cliquez sur **Choisir...** et sélectionnez le fichier *Masque_noir*. Cliquez sur OK.

Figure 6.25 :
Le masque noir sélectionné comme cache

13. Placez une deuxième occurrence de l'élément *Flaque* sur une piste *Vidéo*, au-dessus de la précédente (ajoutez-en une au besoin). Appliquez-lui une transparence de type *Alpha*.

14. Cliquez ensuite sur le triangle à droite du nom de la piste vidéo pour étendre la piste d'opacité.

15. Cliquez sur l'icône *Piste d'opacité* (rouge) et passez l'opacité de l'élément à 50 %.

Figure 6.26 :
Réduisez l'opacité à 50 %

16. Appliquez un filtre *Vidéo/Transformation/Miroir vertical* à l'élément du fond (ici une voiture).

17. Prévisualisez, effectuez un Rendu et enregistrez.

Variante

Vous pouvez utiliser une piste cache pour enfermer votre image dans la flaque. Par contre, vous n'aurez plus la texture du sol à l'intérieur. La flaque ressemble davantage à de l'huile épaisse qu'à de l'eau. Tout dépend de l'effet que vous voulez obtenir.

1. Pour dynamiser un peu le trucage, vous pouvez ajouter un filtre vidéo *Onde* sur l'élément du fond.

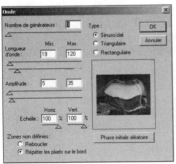

Figure 6.27 :
Appliquez un effet Onde

2. Placez-vous en début de plan et cliquez sur la case *image-clé* du filtre.

Figure 6.28 :
Créez une image-clé

3. Faites glisser le curseur pour passer le *Nombre de Générateurs* à 1.

4. Allez en fin de plan. Passez la *Longueur d'onde minimale* à 105.

5. Prévisualisez. Faites un Rendu et enregistrez le projet.

Figure 6.29 :
Un léger effet Onde donne
une sensation de
mouvement

6.4 Mauvais raccord : vive le fondu enchaîné

Figure 6.30 :
Le fondu enchaîné final

Vous avez vu que, avec un peu d'astuce, il est possible de rattraper certains désagréments dus à de mauvais raccords. Ce qui va suivre n'est pas toujours décelable par le spectateur, mais reste horripilant pour celui qui l'a réalisé.

Figure 6.31 :
La position de la main dans
le plan n° 1...

La main gauche du personnage en train de se raser est sous le menton.

Figure 6.32 :
...ne correspond pas à
celle du plan n° 2

Dans le plan suivant, le personnage a baissé son bras.

Un raccord "cut" risque de faire remarquer l'erreur. En passant par un fondu enchaîné, la transition se fait avec douceur.

1. Placez l'élément *Plan N°1* (ici un plan rapproché poitrine du personnage) sur la piste *Vidéo 1A*.

2. Placez l'élément *Plan N°2* (ici, un plan moyen du personnage) sur la piste *Vidéo 1B*.

3. Ouvrez la palette *Transitions*. Dans le dossier *Fondu*, choisissez *Fondu enchaîné*.

Figure 6.33 :
Choisissez une transition Fondu enchaîné

4. Glissez la transition sur la piste *Transitions*.

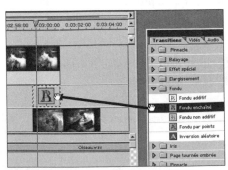

Figure 6.34 : Glissez la transition sur la piste Transition

5. Faites en sorte que les deux clips se chevauchent.

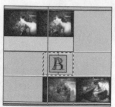

Figure 6.35 :
Les deux clips doivent se chevaucher

6. Double-cliquez sur la transition pour afficher sa fenêtre de paramètres.

7. Cochez *Afficher les images* pour visualiser vos clips.

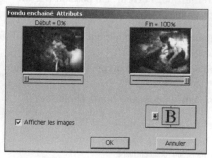

Figure 6.36 :
Cliquez sur Afficher les images

En agissant sur les curseurs de *Début* et de *Fin*, vous pouvez paramétrer finement votre transition.

8. Cliquez sur OK lorsque vous êtes satisfait.

9. Prévisualisez la transition. Recommencez les réglages au besoin.

10. Effectuez un Rendu, puis enregistrez le projet.

Variante

Un fondu enchaîné très court peut également donner une dynamique au temps qui passe. C'est un procédé assez employé.

Figure 6.37 :
Le personnage prenait son temps pour sortir du champ, d'où une impression de lenteur

Figure 6.38 :
Le fondu enchaîné

Figure 6.39 :
Le début du deuxième plan

Le montage original laissait le temps au personnage de se retourner après sa toilette. Le raccord avec le plan suivant, dans lequel il vérifie la tension de la corde de son arc, était "cut". Le fondu enchaîné a permis de simplifier tout ça, d'adoucir la transition. Petite précision, le halo généré par le soleil levant a été rajouté dans Premiere.

6.5 Montage et synchro son avec deux caméras de rushes

Figure 6.40 :
Deux caméras pour une même action

Nous n'avons pas beaucoup évoqué le son jusqu'à présent. L'exemple que nous présentons ici est typique d'un tournage à plusieurs (au moins deux) caméras. Dans ce cas précis, les personnages demeurent relativement éloignés, leurs mouvements de lèvres ne sont pas décelables par le spectateur. Le synchronisme reste facile. Par contre, lorsqu'il y a gros plan, ou que la scène permet de voir les mouvements de lèvres, la moindre désynchronisation devient une gêne terrible.

Vous allez utiliser les marques dans Premiere pour synchroniser des rushes provenant de deux caméras.

Cet exemple explique une des nombreuses façons de procéder. Il a surtout pour objectif de vous faire manipuler certains des outils liés à l'audio dans Premiere.

1. Importez deux clips dans Premiere.

2. Placez-les côte à côte, l'un sur la piste *Vidéo 1 A* (plan n° 1), l'autre sur la piste *Vidéo 2* (plan n° 2).

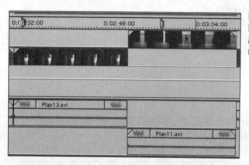

Figure 6.41 :
Placez les deux plans côte à côte, mais chacun sur une piste différente

À présent, vous devez choisir un moment bien reconnaissable dans chaque plan. Cela peut être un reflet, un mouvement, bref, quelque chose de commun aux deux éléments. Dans cet exemple, il s'agit d'une porte coulissante à deux battants. Le moment précis choisi est celui où l'un des personnages pousse l'un des battants.

3. Définissez une première marque de montage dans la ligne temporelle. Attention, pas sur l'élément. Choisissez une marque 0 (Alt+Maj+0) .

Définir une marque de montage			
Vue Programme	Raccourci clavier	Menu Montage	Menu contextuel
Icône Marques	Alt+Maj+chiffre	Définir la marque de montage	Clic droit sur ligne temporelle/Définir la marque de montage

 Attention

Marques - Ne confondez pas marques de montage et marques d'éléments.

Figure 6.42 :
Définissez une marque de montage

6

4. Rendez-vous sur le deuxième élément et définissez une seconde *marque de montage*, au même endroit que sur le premier élément. Choisissez une marque 1 ([Alt]+[Maj]+[1]).

Figure 6.43 :
Placez une marque
d'élément

Vous allez maintenant placer des marques sur les éléments.

5. Placez le pointeur de la souris à gauche de la fenêtre **Montage**. Repérez le triangle **Réduire/Agrandir la piste** à côté du mot *Audio 1*. Appuyez sur la touche [Alt] et cliquez dessus. Toutes les pistes d'intensité audio s'affichent.

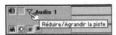

Figure 6.44 :
Agrandissez la piste d'intensité audio

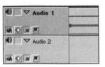

Figure 6.45 :
Cliquez sur l'icône Afficher les étirements de
volume

6. L'icône *Afficher les étirements de volume* est cochée par défaut.

7. Utilisez le menu principal, la vue *Programme* ou le raccourci clavier ([Maj]+[0]) pour atteindre la première marque de montage (0).

8. Sélectionnez l'élément *N°1*. Placez une marque 0 sur l'élément.

Définir une marque d'élément			
Vue Source	**Raccourci clavier**	**Menu Élément**	**Menu contextuel**
Icône Marques	Ctrl+Alt+chiffre	Définir la marque de l'élément	Clic droit sur ligne temporelle/Définir la marque de l'élément

9. Utilisez le menu principal, la vue *Programme* ou le raccourci clavier ([Maj]+[1]) pour atteindre la deuxième marque de montage (1).

10. Sélectionnez l'élément *N°2*. Placez une marque 0 sur l'élément.

Les marques s'affichent à la fois sur la piste *Vidéo* et la piste *Audio*.

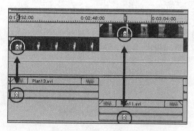

Figure 6.46 :
Les marques 0 affichées
sur les éléments

11. Déplacez le curseur sur la *marque de montage 0* (**Montage/Atteindre marque de montage**). Faites glisser l'élément *N°2* au-dessus du *N°1* de manière à caler les marques 0.

> ### Astuce
>
> ***Déplacement d'élément image par image*** - *Pour déplacer un élément précisément dans la fenêtre **Montage**, utilisez le raccourci clavier [Alt]+[,] (virgule) et [Alt]+[;] (point-virgule).*

Figure 6.47 :
Alignez les éléments en
fonction des marques

À partir de maintenant, plusieurs cas de figure se présentent. Vous pouvez conserver une seule bande audio, si les images s'y prêtent (ce qui est le cas de notre exemple). Vous pouvez également mixer les deux bandes en conservant les parties sonores qui vous conviennent sur chaque plan.

Supposons que vous ayez arbitrairement déterminé de conserver le son de la fin du plan n° 1 et du début du plan n° 2, mais que, pour les images, vous ayez choisi le contraire.

12. Sélectionnez l'élément *N°2* (*Vidéo 2*). Appuyez sur les touches [Ctrl]+[Alt]. Placez le pointeur de la souris au point d'entrée de l'élément *N°2* et tirez vers la droite. Seule la partie vidéo de l'élément est déplacée.

Figure 6.48 :
Déplacez le point d'entrée de l'élément N°2
vers la droite

13. Placez vous en fin d'élément (*Out*), appuyez sur [Ctrl]+[Alt] et ramenez la partie audio vers la gauche, vers la marque 0.

14. Procédez de la même façon pour l'élément *N°1*.

Figure 6.49 :
Ramenez la partie audio concernée vers la
gauche

Il ne vous reste plus qu'à rectifier les entrées et sorties audio, soit en utilisant la méthode ci-dessus, soit en coupant avec l'outil **Cutter** ([C])

les parties en trop, soit en utilisant un fondu des différents sons.
Pour utiliser l'outil **Croix fondu** (U), il faut que les éléments audio se
chevauchent.

15. Sélectionnez l'élément audio du plan n° 1, appuyez sur Ctrl+Alt et
tirez-le légèrement vers la droite.

Tapez U, autant de fois qu'il le faut, pour sélectionner l'outil
Croix fondu. Cliquez sur l'élément audio *N°1*, puis sur
l'élément audio *N°2*. Un fondu est créé automatiquement.

Vous pouvez, dès lors, peaufiner les
transitions sonores en manipulant les
poignées d'étirement de volume et en
utilisant les marques pour vous
positionner précisément.

Figure 6.50 :
Créez un fondu audio

6.6   Le son à la rescousse de l'image

Cette section peut sembler évidente, voire superflue, mais elle illustre un
défaut souvent présent dans les œuvres de débutants : une mauvaise
utilisation des sons.

Il ne suffit pas d'insérer des effets spéciaux, par exemple un effet de
balles à la Matrix ou une déflagration, encore faut-il que cela soit
crédible, au niveau sonore, comme à l'écran.

Explosions et fusillade

Figure 6.51 :
Le personnage est réveillé par une détonation

Dans cet exemple, le personnage, inconscient est réveillé par un son off
de détonation.

Le bruit de la détonation a été placé à cheval sur la fin du plan
précédent. Cela permet au spectateur de comprendre qu'un certain laps
de temps s'est écoulé entre le moment où le personnage était
inconscient et celui où le coup de feu le réveille.

La technique utilisée est la même que celle qui a été décrite plus haut.

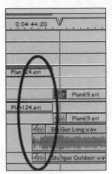

Figure 6.52 :
Le son de la détonation chevauche le plan
précédent

Aucun fondu n'a été employé. Le son est "cut", brutal, à l'image de ce que l'on veut évoquer : ranimer le personnage inconscient.

Figure 6.53 :
Un étirement panoramique
sur un son mono a été
utilisé pour intensifier
l'effet de la balle

Lors de cet effet de balle à la Matrix, nous avons joué sur les étirements panoramiques du son.

Figure 6.54 :
La piste d'étirement du
panoramique

> ## ▶ Attention
>
> *Mono et stéréo -* Un effet panoramique ne peut s'appliquer que sur un élément audio monophonique.

1. Dans la fenêtre **Montage**, cliquez sur le petit triangle **Réduire/Agrandir la piste** situé à gauche du nom de la piste pour développer la piste de réglage d'intensité.
2. Cliquez sur le bouton **Afficher les étirements de volume**.
3. Tapez Ⓒ pour activer l'outil **Ciseaux de fondu**.
4. Cliquez sur la barre bleue pour créer deux poignées.
5. Vous pouvez manipuler les poignées.

> **>> Astuce**
>
> *Raccourcis clavier -*
>
> ■ *Appuyez sur* Ctrl *pour faire varier les poignées une par une.*
> ■ *Activez l'outil **Sélection** (*V*).*
> ■ *Appuyez sur* Alt *pour activer temporairement l'outil **Réglage de
> fondu** et manipuler la zone contenue entre deux poignées.*

Postsynchronisation

Pour ceux qui l'ignoreraient, la postsynchronisation consiste à refaire le
son en auditorium après le tournage. Un parfait exemple est le
"doublage" des voix par des comédiens. Le "bruitage" en est un autre.

Figure 6.55 :
Le plan à postsynchroniser

Dans l'exemple suivant, un film super-8 tourné en muet a été numérisé
et monté avec Premiere. Il a donc fallu non seulement recréer et/ou
trouver des sons, refaire les dialogues, mais aussi les synchroniser avec
les images, ce qui, notamment avec les dialogues, n'est pas aussi évident
que ça en a l'air.

Avec l'aide des marques et des outils audio, le travail s'en trouve facilité.

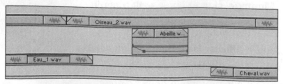

Figure 6.56 : Exemple de sons entièrement rajoutés sur un film

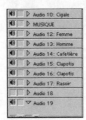

Figure 6.57 :
Les pistes audio ont été renommées pour plus de clarté

L'actrice prononce la phrase "À table !". Filmé en gros plan, le mouvement des lèvres est donc facilement visible et aide à caler un son.

Une voix féminine criant "À table !" a donc été rajoutée a posteriori, mais sans que le doublage soit fait de visu. D'où possibilité de désynchronisation.

1. Visualisez le clip muet et placez des marques aux endroits cruciaux de la prononciation, à la fois sur la ligne de temps montage et sur l'élément.

    En l'occurrence, nous avons placé des marques lorsque l'actrice prononce le À, le Ta et le B, ce qui correspond à des mouvements de lèvres bien caractéristiques :

    ■ Marque 1 pour Ta.

    ■ Marque 2 pour B.

    ■ Marque 0 pour le À du début.

2. Incorporez le clip audio. Écoutez-le attentivement et placez des marques correspondant aux mêmes moments de prononciation :

    ■ Marque 0 pour À.

    ■ Marque 1 pour Ta.

    ■ Marque 2 pour B.

3. Déplacez l'élément audio doucement pour caler au moins une des marques.

    Bien que le résultat soit prometteur, il y a un décalage entre la manière dont l'actrice et sa doublure voix prononcent la phrase.

En effectuant un Rendu, vous vous apercevez que la synchro n'est pas excellente.

Si vous essayez d'appliquer l'outil **Etirement débit** ([P]) sur l'élément audio, vous risquez de sacrément faire muer la voix vers les tons graves. Par contre, rien n'interdit, dans ce cas particulier, d'essayer de l'utiliser sur l'élément vidéo.

Figure 6.58 :
Calez le son en fonction de
la première marque

4. Tapez P, autant de fois qu'il le faut pour activer l'outil **Etirement débit**.

5. Placez-le au point d'entrée (*In*) de l'élément vidéo et tirez vers la droite, jusqu'à ce que la marque 1 de l'élément vidéo corresponde à la marque 1 de l'élément audio.

6. Placez-le au point de sortie (*Out*) de l'élément vidéo et tirez vers la gauche, jusqu'à ce que la marque2 de l'élément vidéo corresponde à la marque 2 de l'élément audio.

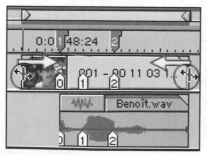

Figure 6.59 :
Utilisez l'outil Etirement
vidéo pour caler les
marques

7. Prévisualisez.

L'effet fonctionne assez bien. Le plan étant très court, l'œil du spectateur n'a pas le temps de s'apercevoir du doublage ni de l'effet d'étirement vidéo.

8. Faites un Rendu et enregistrez le projet.

Corriger l'image

Il arrive que, au cours du montage, on s'aperçoive que certains raccords de lumière ne sont pas bons. Entre deux plans censés se passer au même instant (par exemple un champ et un contrechamp), il peut y avoir des différences très visibles.

Premiere propose son lot de filtres destinés à corriger cela. Là encore, pas de miracles : si l'image est vraiment baveuse, floue, surexposée ou sous-exposée, il vaut mieux éliminer la prise que de tenter de rattraper la chose maladroitement.

7.1 Une bonne correction

Ces effets ou filtres vidéo s'utilisent en sélectionnant celui que l'on désire dans la palette des effets **Vidéo** et en le faisant glisser sur l'élément à modifier.

Certains sont paramétrables directement, en manipulant des curseurs ; d'autres vous permettent d'ouvrir une fenêtre spécifique en cliquant sur *Configuration*.

Couleurs, luminosité, contraste

Filtre Luminosité/Contraste

Figure 7-1 :
L'image originale

Notre exemple est visiblement trop contrasté et nécessite un "débouchage" des ombres.

1. Activez la palette des effets **Vidéo** et ouvrez le dossier *Ajuster*. Sélectionnez **Luminosité/Contraste** et glissez-le sur le clip.

2. Utilisez les curseurs pour effectuer les réglages.

Figure 7-2 :
Réglez le filtre dans la palette Effets

3. Vous pouvez également cliquer sur les chiffres soulignés et indiquer une valeur au clavier.

Figure 7-3 :
L'image corrigée

7

 Remarque

Application du filtre - Ce filtre agit sur toutes les valeurs de l'image, contrairement au filtre Gamma.

Filtre Ajuster/Balance des couleurs

Deux filtres portent ce nom.

Le premier est directement inspiré par son homologue dans Photoshop, et agit sur les couches Rouge, Vert et Bleu de l'image. À cette différence que, contrairement à Photoshop, on ne peut agir sur les tons foncés, clairs et moyens. Ils ne sont pas mentionnés dans ce filtre. Le second est un filtre *After Effects 4*. Il agit sur la teinte, la luminosité et la saturation. Vous le découvrirez au paragraphe suivant.

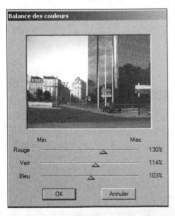

Figure 7-4 :
Le filtre Balance des couleurs (RVB) peut se paramétrer dans une fenêtre spécifique

En manipulant les curseurs, vous doserez la quantité de couleurs qui donnera son aspect à l'image. Attention, cependant (à moins de le vouloir), à ne pas trop exagérer les manipulations. Le résultat risque d'être surprenant et peut dénaturer l'image.

Figure 7-5 :
Un effet fin de journée obtenu en haussant un peu le niveau de rouge et de vert

Vous pouvez, par contre, utiliser ce filtre pour donner une dominante de couleur à votre image, pour rappeler un moment précis de la journée.

Filtre Ajuster/Correction Gamma

Il permet de faire varier la luminosité des tonalités moyennes sans affecter les lumières et les ombres de l'image.

Filtre Ajuster/Niveaux

Le même que dans Photoshop. Son principal intérêt est que ses paramètres peuvent être enregistrés et être ensuite appliqués sur d'autres images. Vous pouvez agir sur les niveaux d'entrée de l'image RVB ou bien sur chaque couche (R, V, B).

Teinte et saturation

Filtre Image/Balance des couleurs (TLS)

Mal employé, ce filtre peut totalement dénaturer l'image. Ceux qui recherchent le psychédélisme y trouveront leur compte. Attention de ne pas avoir la main trop lourde sur les curseurs. Un léger dérapage, et la surprise peut être de taille.

1. La prise de vue initiale étant un peu trop terne, nous lui avons appliqué le filtre *Balance des couleurs (TLS)*.

Figure 7-6 :
La vue normale

7

2. En exagérant sur les réglages, nous obtenons des remparts vert pomme et un ciel rose. Ce n'était pas vraiment notre intention.

Figure 7-7 :
Après application du filtre Balance des couleurs (T = 75, L = - 12, S = 77). On obtient des remparts verts sous un ciel rose bonbon

3. Une petite rectification de la teinte s'impose alors. Nous baissons sa valeur.

Figure 7-8 :
En modifiant les réglages (T = 3, L = - 12, S = 77), les remparts sont encore trop orange

4. Le résultat est aussitôt plus sympathique, bien que tirant trop sur les orangés. Le ciel retrouve sa couleur bleue, plus soutenue.

Figure 7-9 :
En modifiant la luminosité et la saturation (T = 3, L = 16, S = 25), l'image s'améliore

5. En changeant la *Luminosité* et la *Saturation*, nous obtenons enfin la correction désirée.

7.2 Flous et usage de flous

Motion blur

Le flou peut venir à votre secours dans bien des cas. Qu'il s'agisse de donner une impression de mouvement à une image fixe, de créer un effet de mise au point, une transition ou simplement d'adoucir une image ou un masque.

Figure 7-10 :
Un chasseur spatial file
dans l'espace

Dans cet exemple, vous allez apprendre comment appliquer un flou de mouvement, un "bougé" (le fameux Motion blur) sur une maquette de vaisseau spatial.

1. Créez un nouveau projet Flou_Mvt dans Premiere. Enregistrez.

 Renvoi

Vous apprendrez comment simuler une scène spatiale avec une photo d'engin spatial au chapitre Génériques, habillage TV, effets visuels.

2. Importez l'image du vaisseau spatial dans le projet et incorporez-la dans la fenêtre **Montage**, sur la piste *Vidéo 2*.
    L'image est un TGA 32 bits avec un canal Alpha.

3. Importez un fond étoilé et glissez-le sur la piste *Vidéo 1 A*, immédiatement sous l'image TGA.

4. Donnez aux deux une longueur suffisante, environ 5 secondes.

5. Dans la palette d'effets **Vidéo**, ouvrez le dossier *Esthétiques* et appliquez le filtre *Luminescence Alpha* sur l'élément *Vaisseau*.

Figure 7-11 :
Appliquez un filtre Luminescence Alpha

7

Réglez les paramètres de manière à adoucir les bords de la maquette. Avec la pipette, sélectionnez une couleur moyenne sur le vaisseau spatial

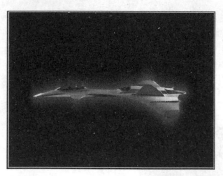

Figure 7-12 :
La Luminescence Alpha adoucit les contours de l'engin

6. Appliquez un effet **Vidéo/Flou/Flou directionnel** sur le vaisseau spatial. Nous lui avons appliqué une *Distance* de 3,0. L'*Angle* reste à 0.0°.

Vous pouvez éventuellement rajouter un *Flou accéléré horizontal* si vous désirez accentuer encore plus l'effet de vitesse.

7. Prévisualisez, puis enregistrez après avoir effectué un Rendu.

8. Dans Photoshop, créez un document dont la largeur doit être au moins le double de la largeur de votre projet.

9. Remplissez de noir et créez une nuée d'étoiles en utilisant la technique du *Bruit + Flou Gaussien + Niveaux*. Enregistrez en TGA.

10. Importez le fichier *Fond_Etoilé* dans Premiere. Placez-le sur une piste sous l'élément *Vaisseau-Spatial*, à la place de l'ancien fond étoilé.

11. Appliquez un effet **Vidéo/Transformation/Panoramique** sur le fond étoilé. Le curseur étant placé au *Début* de l'élément, ajoutez une image-clé à l'effet **Panoramique**.

12. Cliquez sur *Configuration*.

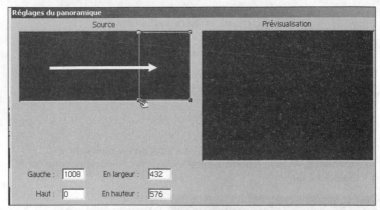

Figure 7-13 : Tirez une des poignées de redimensionnement tout en appuyant sur la touche Maj

13. Appuyez sur [Maj] et tirez une des poignées de gauche vers la droite pour écraser le panoramique et donner un effet de "filé" aux étoiles (le curseur prend la forme d'un doigt). Cliquez sur OK.

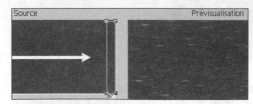

Figure 7-14 :
L'effet est visible dans la fenêtre Prévisualisation

14. Placez le curseur sur la *Fin* de l'élément et cliquez sur *Configuration* une nouvelle fois.

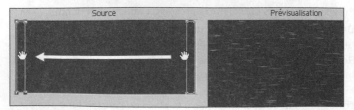

Figure 7-15 : Glissez le Panoramique à gauche

Faites glisser le panoramique vers la gauche, sans le déformer (le curseur doit prendre la forme d'une main). Cliquez sur OK.

15. Effectuez un Rendu puis enregistrez le projet.

Le vaisseau semble traverser l'espace. Si l'effet de filé n'est pas assez marqué, retournez dans *Configuration* et aplatissez encore le panoramique. Attention cependant à vos ressources pour calculer le Rendu. De même, ne donnez pas une trop grande longueur au fond étoilé si vous voulez que l'effet de filé soit assez rapide.

Vue microscope

Cet exercice reprend les mêmes éléments que l'effet de cible, à ceci près que vous allez lui appliquer un flou à un moment donné, pour simuler la mise au point du microscope. Cerise sur le gâteau, vous allez créer de toutes pièces un amas de cellules dans Photoshop.

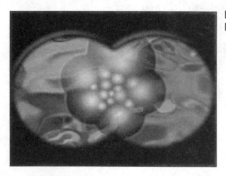

Figure 7-16 :
Microcosmos

Créez un amas de cellules

1. Créez un nouveau projet Microscope dans Premiere, au format QuickTime 320 x 240, 15 images/seconde. Il sera très court, à peine 20 images.

2. Ouvrez Photoshop.

3. Créez un nouveau document de la taille de votre Projet ([Ctrl]+[N]).

4. Sélectionnez l'outil **Dégradé** ([G]) et paramétrez-le en *Radial*. Passez-le en *Mode Eclaircir*, *Opacité* 100 %, *Transparence* cochée.

5. Tapez [D] pour avoir les couleurs par défaut (avant-plan noir et arrière-plan blanc). Appuyez sur [Alt]+[←] pour remplir le calque de fond en noir.

6. Ajoutez un nouveau calque.

7. Créez un petit dégradé circulaire sur ce calque.

Figure 7-17 :
Créez la première cellule à
l'aide d'un dégradé
circulaire

8. Créez un autre dégradé par-dessus, un peu décalé.

Figure 7-18 :
Ajoutez un second dégradé

9. Continuez jusqu'à former un amalgame de cellules.

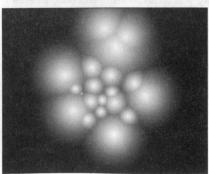

Figure 7-19 :
L'amas de cellules finalisé

> **Astuce**

Calques - *Vous pouvez créer vos dégradés successifs sur autant de calques, en utilisant le mode de fusion Eclaircir de la palette des calques, dans ce cas. Cela vous permet de positionner plus finement chaque dégradé pour créer l'amas de cellules.*

Figure 7-20 :
Utilisez un dégradé par calque et le mode de fusion Eclaircir

10. Sélectionnez l'amas de cellules et mémorisez la sélection pour créer une couche Alpha.

11. Les cellules toujours sélectionnées, allez dans **Images/Réglages/Variantes**.

Faites varier la couleur de l'amas de cellules à votre convenance.

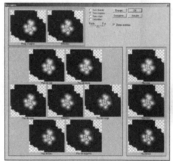

Figure 7-21 :
Les Variantes de Photoshop

Cliquez sur OK, une fois satisfait.

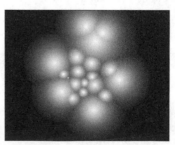

Figure 7-22 :
La cellule terminée

Astuce

> *Variantes couleurs - Vous pouvez changer la couleur de chaque dégradé si vous avez utilisé plusieurs calques, avant de fusionner ceux-ci.*

12. Enregistrez le fichier en un format reconnaissable par Premiere (TGA 32 bits, PSD, TIFF...). Nous le nommerons Cellules par la suite.

Créez l'objectif binoculaire

Créez ensuite l'objectif binoculaire du microscope en traçant deux cercles imbriqués. Inversez la sélection et affectez-leur un *Estampage* pour donner du relief.

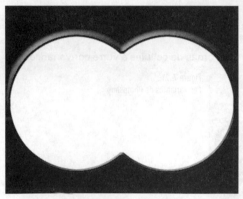

Figure 7-23 :
Créez une binoculaire

Créez un effet liquide

1. Toujours avec la même dimension de fichier, créer un effet liquide. Tapez sur Ⓓ pour avoir les couleurs par défaut (noir et blanc).

 Attention

> *Nuages dans Photoshop - La couleur des nuages est conditionnée par les couleurs d'avant-plan et d'arrière-plan.*

2. Choisissez **Filtre/Rendu/Nuages**. Toujours dans les filtres, cliquez sur **Atténuation/Flou gaussien**. Choisissez un rayon moyen, entre 15 et 30 pixels, selon le cas. Appliquez ensuite un **Filtre/Esquisse/Bas-**

relief puis **Esquisse/Chrome** (utilisez des valeurs assez faibles). Utilisez **Teinte/Saturation/Variantes** ou même les courbes de réglage pour changer la couleur.

 Astuce

Fichier PSD - Pour plus de commodité, vous pouvez tout regrouper dans un seul fichier PSD de Photoshop. Premiere, lors de l'ouverture d'un fichier PSD, demande QUEL CALQUE vous désirez ouvrir ou bien si vous voulez que les calques soient fusionnés en un seul document. S'il y a une couche Alpha, elle reste affectée au fichier fusionné ou aux calques séparés.

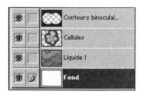

Figure 7-24 :
Les calques dans Photoshop

Créez l'effet dans Premiere

1. Dans Premiere, importez les fichiers TGA ou le fichier PSD, si vous avez choisi cette option.

2. Ajoutez deux pistes vidéo supplémentaires.

3. Placez une occurrence de l'élément Liquide sur la piste *Vidéo 1A* et une sur la piste *Vidéo 3*.

4. Activez la vue *Programme* et tapez 20.

5. Déplacez le point de sortie (*Out*) des deux éléments à cet instant.

6. Placez une occurrence de l'élément *Cellules* sur *Vidéo 2* et une occurrence de l'élément *Binoculaires* sur *Vidéo 4*. Placez leur *Out* sur 20.

Emplacement des éléments et réglages appliqués		
Pistes	**Éléments**	**Effets/Transparence**
Vidéo 4	Binoculaires	Flou gaussien/Cache Blanc Alpha
Vidéo 3	Liquide	Défaut de mise au point/Luminance
Vidéo 2	Cellules	3D simple + Défaut de mise au point/Alpha
Vidéo 1A	Liquide	Défaut de mise au point/Aucune

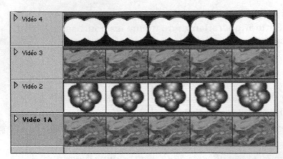

Figure 7-25 : Placez les éléments sur les pistes

7. Sélectionnez l'élément Cellules sur la piste *Vidéo 2*. Tapez Ctrl+G et appliquez-lui une transparence de type *Alpha*.

8. Sélectionnez l'élément *Binoculaires* sur la piste *Vidéo 4*, tapez Ctrl+G et appliquez-lui une transparence de type *Cache Blanc Alpha*.

9. Sélectionnez l'élément *Liquide* sur la piste *Vidéo 3*, tapez Ctrl+G et appliquez-lui une transparence de type *Luminance*. Pour ce dernier, ajustez les pourcentages de *Seuil* et de *Découpe* selon la quantité de transparence que vous désirez obtenir.

   Prévisualisez et enregistrez.

10. Dans la palette des effets **Vidéo**, ouvrez le dossier *Perspective* et choisissez l'effet **3D simple**.

Figure 7-26 :
Appliquez un filtre 3D simple à l'élément
Cellules

C'est un effet **After Effects 4**. Faites-le glisser sur l'élément *Cellules*.

11. Placez le curseur à l'instant 00:00:00:00 (appuyez sur la touche [⟨] du clavier ou sur [Q]).

    Dans la palette *Effets*, cliquez sur le petit carré situé entre un F et le nom "3D simple".

Figure 7-27 :
Placez le curseur de la
souris sur la case vide
précédant le nom de l'effet

Un petit chronomètre apparaît, indiquant qu'une image-clé a été activée.

Figure 7-28 :
Cliquez pour appliquer une
image-clé

12. Cliquez sur le chiffre souligné à côté de *Distance*. Tapez 50 dans la
fenêtre qui s'ouvre.

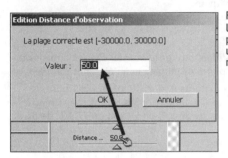

Figure 7-29 :
Utilisez la fenêtre d'édition
plutôt que le curseur pour
une meilleure précision
numérique

7

Décochez la case *Aperçu filaire*. Une image-clé a été apposée
automatiquement sur la fin de l'élément, la *Distance* est aussi de 50.

13. Cliquez sur le triangle en face de *Vidéo 2* pour développer la piste,
puis cliquez sur le bouton **Images-clés**.

Figure 7-30 :
Affichez la piste des images-clés et cliquez sur
le bouton Afficher les images-clés

Les images-clés s'affichent en dessous de l'élément *Cellules*.

Figure 7-31 :
Les images-clés de début
et de fin de l'effet sont
visibles

14. Placez-vous à l'instant 5 images (tapez 5 dans la vue *Programme*) et
passez *Distance* à 30.

15. Placez-vous à l'instant 10 images (tapez 10 dans la vue *Programme*)
et passez *Distance* à 35.

16. Placez-vous à l'instant 15 images (tapez 15 dans la vue *Programme*)
et passez *Distance* à 50.

Figure 7-32 :
Ajoutez d'autres
images-clés

Les images-clés s'affichent dans la Figure 7-33 :
piste développée. Vous pouvez **La case cochée**
aller de l'une à l'autre en cliquant
sur les petites flèches noires encadrant la case cochée.

17. Prévisualisez et enregistrez.

18. Dans la palette des effets **Vidéo**, ouvrez le dossier *Flou* et choisissez
le filtre *Défaut de mise au point*. Appliquez-le à l'élément *Cellules*.

19. Placez des images-clés aux instants 0, 4, 7, 10 et 14. Configurer le
flou en passant par la fenêtre *Configuration* ou directement avec le
curseur. Le facteur de flou est de 85 à 0, de 68 à 4, de 77 à 7, de 66 à
10 et de 0 à 15 et à 20.

Remarquez qu'un bouton de liste Figure 7-34 :
déroulante est apparu dans le coin **Bouton de liste
supérieur gauche de la piste déroulante des effets
développée. appliqués à l'élément**

En cliquant dessus, vous
sélectionnez l'effet appliqué.

Figure 7-35 :
Liste déroulante des effets

20. Copiez l'élément *Cellules* et collez ses attributs sur les deux éléments
Liquide. Laissez cochée seulement l'option *Filtres* et cliquez sur
Coller.

21. Sélectionnez chaque occurrence de l'élément *Liquide* et ôtez l'effet
3D simple. Réglez les valeurs des images-clés du *Défaut de mise au
point*. Nous en avons enlevé une et laissé les autres à 0, 5, 10 et 20.
Le *Facteur de flou* est de 85 à 0, de 77 à 5, de 0 à 10 et à 20.

22. Appliquez un léger *Flou gaussien* (entre 5 et 7), horizontal et vertical,
sur l'élément *Binoculaires* pour simuler le flou que l'on aperçoit
lorsqu'on regarde avec un microscope.

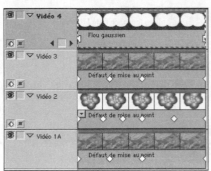

Figure 7-36 :
Les pistes et les effets
appliqués

7

23. Prévisualisez, faites un Rendu et enregistrez.

7.3 Traiter l'image façon "Traffic"

Le film de Steven Soderbergh relate la lutte qui oppose les trafiquants
de drogue mexicains à la DEA. L'action se passe conjointement des
deux côtés de la frontière. Soderbergh adopte un graphisme
relativement intéressant pour illustrer cela. Tons jaunes pour le
Mexique, bleus pour la Côte Est des États-Unis. Au cours du film, il fait
évoluer le graphisme. Plus on va vers le Mexique et plus la lumière
devient blanche, se mêlant à des tons ocre, qui donnent un aspect
d'aquarelle, estompant les contours.

Figure 7-37 :
Le clip de départ

Figure 7-38 :
Bleu tendance Côte Est

1. Créez un nouveau projet.

2. Importez deux clips, éléments *T1* et *T2*. Rajoutez deux pistes vidéo.

   Vous appliquerez une dominante bleue à l'image de *T1*, ocre jaune à *T2*. Pour coller un peu mieux à la lumière du film, nous avons choisi deux clips distincts. *T1* provient de rushes réalisés en agglomération. *T2* est extrait d'un projet de court métrage se déroulant dans l'Ouest américain au XIXe siècle.

3. Créez deux caches couleurs, un bleu (87,175,255) et un jaune (255,232,135). Ces couleurs sont données à titre indicatif. Vous pouvez opter pour des nuances plus claires ou plus foncées.

4. Placez une occurrence de *T1* sur la piste *Vidéo 2* et une autre sur la piste *Vidéo 4*, exactement au-dessus de la précédente. Les deux éléments doivent avoir la même longueur.

5. Placez le cache couleur bleu sur la piste *Vidéo 3*, entre les deux occurrences de *T1*.

6. Appliquez une transparence de type *Filtre* à l'élément de la piste *Vidéo 4* ainsi qu'au cache bleu. Vous pouvez faire varier la *Découpe* pour atténuer l'effet de transparence.

7. Appliquez un effet vidéo **Mixeur de couches** (dossier *Ajuster*) à l'élément *T1* de *Vidéo 2*.

8. Faites un Rendu et enregistrez.

9. Vous devez modifier quelques-unes des valeurs de couches. À titre indicatif, le tableau suivant donne les valeurs attribuées à l'élément *T1* de *Vidéo 2*. Laissez la case *Monochrome* décochée.

Valeurs des couches pour l'image bleue	
Couches	**Valeurs**
Rouge-Rouge	58
Rouge-Vert	35
Rouge-Bleu	18
Rouge-Const	- 31
Vert-Rouge	- 15
Vert-Vert	124
Vert-Bleu	0
Vert-Const	0
Bleu-Rouge	0
Bleu-Vert	0
Bleu-Bleu	100
Bleu-Const	0

10. Appliquez un effet vidéo **Noir & Blanc** (dossier *Image*) à l'élément *T1* de la piste *Vidéo 4*. Ce filtre est appliqué uniquement pour souligner les valeurs sombres de l'image, notamment les noirs.

11. Appliquez éventuellement un effet vidéo **Niveaux** (dossier *Ajuster*) à l'élément *T1* de la piste *Vidéo 4* pour régler l'image noir et blanc.

12. Prévisualisez, faites un Rendu puis enregistrez.

Figure 7-39 :
Original

Figure 7-40 :
Jaune tendance Mexique

Passons de l'autre côté du Rio Grande.

1. Placez une occurrence de *T2* sur la piste *Vidéo 2* et une autre sur la piste *Vidéo 4*, exactement comme pour *T1*.

2. Placez le cache couleur jaune sur la piste *Vidéo 3*, entre les deux occurrences de *T2*.

3. Appliquez lui une transparence de type *Multiplication*. Vous pouvez faire varier la *Découpe* pour atténuer l'effet de transparence.

4. Appliquez un effet vidéo **Mixeur de couches** (dossier *Ajuster*) à l'élément *T2* de *Vidéo 2*.

5. Faites un Rendu et enregistrez.

6. Modifiez les valeurs de couches en suivant l'exemple du tableau suivant. Laissez la case *Monochrome* décochée.

Valeurs des couches pour l'image jaune	
Couches	**Valeurs**
Rouge-Rouge	124
Rouge-Vert	61
Rouge-Bleu	8
Rouge-Const	38
Vert-Rouge	124
Vert-Vert	35
Vert-Bleu	18
Vert-Const	5
Bleu-Rouge	- 18
Bleu-Vert	0

Valeurs des couches pour l'image jaune	
Couches	Valeurs
Bleu-Bleu	140
Bleu-Const	- 2

7. Appliquez un effet vidéo **Noir & Blanc** (dossier *Image*) à l'élément *T2* de la piste *Vidéo 4* et éventuellement un effet vidéo **Niveaux** (dossier *Ajuster*).

8. Prévisualisez, faites un Rendu puis enregistrez.

 Remarque

Réglages - *Les réglages de l'effet **Mixeur de couches** doivent être adaptés à la tonalité de vos propres images.*

7.4   La nuit américaine

Cet effet a été parmi l'un des premiers à être utilisé par les cinéastes. C'est aussi l'un des plus perceptibles lorsqu'il est mal réalisé. On pourrait le définir par une nuit en plein jour. En général, on filme lorsque le soleil est au zénith, sans trop de nuages, en évitant au maximum de filmer le ciel. On a de belles ombres, qui font penser à une nuit de pleine lune. À l'époque du noir et blanc, c'était un moyen pratique de réaliser des scènes de nuit à peu de frais. On sous-exposait l'image, on ajoutait un filtre rouge devant l'objectif. Il augmentait les contrastes et assombrissait le ciel. L'ajout d'un filtre vert clair permettait d'adoucir l'image et le tour était joué. De nos jours, la technique est sensiblement la même, à ceci près que le numérique permet d'obtenir plus facilement ce qu'on veut.

La Nuit américaine est aussi un film magnifique de François Truffaut, rehaussé par la musique du regretté Georges Delerue. Un film sur le cinéma à voir et revoir (voir fig. 7-41).

Cet effet n'est pas bien compliqué à réaliser. Il faut choisir ses rushes avec soin.

Figure 7-41 : Nuit américaine

 Remarque

Comment faire ? *- Nous proposons une manière de réaliser une nuit américaine a posteriori. Il s'agit là d'une des nombreuses techniques employées. Il y a d'autres façons de procéder. L'important étant que le message passe, que l'effet obtenu soit celui qui est voulu par le réalisateur.*

 Astuce

Tournage *- Une vraie nuit américaine sera d'autant plus réussie qu'elle sera réalisée à la prise de vue. Choisissez bien le moment d'effectuer vos prises, évitez de filmer le ciel et tout ce qui peut évoquer le jour. Vous devrez "gruger" la balance des blancs de votre caméra. Pour ce faire, il suffit d'effectuer le réglage devant un carton jaune et non pas blanc, ce qui aura pour effet de sous-exposer l'image.*

Vous verrez à la page Lumière comment améliorer l'effet en ajoutant de-ci de-là quelques lumières.

La première idée qui vient à l'esprit lorsqu'on veut réaliser une nuit américaine sur un film couleurs est de placer un filtre bleu. C'est plus un argument psychologique qu'une réalité physique. Si vous filmez réellement la nuit, vous noterez que l'éclairage conditionne beaucoup de choses, mais surtout qu'il y a énormément de noir. Certains préconisent de filmer au crépuscule, quand il fait encore jour et que les lumières s'allument, ou alors à l'aube, avant que le soleil se lève. Dans ces deux cas, vous devrez certainement corriger les dominantes de couleurs.

Figure 7-42 :
Une authentique scène de nuit

Plusieurs méthodes ayant été testées, il apparaît que la perception de chacun joue un rôle primordial. Dans cet exemple, vous allez tout simplement essayer des possibilités de nuit américaine. Tous les ingrédients disponibles sont dans Premiere.

Nuit avec Caches couleurs bleu et rouge

1. Créez un nouveau projet et importez votre ou vos clips.

    Le clip devra être prévu pour subir le traitement nécessaire à une nuit américaine. Nous le nommerons élément NA.

2. Disposez l'élément NA sur la piste *Vidéo 1A*.
3. Créez deux caches couleurs, un bleu (0,0,255) et un rouge (255,0,0)
4. Ajoutez une piste vidéo supplémentaire.
5. Placez le cache rouge sur la piste *Vidéo 2* et le bleu sur la piste *Vidéo 3*.
6. Appliquez une transparence *Luminance* aux deux caches.
7. Réglez la *Luminance* de manière que le rouge soit faible par rapport au bleu.
8. Prévisualisez.

    Pas franchement terrible, nous sommes d'accord !

Nuit avec Caches couleurs bleu et rouge (bis)

1. Ajoutez une piste vidéo supplémentaire et faites-y glisser l'élément NA.
2. Appliquez-lui une transparence de type *Multiplication*.

Tout de suite, l'image s'assombrit. Les bâtiments virent presque au noir. Par contre, le ciel reste un peu trop bleu.

3. Double-cliquez sur le cache rouge et foncez-le (87,0,49). C'est plutôt un grenat foncé.

   Il y a du changement, mais la conclusion est évidente. Il vaut mieux éviter d'avoir trop de ciel dans l'image.

4. Faites glisser une nouvelle occurrence de l'élément *NA* et placez-la sur la piste *Vidéo 2* (si vous la placez sur *Vidéo 1A*, vous ne pourrez pas lui appliquer de transparence).

5. Appliquez-lui un effet **Balance des couleurs** (dossier *Ajuster*).

 Attention

*Balance des couleurs - Il y a deux effets **Balance des couleurs** dans Première, comme nous l'avons signalé. L'un spécifique, dans le dossier Ajuster, l'autre étant un plug-in After Effects, dans le dossier Image.*

---

6. Modifiez les paramètres de couleurs pour donner une légère dominante rouge à l'image. Par exemple (165,100,100). Sélectionnez l'élément et effectuez un copier.

7. Faites glisser une nouvelle occurrence de l'élément *NA* et placez-la sur la piste *Vidéo 3*.

8. Faites un clic droit de la souris et choisissez **Coller les attributs**. Dans la fenêtre **Coller les Attributs**, laissez coché *Effets* pour coller l'effet **Balance des couleurs** sur cet élément. Changez les paramètres. Baissez la quantité de rouge et augmentez celle du bleu. Par exemple (60,100,200).

9. Glissez une troisième occurrence de l'élément *NA* sur la piste *Vidéo 4*, exactement au-dessus des deux autres. Appliquez-lui un effet **Noir et Blanc**, puis un effet **Luminosité/Contraste**. Nous avons mis dans notre exemple la *Luminosité* à - 42 et le *Contraste* à 95.

10. Passez la transparence de l'élément *NA* (*Vidéo 4*) ainsi que celle de *NA* (*Vidéo 3*) sur *Multiplication*. Pour *NA* (*Vidéo 2*), la transparence sera de type *Luminance* avec un *Seuil* de 100 et une *Découpe* de 66 (dans notre exemple).

11. Effectuez une prévisualisation.

    Par rapport aux précédents essais, l'image est plus dense, la nuit plus profonde.

Nuit américaine avec Caches couleurs bleu et rouge		
Piste	Nom	Transparence/Effets
Vidéo 4	Élément NA	Multiplication/Noir & Blanc – Luminosité/Contraste
Vidéo 3	Cache bleu	Multiplication/Balance des couleurs
Vidéo 2	Cache rouge	Luminance/Balance des couleurs

12. Faites un Rendu et enregistrez votre projet.

Variante 1

Figure 7-43 :
Utilisation d'un cache noir

Nuit avec cache noir

Paradoxalement, l'effet obtenu n'est pas si mauvais. Comme précédemment, il demande quelques réglages.

Voici comment nous avons procédé :

Nuit américaine avec cache noir		
Piste	Nom	Transparence
Vidéo 3	Élément NA	Luminance : Seuil = 100 – Découpe = 74
Vidéo 2	Cache Noir	Piste surimpression à 75 %
Vidéo 1A	Élément NA	Aucun

Variante 2

Figure 7-44 :
Cache noir + éclairage

Vous pouvez également appliquer l'effet **Mixeur de couches** sur votre clip pour lui donner une ambiance générale bleutée. Ensuite, vous pouvez le combiner à une version noir et blanc de lui-même.

Nuit américaine avec cache noir et ambiance bleuté		
Piste	**Nom**	**Transparence/Effets**
Vidéo 3	Élément NA	Multiplication/Noir & Blanc – Luminosité/Contraste.
Vidéo 2	Élément NA	Luminance/Mixeur de couches

En modifiant le pourcentage de *Découpe* de la transparence, vous assombrissez plus ou moins l'image.

Que ressort-il de tout cela ? Qu'il faut bien choisir ses rushes, procéder à des essais et ne pas abuser des nuits américaines. À vous de choisir la méthode la plus appropriée.

Pour donner de la crédibilité à vos scènes de nuit, il vaut mieux leur ajouter des éclairages.

Deux possibilités : passer par Photoshop ou tout réaliser dans Premiere.

Ajouter la lumière

Pour éviter des allers-retours entre les deux logiciels, vous n'utiliserez que Premiere. Vous allez garder les derniers paramètres d'effets et de transparence pour les deux éléments *NA*. Vous allez seulement rajouter deux titres entre les deux.

Nuit Américaine avec lumière		
Piste	**Nom**	**Transparence/Effets**
Vidéo 5	Élément NA	Multiplication/Noir & Blanc – Luminosité/Contraste.
Vidéo 4	Titre 2	Cache Blanc Alpha /Luminescence Alpha
Vidéo 3	Titre 1	Cache Blanc Alpha /Luminescence Alpha
Vidéo 2	Élément NA	Luminance/Mixeur de couches

7

1. Tapez [F9] pour créer un nouveau **Titre**.

2. Affichez la vidéo pour détourer les fenêtres.

Figure 7-45 :
Détourez les fenêtres

3. Tracez les contours des fenêtres avec l'outil **Plume**. La couleur sera Blanc.

4. Enregistrez le titre.

5. Sélectionnez les polygones et donnez-leur une couleur jaune. Enregistrez le titre sous un autre nom.

Figure 7-46 :
Appliquez une couleur jaune

6. Rajoutez au moins une piste vidéo, il doit y en avoir cinq en tout.

7. Placez dans l'ordre, du bas vers le haut, le clip, *Titre 1*, *Titre 2*, une autre occurrence du clip.

8. Les deux titres ont automatiquement une transparence de type *Incrustation Alpha*. Appliquez un filtre *Luminescence Alpha* à *Titre 1*. Cliquez dans le carré à droite de *Couleur* et choisissez un blanc dans le Sélecteur de couleur.

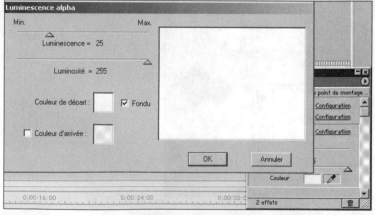

Figure 7-47 : Ajoutez une Luminescence Alpha

Nous avons placé *Luminescence* sur 25 et *Luminosité* sur 255 (vos réglages peuvent être différents).

9. Copiez les attributs de filtre de *Titre 1* en effectuant un copier de l'élément et collez-les sur *Titre 2*, en sélectionnant **Copier les attributs**. Ne laissez coché que *Filtres*. Gardez *Titre 2* sélectionné.

10. Dans la palette *Effets*, changez la couleur blanche pour du jaune et changez les paramètres de *Luminescence* et de *Luminosité*.

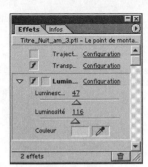

Figure 7-48 :
Réglages de la Luminescence Alpha dans la
palette Effets

11. Prévisualisez, faites un Rendu et enregistrez.

Nous avons préféré placer les titres sur fond blanc à cause de la *Luminescence Alpha*, pour ne pas avoir de noir autour des lumières.

Vous pouvez, bien sûr, peaufiner en détourant très précisément chaque fenêtre et, pourquoi pas, rajouter des éclairages publics selon le même principe. Entraînez-vous à faire varier les types et les paramètres de transparence afin d'obtenir le meilleur effet.

Variante 3

Vous pouvez utiliser Photoshop et les fichiers Film fixe pour créer un effet nuit américaine avec éclairage.

Figure 7-49 :
Nuit américaine avec
Photoshop et les fichiers
au format Film fixe

Nous avons détouré les fenêtres avec le **Lasso** pour les copier dans un nouveau calque. Nous leurs avons appliqué un filtre *Rendu/Eclairage* avec une lumière jaune après avoir foncé le fond de l'image. Un halo a été ajouté pour simuler un éclairage public. Les fenêtres et le halo ont été dupliqués, inversés et placés sur la façade de l'immeuble à droite pour simuler un reflet. L'opacité a été réduite.

7.5 Lampes torches

Figure 7-50 :
Un faisceau de lampe
torche entièrement créé

Cet effet a pour but de créer ou d'intensifier l'effet d'une lampe torche sur un plan où les personnages ne bougent pas ou peu. Dans le cas contraire, il nécessite l'emploi d'une trajectoire (travail fastidieux) ou d'un logiciel comme After Effects.

Pourquoi ne pas filmer directement le personnage avec sa torche allumée ? La principale raison est que filmer un intérieur sombre avec du matériel bas de gamme ne donne pas forcément le résultat escompté. Une autre raison est que pour obtenir un faisceau suffisamment puissant, les professionnels "boostent" les torches, ou utilisent des ampoules dont le prix n'est pas forcément à la portée de toutes les bourses. Cela dit, rien ne vous empêche de faire l'essai et de filmer dans l'obscurité. Peut-être y trouverez-vous votre compte. Surtout, vous pourrez visualiser la façon dont un faisceau éclaire les objets et personnages alentour, ce qui peut rendre d'inestimables services par la suite. En ajoutant l'effet qui va suivre, cela vous donnera peut-être l'image que vous espériez.

1. Créez un nouveau projet Première. Nommez-le Torches, par exemple.

2. Dans la fenêtre **Montage** ou la vue *Programme,* placez le curseur sur l'image que vous voulez truquer et exportez-la au format TGA. Elle servira de gabarit.

3. Dans Photoshop, ouvrez l'image de référence.

4. Ajoutez un calque au document (**Calque/Nouveau calque**). Dessinez le faisceau de la lampe et remplissez-le de blanc.

5. Ajoutez un deuxième calque. Dessinez le faisceau de la lampe et remplissez-le de bleu.

6. Créez deux fichiers masques avec ces calques, l'un contenant le faisceau blanc (Masque 1), l'autre le faisceau bleu (Masque 2).

7. Importez les deux masques dans Premiere.

8. Placez les deux éléments *Masque 1* et *Masque 2* sur des pistes superposées, comme indiqué dans le tableau suivant.

Emplacement et réglages des éléments			
Pistes	**Éléments**	**Transparence/Effet**	**Opacité**
Vidéo 4	Vidéo noir	Luminance	
Vidéo 3	Faisceau blanc	Alpha/Luminescence Alpha	50 %
Vidéo 2	Faisceau bleu	Alpha/Luminescence Alpha	50 %
Vidéo 1A	Image de fond		

9. Créez une vidéo noir et placez-la sur la piste *Vidéo 4*. Appliquez-lui une transparence de type *Luminance*. Rajoutez un halo (filtre *Interpréter/Halo*) par-dessus. Réglez la *Luminosité* à votre convenance et le *Type de lentille* sur *Focale fixe 105 mm* pour bleuter un peu la lumière.

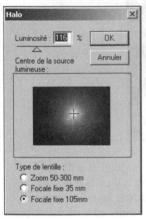

Figure 7-51 :
Appliquez un filtre Halo

L'effet est saisissant, bien que le placement du halo soit assez malaisé.

10. Si le personnage bouge la lampe, placez une trajectoire sur le halo et une sur le faisceau. Utilisez la fonction *Défomation* de la fenêtre **Trajectoire** pour déformer le faisceau.

Variante

Grâce au **Concepteur de titres**, vous pouvez créer un halo (et même un faisceau avec un peu de soin) :

1. Créez un nouveau **Titre**. Sélectionnez l'outil **Ellipse** et tracez un cercle (utilisez la touche (Maj)pour contraindre le traçage du cercle).

2. Dans la section *Fond*, choisissez *Fantôme* comme *Type de remplissage*.

3. Cochez la case *Ombre*. Cliquez sur le carré *Couleur* et choisissez Blanc.

4. Vous pouvez augmenter la valeur de *Etaler* pour obtenir un léger flou. Modifier aussi l'opacité si vous le désirez.

5. Vous pouvez rajouter un halo, une fois le titre dans la fenêtre **Montage**.

7.6 Effet infrarouges

Figure 7-52 :
Infrarouges

Les infrarouges sont des rayonnements électromagnétiques d'une fréquence inférieure à celle de la lumière rouge, qui est la plus basse des fréquences visibles. Les infrarouges sont utilisés par les militaires pour détecter les sources de chaleur. Au cinéma, plusieurs effets simulent cela.

Vous allez réaliser un effet de visée infrarouge, tel qu'on peut l'apercevoir dans de nombreux films et séries.

Paramètres de réglages			
Pistes	**Éléments**	**Transparence**	**Effets**
Vidéo 2	Élément IR 1	Luminance	Négatif/Noir & Blanc/Négatif
Vidéo 1A	Élément IR 1	Aucune	Négatif/Noir & Blanc

1. Créez un nouveau projet Première. Nommez-le Infra_Rouge, par exemple.
2. Importez votre ou vos clips dans le projet.
3. Glissez votre élément sur la piste *Vidéo 1A*.
4. Appliquez-lui un effet vidéo **Négatif** (dossier *Couches*).

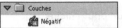

Figure 7-53 :
Appliquez un effet Négatif

5. Dans la palette *Effets*, cliquez sur le bouton fléché à droite de la liste déroulante *Couches* et sélectionnez *Luminance*. Prévisualisez.

Figure 7-54 :
Choisissez Luminance dans la rubrique Couches

6. Cliquez sur l'effet vidéo **Noir & Blanc** (dossier *Image*) et glissez-le sur l'élément. Prévisualisez.

Figure 7-55 :
Appliquez un filtre Noir & Blanc

7. Sélectionnez l'élément et dupliquez-le. Placez-le exactement au-dessus de l'autre, sur la piste *Vidéo 2*.
8. Appliquez-lui un second effet **Négatif** avec les mêmes paramètres. Prévisualisez.

Figure 7-56 :
Appliquez un deuxième filtre Négatif

9. Appliquez-lui ensuite un effet **Extraction**.

Figure 7-57 :
Appliquez le filtre Extraction

10. Dans la palette *Effets*, cliquez sur *Configuration* pour afficher la fenêtre **Extraction**.

Figure 7-58 :
Le filtre Extraction s'affiche dans la palette Effets

11. En déplaçant les curseurs des *Niveaux d'entrée* et de *Réglage*, vous pouvez foncer ou éclaircir l'effet.

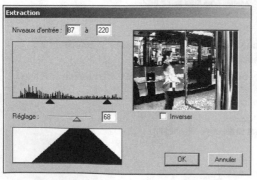

Figure 7-59 :
Paramétrez le filtre Extraction dans sa fenêtre spécifique

12. Cliquez sur OK lorsque le résultat vous convient.
13. Prévisualisez, puis faites un Rendu et enregistrez.

7.7 Variante

Figure 7-60 : Vision nocturne

Vision nocturne et intensification de lumière

Les lunettes à intensification de lumière sont connucs du grand public au travers de ccs images de soldats et autres commandos arborant des optiques proéminentes et pouvant faire mouche sur n'importe qui dans la nuit. Une image éclairée par un intensificateur de lumière arbore une dominante verte. La pupille des yeux des personnes éclairées brille comme un minuscule miroir.

Pour réaliser cet effet, vous n'allez pas vous contenter de poser un filtre vert sur l'image. D'abord parce que vous n'obtiendrez qu'une coloration verte et une image plus foncée. Ensuite, parce que cet effet offre un grain d'image bien spécifique.

 Astuce

Nightshot - Une ambiance équivalente peut-être réalisée à moindres frais en filmant de nuit avec l'option Nightshot de votre caméscope. L'image va prendre une dominante verdâtre, alors que les reflets et les lumières seront quasiment blancs. Le plus difficile à simuler étant le reflet miroitant des pupilles lorsqu'on regarde une personne.

Figure 7-61 :
En vert et contre tout...

1. Reprenez les réglages appliqués pour créer un effet **Infrarouge**.

Effets appliqués sur l'élément (dans l'ordre, de haut en bas)	
Dossier	**Effets**
Couches	Négatif
Image	Noir & Blanc
Couches	Négatif
Ajuster	Extraction
Image	Noir & Blanc

2. Appliquez à l'image un effet vidéo **Balance des couleurs** (dossier *Ajuster*).

Figure 7-62 :
Réglez la Balance des couleurs

3. Réglez en direct avec les curseurs ou cliquez sur *Configuration* pour afficher une fenêtre de paramétrage.

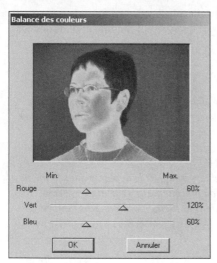

Figure 7-63 :
Le vert peut être choisi très
lumineux

4. Pour simuler l'effet sur les pupilles, créez un nouveau Titre, incorporez-y une image échantillon et placez deux cercles blancs sur les yeux. Placez ensuite ce titre sur une piste vidéo. Premiere lui octroiera une transparence de type *Cache Blanc Alpha* ou *Cache Noir Alpha*, selon que vous aurez utilisé un fond transparent noir ou blanc.

Figure 7-64 :
Utilisez une image-échantillon pour créer les
reflets des pupilles

5. Réglez l'intensité du vert dans l'image finale selon l'effet que vous désirez obtenir.

7.8 Photoshop et les fichiers FLM

Nous avons déjà parlé de l'emploi des fichiers au format Film fixe. Rappelons-en les avantages et les inconvénients.

Ils peuvent être ouverts dans Photoshop, on peut ainsi leur appliquer divers effets, corriger des images, etc. La contrepartie est un manque de souplesse total, un volume important (plusieurs centaines de mégas selon le format), bref, à n'employer qu'avec parcimonie et dans des cas bien précis.

 Astuce

Raccourcis clavier pour Film fixe (Filmstrip) - Heureusement, Adobe a pensé à fournir des raccourcis clavier permettant, par exemple, de copier une sélection (pleine ou vide) d'une image (frame) à l'autre.
Déplacer une sélection, sans son contenu, d'une image à la suivante ou la précédente : Maj+↑ *ou* Maj+↓.
Couper un élément sélectionné d'une image et le déplacer dans la même position dans l'image suivante (ou précédente) : Ctrl+Maj+Flèche.
Copier un élément sélectionné, dans la même position dans l'image suivante (ou précédente) : Ctrl+Alt+Maj+Flèche.

 Remarque

Utilitaire - Adobe avait sorti en son temps un plug-in pour Photoshop, Film Strip Quick Edit 3.0, qui permettait d'ouvrir une partie d'un fichier Filmstrip et de l'enregistrer dans le fichier original une fois les modifications effectuées. Ce plug-in n'était disponible que pour les utilisateurs de Macintosh.

Rajouter soleil et lumière dans un plan fixe

Figure 7-65 :
Tourné en fin d'après-midi,
ce plan a nécessité un
rajout de lumière solaire

Il s'agit là de respecter un raccord lumière. Tournés dans la continuité, le même jour, certains plans ont pâti du manque de lumière. Malheureusement, pour les raccords, il fallait que les collines demeurent nimbées de soleil. Photoshop est rapidement venu à la rescousse.

1. Exportez la portion de montage au format Film fixe (Filmstrip).

Figure 7-66 :
Exportez au format Film fixe

2. Ouvrez le fichier Filmstrip dans Photoshop.

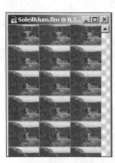

Figure 7-67 :
Le fichier .flm dans Photoshop

3. Dans Premiere, exportez une image du paysage de référence (format BMP, TGA...) et ouvrez-la dans Photoshop. Elle va vous permettre de situer les portions d'images à sélectionner puis à modifier.

Figure 7-68 : Exportez une image de référence

4.   Tapez Ⓠ pour sélectionner l'outil **Masque**.

Figure 7-69 : Utilisez l'outil Masque (Q) de Photoshop

5. Dessinez un masque avec l'outil **Pinceau** en détourant les personnages lorsqu'ils se trouvent dans la portion d'image à modifier.

6. Une fois le masque terminé, tapez Ⓠ pour visualiser la sélection.

Figure 7-70 :
Visualisez la sélection

7. La sélection toujours active, dupliquez le calque de fond. C'est sur ce calque que vous appliquerez les modifications.

Figure 7-71 :
Dupliquez le calque de fond

7

8. Appliquez un contour progressif de 2 ou 3 pixels à la sélection pour adoucir la transition.

9. Tapez [Ctrl]+[U] pour ouvrir la fenêtre **Teinte/Saturation**.

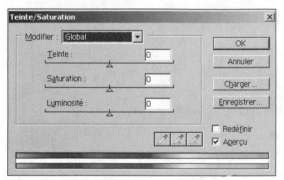

Figure 7-72 : La fenêtre Teinte/Saturation de Photoshop

10. Cochez la case *Redéfinir* et faites varier les curseurs *Teinte*, *Saturation, Luminosité* pour modifier la sélection.

11. Une fois satisfait du résultat, cliquez sur **Enregistrer** pour sauvegarder vos paramètres afin de les réutiliser (le fichier sera de la forme *.AHU).

Figure 7-73 : La première image corrigée

Astuce

Photoshop - Pour visualiser le résultat sans les pointillés de la sélection, tapez [Ctrl]+[H]*.*

12. Utilisez le raccourci clavier [Maj]+[Flèches] pour déplacer la sélection d'une image à l'autre.

Figure 7-74 : Déplacez la sélection sur l'image suivante

Modifiez-la en fonction de la position des personnages. Tapez [Q] et corrigez le masque. Retapez sur la touche [Q] une fois que le masque a été corrigé.

Figure 7-75 :
Modifiez le masque

13. Une fois la sélection établie, tapez [Ctrl]+[U] pour afficher la fenêtre **Teinte/Saturation** et cliquez sur **Charger**. Sélectionnez alors le fichier AHU correspondant à vos paramètres et cliquez sur **Charger**, puis sur OK.

Figure 7-76 :
Chargez les paramètres de
Teinte/Saturation et
appliquez-les à l'image

14. Procédez de la sorte jusqu'à ce que toutes vos images soient
retouchées. Si vous avez débordé, vous possédez encore le calque
de fond initial pour effectuer des corrections. Dans ce cas, utilisez
un masque de fusion sur le calque de copie pour "révéler" le calque
de fond.

Figure 7-77 :
Utilisez un masque de fusion pour corriger les
débordements

Figure 7-78 :
Le pInceau à l'œuvre pour corriger avec le
masque de fusion

Nous vous l'avions dit : c'est un travail de longue haleine. Si,
souvent, le résultat en vaut la peine, il faut l'avoir essayé une fois
pour comprendre combien il est important de tout prévoir lors des
prises de vue.

15. Une fois le travail achevé, enregistrez le fichier au format FLM et
importez-le dans Premiere.

Variante 1

Vous pouvez procéder de la même façon en utilisant les **Variantes** du
menu **Image/Réglages**, qui sont aussi enregistrables et qui permettent en
plus de jouer sur la luminosité (plus clair, plus foncé), ainsi que sur les
tons clairs, moyens et foncés.

Ôter des éléments gênants dans l'image (câbles, accessoires)

Figure 7-79 :
L'élément gênant n'est pas le personnage qui reçoit le coup de pied, mais un pied de caméra et un sac oubliés (?) dans le champ

Ce plan filmé sous cet angle était indispensable. Le problème était le sac et le pied de la caméra demeurant dans le champ.

Figure 7-80 : Histoire de pieds !

Le fichier original a été exporté au format Filmstrip et entièrement retravaillé sous Photoshop, image par image. Un morceau du décor a été découpé et recopié sur un calque ajouté par-dessus les images originales. Le travail effectué, nous avons enregistré le calque comportant la retouche, sans le fond original, au format Filmstrip. Le fichier comportant uniquement la retouche a été importé dans Premiere (version 5.0 à l'époque du montage) et placé sur une piste au-dessus du clip original.

1. Exportez la portion de montage au format Film fixe (Filmstrip).

2. Ouvrez le film fixe dans Photoshop.

3. Dupliquez le calque de fond. C'est sur ce calque que vous appliquerez les modifications.

4. À l'aide d'un outil de sélection (**Masque, Lasso...**), sélectionnez la partie à corriger sur la première image du fichier.

Figure 7-81 :
Détourez la partie à effacer

5. Tapez ⑤ pour activer le **Tampon de duplication** et corriger la partie concernée. Veillez à ce que le raccord soit invisible.

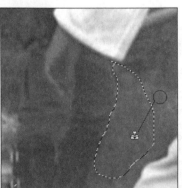

Figure 7-82 :
Utilisez le Tampon avec précaution

6. Procédez ainsi sur toutes les images.

7. Comme précédemment, si vous avez débordé, n'hésitez pas à avoir recours à un masque de fusion pour récupérer de la matière sur le calque de fond original.

Variante 2

Elle consiste à dupliquer sur un calque un morceau de décor et à le placer à l'endroit de la retouche.

1. Dupliquez vos images sur un nouveau calque.

2. Découpez une petite portion de décor vierge à proximité de la zone incriminée (à condition que votre vidéo le permette).

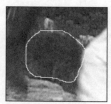

Figure 7-83 :
Sélectionnez un morceau de décor vierge pouvant correspondre à la partie à modifier. Il servira de rustine en quelque sorte

3. Tapez Ctrl+J pour en faire un calque.

Figure 7-84 :
Copiez la "rustine" sur un nouveau calque

4. Juxtaposez le morceau de décor sur la partie que vous voulez corriger. Appliquez-lui un masque de fusion pour redessiner ses contours sans les éliminer définitivement.

5. Vous avez le choix entre dupliquer ce calque – ce qui, à la longue, va demander de plus en plus de ressources machine (vous vous retrouverez avec trop de calques) –, ou sélectionner le morceau de décor et le dupliquer sur le même calque avant correction en utilisant les raccourcis clavier Ctrl+Alt+Maj+Flèches. Vous obtiendrez un calque avec un petit morceau de décor sur chaque image. Il ne vous restera plus qu'à positionner correctement, image par image, chaque morceau et à utiliser un masque de fusion pour tout le calque pour affiner la correction.

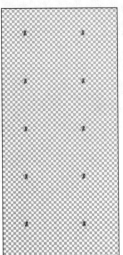

Figure 7-85 :
Le morceau de matière sur les images à
corriger (le fond a été occulté)

6. Une fois vos images corrigées, enregistrez au format Film fixe et importez le fichier dans Premiere.

Corriger les imperfections

Un des avantages de pouvoir agir sur chaque image est de corriger certaines choses gênantes. Chez les professionnels disposants de softs pointus, on utilise cette méthode pour gommer les câbles attachés aux cascadeurs par exemple.

Le cas que nous allons aborder est un peu différent. Lors de la prise de vue, le son généré par l'arme a provoqué une distorsion de l'image sur deux ou trois photogrammes. L'occasion d'utiliser le format Filmstrip était trop belle, d'autant que le fichier ne serait pas trop gros (voir fig. 7-86, 7-87).

Utilisation de calques et de masques de fusion.

1. Exportez la partie de l'élément à modifier au format Film fixe (.flm).

   (Dans le cas de l'exemple, la déformation ne concernait que quatre images. Nous en avons importé cinq pour récupérer la partie de l'image sans déformation.)

2. Ouvrez-la dans Photoshop (voir fig. 7-88).

Figure 7-86 :
Avant...

Figure 7-87 :
...et après passage dans
Photoshop

Figure 7-88 :
Les images à corriger importées dans
Photoshop

7

3. Sélectionnez la première image avec l'outil **Rectangle** de sélection
   ([M]).

Figure 7-89 :
Sélection de l'image de référence

4. Cliquez sur **Nouveau/Calque/Calque par Copier** ([Ctrl]+[J]).

   Un deuxième calque apparaît dans la palette des calques avec une
   copie de l'image 1.

5. Sélectionnez le contenu de ce calque ([Ctrl]+clic) en prenant bien soin
   que le calque lui-même soit sélectionné, et non le calque de fond.

6. Utilisez le raccourci clavier [Ctrl]+[Maj]+[Alt]+[↓] pour copier la sélection
   vers le bas. Inversez la sélection et supprimez le reste. Vous avez un
   calque avec une copie de l'image 1 sur l'emplacement de l'image 2.

7. Dupliquez ce calque. Sélectionnez le contenu et copiez cette
   sélection vers le bas. Inversez et supprimez le reste. Vous avez un
   troisième calque avec une copie de l'image 1 sur l'emplacement de
   l'image 3.

Figure 7-90 :
Copiez l'image de
référence sur
plusieurs calques,
en respectant la
chronologie
d'affichage des
images du Film fixe.

8. Procédez de façon identique pour copier l'image 1 sur les images 4 et 5.

9. Sélectionnez chaque calque, sauf celui du fond, et appliquez-leur un masque de fusion en cliquant chaque fois sur l'icône *Masque de fusion* au bas de la palette *Calque*.

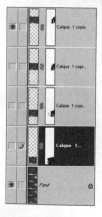

Figure 7-91 :
Appliquez des Masques de fusion à chaque
calque

10. En utilisant le **Pinceau**, effacez les portions d'image qui ne correspondent pas à l'action, tout en conservant les portions de décor qui masquent les parties abîmées. Le noir cache, et le blanc révèle l'image de fond.

Figure 7-92 :
Corriger avec le Pinceau

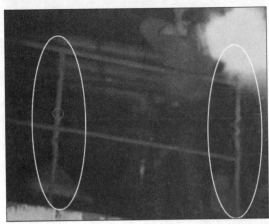

Figure 7-93 : Gros plan des dégâts

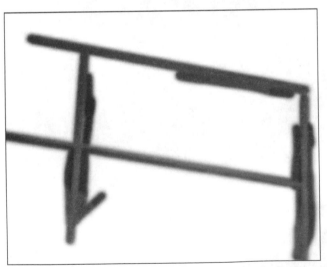

Figure 7-94 : La correction effectuée (le fond a été occulté pour mieux visualiser la correction)

11. Une fois toutes les corrections effectuées, aplatissez le document et sauvegardez-le au format Film fixe.

12. Importez-le dans Premiere et incorporez-le à la place de l'élément abîmé.

Chapitre 8

Multiécran

En utilisant les transitions, les trajectoires et les effets After Effects fournis avec Premiere, il est possible de multiplier les images à l'intérieur d'une vue.

Encore une fois, il existe plusieurs méthodes permettant le multiécran. Vous en avez eu un petit aperçu avec les caches couleurs du chapitre *Trajectoires*. Sachez que plus vous utiliserez d'éléments virtuels, de filtres, de transitions, de trajectoires, plus les temps de calcul seront longs. À chacun de voir en fonction des possibilités de sa machine.

Pour commencer, nous n'utiliserons pas immédiatement la fenêtre **Trajectoire**, mais nous nous intéresserons à certains effets **Vidéo**.

8.1 Premiers pas

L'effet **Multiplication** se trouve dans les effets **Vidéo**, dans le dossier *Esthétiques*. C'est un effet qui permet de multiplier une image par 2, par 4 etc.

La fenêtre **Transparence** vous servira à confectionner un Garbage Matte, c'est-à-dire un cache de transparence.

Multiplication

Figure 8-1 :
Plusieurs écrans à l'aide
de l'effet Multiplication et
de celui de la Transparence

Paramètres		
Pistes	**Éléments**	**Effets/Transparence**
Vidéo 4	Élément 4	Multiplication/Garbage Matte
Vidéo 3	Élément 3	Multiplication/Garbage Matte
Vidéo 2	Élément 2	Multiplication/Garbage Matte
Vidéo 1A	Élément 1 (fond)	Multiplication/Aucune

1. Créez un projet *Multi-écran_1* dans Premiere.
2. Importez quatre clips. Ajoutez deux pistes vidéo supplémentaires.
3. Incorporez le premier clip sur la piste *Vidéo 1A*. Cet élément servira de fond. Il ne pourra pas recevoir de transparence.
4. Appliquez-lui un effet **Vidéo/Esthétiques/Multiplication**.

Figure 8-2 :
Appliquez l'effet
Multiplication à l'élément
de la piste Vidéo 1A

8

5. Vous pouvez modifier le nombre d'images en déplaçant le curseur
de la palette *Effets*.

Figure 8-3 :
Réglez le nombre d'écrans dans la palette
Effets

Vous pouvez également cliquer sur *Configuration* pour ouvrir une
fenêtre spécifique et agir, là aussi, sur un curseur.

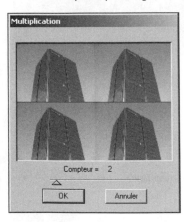

Figure 8-4 :
Réglez le nombre d'écrans
dans la fenêtre
Multiplication

Par défaut le nombre est 2, et divise l'écran en quatre images.
Conservez le réglage par défaut.

6. Glissez une occurrence de votre deuxième élément sur la piste *Vidéo
2*. Sélectionnez l'élément de la piste *Vidéo 1A* et faites un copier.

Cliquez sur l'élément de la piste *Vidéo 2* et collez les attributs du premier élément. Dans la fenêtre qui s'ouvre, cliquez sur **Attributs** et laissez cochée uniquement la case *Filtres*. Cliquez sur **Coller**.

7. Glissez les deux autres éléments sur les pistes *Vidéo 3* et *Vidéo 4*. Appliquez-leur le même effet en cliquant sur chacun avec le bouton droit de la souris en choisissant **Répéter Coller les attributs**.

    Les quatre éléments doivent avoir la même longueur. Vous devrez sans doute ajuster leurs points d'entrée et/ou de sortie.

8. Sélectionnez l'élément de la piste *Vidéo 2* et tapez [Ctrl]+[G] pour afficher la fenêtre **Transparence**. Laissez *Type d'incrustation* sur *Aucun*. Placez le curseur de la souris dans la vue *Echantillon*. En utilisant les outils **Loupe** et **Main**, déplacez les poignées de redimensionnement du Garbage Matte. Servez-vous de la découpe de l'image en quatre pour caler le cache. Cliquez sur OK lorsque vous avez terminé.

Figure 8-5 :
Créez le Cache de transparence ou Garbage Matte

9. Répétez la même opération sur les deux autres éléments des pistes *Vidéo 3* et *Vidéo 4*.

Figure 8-6 :
Créez le deuxième Garbage Matte

Figure 8-7 :
Créez le troisième Garbage Matte

10. Faites une prévisualisation, puis un Rendu avant d'enregistrer.

Il faut l'avouer, cette méthode n'est pas des plus pratiques ni des plus précises.

Transitions

Incrustation simple

Figure 8-8 :
Incrustation d'image à
l'aide d'une transition

8

Paramètres		
Pistes	**Éléments**	**Trajectoire**
Vidéo 1A	Élément 3	Aucune
Transition	Diaphragme carré	Aucune
Vidéo 1B	Élément 1	Oui

1. Créez un projet *Multi-écran_2* dans Premiere.
2. Importez deux clips.
3. Placez une occurrence de votre premier élément sur la piste *Vidéo 1A*. Cette image servira de fond.
4. Placez le deuxième élément sur la piste *Vidéo 1B*. Faites en sorte que les deux clips aient la même longueur.
5. Ouvrez la palette *Transitions* et choisissez *Diaphragme carré* dans le dossier *Iris*.
6. Placez la transition sur la piste *Transitions*, sur la même longueur que les deux éléments.
7. Double-cliquez sur la transition pour ouvrir sa fenêtre. Cochez la case *Afficher les images* (voir fig. 8-9).
8. Cliquez sur la flèche bleue verticale, à droite, à côté de l'animation de la transition, pour inverser les images.

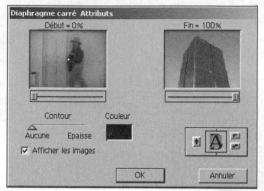

Figure 8-9 :
Affichez les attributs de la
transition Diaphragme carré

9. Appuyez sur la touche [Maj] et cliquez sur le curseur placé sous la vignette de *Début*.

Figure 8-10 :
Le curseur de Début

La touche [Maj] permet d'obtenir un pourcentage identique dans la vue *Début* et la vue *Fin*.

Figure 8-11 :
Appuyez sur Maj pour
contraindre le pourcentage
à être identique dans les
deux vues

10. Glissez le curseur jusqu'à une valeur de 37 %.

11. Au milieu de la vue *Début*, notez la présence d'un minuscule carré blanc. Cliquez dessus et déplacez-le dans l'angle inférieur droit.

Figure 8-12 :
Cliquez sur le carré blanc et tirez-le dans
l'angle inférieur droit

Cliquez sur OK.

12. Il vous faut maintenant recadrer l'image à l'intérieur de
l'incrustation. Pour ce faire, sélectionnez l'élément de *Vidéo 1B* et
tapez [Ctrl]+[Y].

13. Sélectionnez le *Début* de trajectoire et cliquez sur le bouton **Centrer**.
Procédez de même pour la *Fin* de trajectoire.

14. Sélectionnez à nouveau le *Début* de trajectoire et passez le *Zoom* à
37 %. Dans la rubrique *Infos*, placez *N°0* à 22, 17 pour cadrer le début
du clip dans l'incrustation.

Figure 8-13 :
Changer les coordonnées X,
Y de N°0 ainsi que le Zoom

Si ces chiffres ne correspondent
pas aux dimensions de votre
projet, modifiez-les en
sélectionnant le *Début* de
trajectoire dans la vignette *Zone
visible* et en le faisant glisser

Figure 8-14 :
Vous pouvez modifier les
coordonnées X, Y
manuellement, dans la
vue Zone visible

doucement à la bonne place. Affinez en modifiant les coordonnées
de *N°0*.

15. Reportez les coordonnées et le pourcentage de *Zoom* sur la *Fin* de
trajectoire. Cliquez sur OK.

16. Faites un double-clic sur la transition. Ajoutez un léger contour en
faisant glisser le curseur placé sous *Contour*. Vous pouvez choisir
une couleur différente du noir en cliquant sur le carré de couleur qui
s'ouvre sur le Sélecteur de couleur.

Figure 8-15 :
Appliquez éventuellement un contour

Incrustation animée

Vous pouvez également combiner transitions et éléments virtuels pour obtenir une incrustation au look plus professionnel.

Figure 8-16 :
Incrustation avec deux
transitions

Paramètres	
Pistes	**Éléments**
Vidéo 1A	Élément 2
Transition	Page tournée ombrée
Vidéo 1B	Élément 1

1. Placez un élément sur la piste *Vidéo 1A* et l'autre sur la piste *Vidéo 1B*. Dans la palette *Transitions*, ouvrez le dossier *Page tournée ombrée*. Sélectionnez la transition *Page tournée ombrée* et placez-la sur la piste *Transition*.

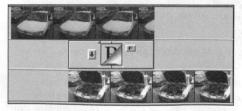

Figure 8-17 :
Placez les deux éléments
et la première transition

2. Créez un élément virtuel avec ces trois éléments et placez-le plus loin, sur la piste *Vidéo 1B*.

3. Glissez un ou plusieurs éléments sur la piste *Vidéo 1A* et une transition *Zoom* sur la piste *Transition*.

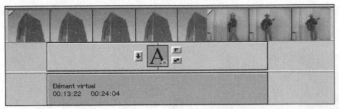

Figure 8-18 : Placez les autres éléments, l'élément virtuel et la deuxième transition

4. Double-cliquez sur la transition pour afficher ses paramètres. Appuyez sur la touche [Maj] et faites glisser le curseur placé sous la vignette *Début* jusqu'à 26 %. La flèche bleue doit être dirigée vers le bas. Appliquez un *Contour* assez fin, de la couleur de votre choix. Déplacez le petit carré blanc de la vignette *Début* vers le bord inférieur droit. Cliquez sur OK.

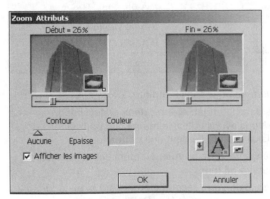

Figure 8-19 : Configurez la transition

5. Prévisualisez, faites un Rendu et enregistrez.

Effet 3D simple

L'effet **3D simple** est un des nouveaux effets After Effects 4 fournis avec Premiere 6. Combiné à la transparence et à la trajectoire, il permet, lui aussi, de multiplier les vues sur un écran, à condition toutefois de ne pas exagérer.

Figure 8-20 :
Effets multiples à l'aide de
3D simple

Paramètres		
Pistes	**Éléments**	**Transparence/Trajectoire/Effet**
Vidéo 4	Élément 4	Alpha/Oui/3D simple
Vidéo 3	Élément 3	Alpha/Oui/3D simple
Vidéo 2	Élément 2	Alpha/Oui/3D simple
Vidéo 1A	Élément 1 (Fond)	Aucune/Aucune/Aucun

1. Créez un projet *Multi-écran_3* dans Premiere.

2. Importez vos clips dans le projet. Ajoutez deux pistes vidéo supplémentaires. Nous avons utilisé le même clip pour les incrustations, mais ce n'est nullement une obligation.

3. Placez une occurrence de votre premier élément sur la piste *Vidéo 1A*. Cette image servira de fond.

4. Placez une occurrence de votre second élément sur la piste *Vidéo 2*. Réglez les points d'entrée et sortie (IN et OUT) pour donner la même longueur aux deux éléments. Dans la palette des effets **Vidéo**, ouvrez le dossier *Perspective* et sélectionnez *3D simple*. Appliquez l'effet sur l'élément de la piste *Vidéo 2*.

5. Dans la palette *Effets*, faites glisser le curseur *Distance* jusqu'à 100.

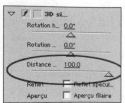

Figure 8-21 :
Réglez la distance à 100

L'image s'éloigne, mais pas suffisamment pour l'effet que nous voulons obtenir.

Figure 8-22 :
L'image s'éloigne

6. L'élément toujours sélectionné, tapez sur la touche ⬉ du clavier pour amener le curseur au début du clip. Ajoutez une image-clé en cliquant sur la case *Image-clé* de l'effet **3D simple**.

Figure 8-23 :
Créez un point-clé

Un petit chronomètre apparaît indiquant qu'une image-clé a été créée.

7. Laissez les réglages de l'effet tels qu'ils sont et tapez sur la touche ⬊ de votre clavier. Cliquez sur le chiffre suivant *Rotation horizontale* pour afficher une boîte de dialogue, ou alors faites avancer le curseur jusqu'à 360°.

Figure 8-24 :
Paramétrez la Rotation
horizontale à 360°

8. Prévisualisez l'animation et enregistrez.

Figure 8-25 :
L'image pivote sur son axe vertical

9. L'élément toujours sélectionné, tapez [Ctrl]+[G] pour afficher la fenêtre **Transparence**. Choisissez *Alpha* comme *Type d'incrustation*. Cliquez sur OK. L'incrustation s'affiche sur le clip de fond.

Figure 8-26 :
Incrustation et animation

10. Tapez [Ctrl]+[Y] pour ouvrir la fenêtre **Trajectoire**. Cliquez sur le bouton **Pause** pour arrêter l'animation. Sélectionnez le curseur de *Début* de trajectoire. Vous allez réduire la dimension de l'image et la placer dans le coin inférieur gauche de l'écran. En vous aidant de la vue *Trajectoire* et de la vignette *Zone visible*, déplacez le *Début* (*N°0*) en bas et à gauche de l'écran. Vous pouvez aussi passer les coordonnées X, Y de *N°0* en -27,21, par exemple. Réduisez le *Zoom* à 47 %.

11. Sélectionnez la *Fin* de trajectoire et appliquez-lui les mêmes paramètres.

12. Dans la rubrique *Alpha*, cochez *De l'élément*.

Figure 8-27 :
Placez l'élément dans le coin inférieur gauche et cochez l'Alpha De l'élément pour conserver la transparence

Il ne vous reste plus qu'à appliquer les mêmes actions sur les deux autres éléments.

13. L'élément en *Vidéo 2* toujours sélectionné, cliquez dessus avec le bouton droit de la souris et choisissez **Copier**.

14. Placez un élément sur la piste *Vidéo 3* et un autre sur la piste *Vidéo 4*.

15. Sélectionnez l'élément de la piste *Vidéo 3*. Cliquez avec le bouton droit de la souris et choisissez **Coller les attributs**. La boîte de dialogue **Coller les attributs** s'affiche. Cochez la case *Attributs* et décochez *Intensité*.

16. Sélectionnez l'élément placé sur *Vidéo 4*, cliquez avec le bouton droit de la souris et choisissez **Coller les attributs**.

17. Sélectionnez l'élément de la piste *Vidéo 3*. Placez-vous en début d'élément et vérifiez les paramètres de l'effet **3D simple**. Laissez *Rotation horizontale* à 0. Placez-vous en fin d'élément et passez *Rotation horizontale* à 0 et *Rotation verticale* à 360°.

18. Tapez Ctrl+Y et modifiez la position de l'élément dans l'écran. Placez-le en bas, centré. Changez *N°0* et *N°1* en 0,21.

19. Sélectionnez l'élément de la piste *Vidéo 4*. Placez-vous en début d'élément et vérifiez les paramètres de l'effet **3D simple**. *Rotation horizontale* et *Rotation verticale* doivent être à 0. Placez-vous en fin d'élément et passez les deux rotations à 360°.

20. Tapez Ctrl+Y et modifiez la position de l'élément dans l'écran. Placez-le en bas à droite. Changez *N°0* et *N°1* en 27,21.

21. Faites un Rendu et enregistrez le projet.

Effet Vue de l'objectif

Cet effet offre des possibilités similaires au précédent, mais avec des fonctionnalités en plus. Il permet, notamment, de modifier le facteur de *Zoom* sans utiliser celui de la fenêtre **Trajectoire**.

Figure 8-28 :
L'insert apparaît en tournant sur lui-même et vient se cadrer au milieu de l'écran

Paramètres		
Pistes	**Éléments**	**Transparence/Trajectoire/Effet**
Vidéo 2	Élément 2	Cache Blanc Alpha/Oui/Vue de l'objectif
Vidéo 1A	Élément 1 (Fond)	Aucune/Aucune/Aucun

1. Créez un projet *Multi-écran_4* dans Premiere.

2. Importez vos clips dans le projet.

3. Placez une occurrence de l'élément qui servira de fond sur la piste *Vidéo 1A*.

4. Placez une occurrence de l'élément à incruster sur la piste *Vidéo 2*.

    Comme précédemment, les deux éléments doivent avoir la même longueur et se superposer.

5. Dans la palette d'effets **Vidéo**, ouvrez le dossier *Transformation* et choisissez l'effet **Vue de l'objectif**.

    Appliquez-le à l'élément placé sur *Vidéo 2*. Placez le curseur au début de l'élément.

6. Dans la palette *Effets*, Créez une image-clé en début d'élément, puis cliquez sur *Configuration*, à droite de *Vue de l'objectif*. Vous avez la possibilité de régler l'effet en temps réel dans une fenêtre spécifique.

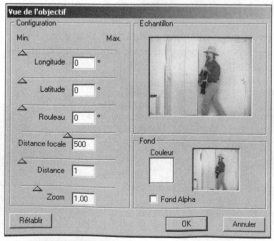

Figure 8-29 : La fenêtre Vue de l'objectif et ses réglages

Nous avons configuré l'effet en laissant *Longitude*, *Latitude* et *Rouleau* à 0°. La *Distance focale* est à 500, la *Distance* à 399 et le *Zoom* à 1,55. Si ces paramètres ne vous conviennent pas, vous pouvez cliquer sur le bouton **Rétablir** et recommencer. Cochez *Fond Alpha* et laissez blanc comme couleur de fond. Cliquez sur OK.

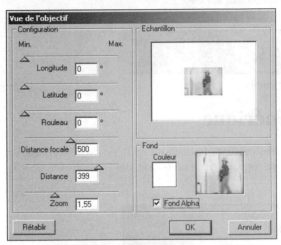

Figure 8-30 : Modifiez la Distance et le Zoom

7. Placez-vous en fin d'élément. Vous allez utiliser les curseurs de la palette *Effets*, et non la fenêtre spécifique **Vue de l'objectif**. Faites glisser le curseur *Enroulement* jusqu'à 360° (ou cliquez sur le chiffre souligné et tapez 360 dans la boîte de dialogue). Le *Zoom* affiche 16.

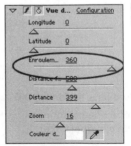

Figure 8-31 :
Modifiez le paramètre d'Enroulement

8. Tapez Ctrl+G pour ouvrir la fenêtre **Transparence**. Comme *Type d'incrustation* choisissez un *Cache Blanc Alpha*. Cliquez sur OK.

9. Tapez Ctrl+Y pour ouvrir la fenêtre **Trajectoire**.

10. Sélectionnez le *Début* de trajectoire. Cliquez sur le bouton **Centrer**. Passez le *Zoom* à 0.

11. Sélectionnez la *Fin* de trajectoire. Cliquez sur le bouton **Centrer**. Passez le *Zoom* à 100. Cliquez sur le bouton **Lecture** pour visualiser la trajectoire, puis cliquez sur OK.

Figure 8-32 : L'incrustation finale

8.2 Un générique

La télé regorge d'émissions dans lesquelles l'écran est divisé en plusieurs parties comportant un logo, un texte déroulant, des images, bref, de quoi s'amuser un peu.

Figure 8-33 : Générique ConsoNews

1. Créez un nouveau projet *ConsoNews* dans Premiere, en format PAL.

2. Importez deux clips dans le projet. L'un doit être une personne en Plan Rapproché Poitrine (*Élément 1*), l'autre un clip quelconque (*Élément 2*).

3. Tapez [F9] pour créer un nouveau **Titre**.

4. Tapez [L] pour activer l'outil **Ligne**.. Tracez une ligne horizontale, au milieu de la fenêtre. Dans la section **Fond** cliquez sur le carré de *Couleur de l'objet* et choisissez un rouge (243,54,0). Une fois la ligne

tracée, gardez-la sélectionnée et passez la **Largeur du trait** à 6, en utilisant le **Contrôle de texte réactif**.

5. Cliquez avec le bouton droit de la souris sur la ligne et choisissez *Centrage horizontal*. Cliquez encore une fois et choisissez *Centrage vertical*.

6. La ligne toujours sélectionnée, faites un copier-coller. Changez la couleur en noir, et passez l'épaisseur à 2. Déplacez la ligne noire vers le bas et calez-la juste en dessous la ligne rouge. Les deux lignes doivent se toucher.

7. Dupliquez la ligne noire par un copier-coller. Colorisez-la en blanc et placez-la au-dessus de la ligne rouge.

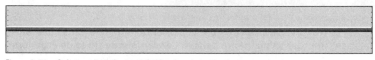

Figure 8-34 : Créez une ligne horizontale blanche, rouge et noire

8. Enregistrez le titre (*Barre_H*).

9. En utilisant la même méthode, créez une barre tricolore verticale.

Figure 8-35 : Créez une ligne verticale blanche, rouge et noire

10. Enregistrez le titre (*Barre_V*).

11. Créez un troisième titre. Il s'agit d'écrire dossier en minuscules, dans une police assez épaisse (style Futura, 64 points), en noir.

Figure 8-36 : Créez un titre Dossier en noir

Enregistrez le titre (*Titre_Dossier*).

12. Si vous possédez un logiciel 3D, vous pouvez créez un logo avec une sphère blanche tournant sur elle-même, estampillée *ConsoNews* en noir et rouge.

Figure 8-37 :
Créez un logo

Si ce n'est pas le cas, vous pouvez créer un logo fixe dans Illustrator, dans Photoshop ou même dans le **Concepteur de titres** de Premiere.

Vous allez mettre en place tous les éléments sur les pistes.

13. Ajouter cinq pistes vidéo supplémentaires.

Création de l'élément virtuel		
Pistes	Éléments	Transparence/Effets
Vidéo 2	Élément 1 (fond bleu)	Chrominance/Miroir horizontal
Vidéo 1A	Cache couleur blanc	

14. Glissez une occurrence d'*Élément 1* sur la piste *Vidéo 2*. Créez un cache couleur blanc et placez-le sur la piste *Vidéo 1A*. Les deux éléments doivent avoir la même longueur.

Notre *Élément 1* a été filmé sur fond bleu.

Figure 8-38 :
Élément 1 filmé sur fond bleu

15. En utilisant les techniques du chapitre *Masques, Transparence et Compositing*, nous l'avons détouré. Nous lui avons appliqué une transparence avec un *Type d'incrustation Chrominance*, puis un effet *Miroir horizontal*.

16. Créez un élément virtuel avec le cache blanc et *Élément 1*.

Figure 8-39 :
Créez un élément virtuel

Paramètres		
Pistes	**Éléments**	**Transparence/Trajectoire**
Vidéo 9	Barre_V	Incrustation Alpha/Oui
Vidéo 8	Barre_H	Incrustation Alpha/Oui
Vidéo 7	Élément 2	Alpha/Oui
Vidéo 6	Barre_V	Incrustation Alpha/ Oui
Vidéo 5	Barre_H	Incrustation Alpha/ Oui
Vidéo 4	Titre_Dossier	Incrustation Alpha/ Oui
Vidéo 3	Logo 3D	Alpha/Oui
Vidéo 2	Élément virtuel	Cache Blanc Alpha/Oui
Vidéo 1A	Cache couleur Blanc	

17. Placez l'élément virtuel sur la piste *Vidéo 2*.

18. Placez l'élément contenant le logo 3D sur la piste *Vidéo 3*.

19. Placez l'élément *Titre_Dossier* sur la piste *Vidéo 4*.

20. Placez *Barre_H* sur la piste *Vidéo 5, Barre_V* sur la piste *Vidéo 6* et *Élément 2* sur la piste *Vidéo 7*.

21. Placez l'élément Cache couleur Blanc sur la piste *Vidéo 1A*.

    Assurez-vous que tous ces éléments ont bien la même longueur.

22. Sélectionnez l'élément *Barre_V* sur la piste *Vidéo 6*. Par défaut, Premiere lui applique une transparence de type *Incrustation Alpha*.

23. Tapez Ctrl+Y pour ouvrir sa trajectoire. Cliquez sur le *Début* de trajectoire, sur la ligne *Durée*. Modifiez les paramètres. *N°0* doit être en - 12,0 de manière que la barre tricolore occupe le premier tiers de l'écran.

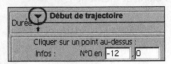

Figure 8-40 :
Paramétrez le Début de trajectoire

24. Paramétrez la *Fin* de trajectoire (*N°1*) avec les mêmes valeurs que le *Début*. Cliquez sur OK.

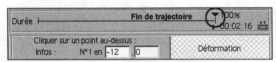

Figure 8-41 : Paramétrez la Fin de trajectoire

25. Sélectionnez l'élément *Barre_H* sur la piste *Vidéo 5*. Tapez Ctrl+Y et modifiez ses paramètres de trajectoire : *N°0* et *N°1* en 0,9.

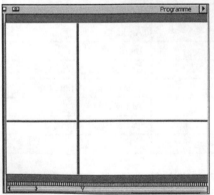

Figure 8-42 :
Les barres en place. Les autres éléments sont masqués

26. Sélectionnez l'élément virtuel et tapez Ctrl+G. Choisissez un type d'incrustation *Cache Blanc Alpha*. Validez.

27. Tapez Ctrl+Y pour afficher la fenêtre **Trajectoire** de l'élément virtuel. Cliquez sur le *Début* de trajectoire, sur la ligne *Durée*. Modifiez les paramètres. *N°0* doit être en - 21,- 4. Le *Zoom* diminue jusqu'à 44 %

28. Cliquez sur la *Fin* de trajectoire et modifier les paramètres avec les mêmes valeurs que pour le *Début*. Cliquez sur OK.

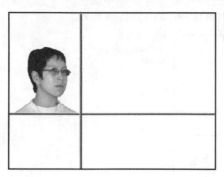

Figure 8-43 :
Les barres en place avec
l'élément virtuel

29. Sélectionnez le logo sur la piste *Vidéo 3*. Créé sous un logiciel 3D, il a un canal Alpha. Appliquez-lui une transparence de type *Alpha*. Tapez Ctrl+Y et affichez sa trajectoire. Il faut le placer dans le coin inférieur droit de l'image. Nous avons diminué sa taille en passant le facteur de *Zoom* à 45, pour le *Début* et la *Fin* de trajectoire. Cela sera fait en fonction de la taille initiale de votre logo, bien entendu. Nous l'avons calé en plaçant *N°0* et *N°1* en 29,21. Conservez l'*Alpha De l'élément*.

Figure 8-44 :
Les barres en place avec
l'élément virtuel et le logo

30. Sélectionnez l'élément *Titre_Dossier* sur la piste *Vidéo 4*. Il possède une transparence de type *Incrustation Alpha*. Le mot "Dossier" doit arriver par la gauche et venir se caler sous la personne, dans la case du coin inférieur gauche.

31. Tapez Ctrl+Y pour afficher sa trajectoire. Le *Début* doit être en dehors de la *Zone visible*. Paramétrez *N°0* en - 53,15. Passez à la *Fin* de trajectoire. Paramétrez-la en - 26,15.

32. Créez une image-clé sur la ligne de *Durée* en cliquant juste au-dessus, au point 35 %.

Figure 8-45 :
Créez une image-clé au
point 35 %

Cette image-clé devient *N°1* et la *Fin* de trajectoire N°2.

Figure 8-46 :
Le titre Dossier a été
rajouté

33. Sélectionnez l'*Élément 2* sur la piste *Vidéo 7*. Tapez Ctrl+Y pour afficher sa trajectoire. L'*Élément 2* doit se trouver dans la partie supérieure droite de l'écran, puis passer en plein écran.

34. Placez une image-clé à l'instant 50 %, qui devient *Infos N°1*. Modifiez le facteur de *Zoom* et passez-le à 65 %. Passez *N°1* en 14,- 11 pour lui donner les dimensions du quart supérieur droit de l'écran.

35. Cliquez sur le *Début* de trajectoire et reportez sur *N°0* les paramètres de *N°1*.

36. Cliquez sur la *Fin* de trajectoire et passez *N°2* en 0,0. Repassez le *Zoom* à 100 %

37. Faites une prévisualisation. Il semble que le personnage et le titre *Dossier* ont disparu.

    Vous allez réparer ce problème un peu plus loin. Enregistrez votre projet.

38. Ajoutez deux pistes vidéo.

39. Sélectionnez l'élément *Barre_H* et dupliquez-le. Placez-le sur la piste *Vidéo 8*, exactement au-dessus des autres et tapez Ctrl+Y. Placez une image-clé à 50 % sur la ligne de *Durée*. Elle devient *N°1*. Sélectionnez la *Fin* de trajectoire et passez les paramètres de *N°2* en 0,31. Cliquez sur OK.

40. Sélectionnez l'élément *Barre_V*. Dupliquez-le et placez-le sur la piste *Vidéo 9*. Tapez Ctrl+Y. Placez une image-clé à 50 % sur la ligne de *Durée*. Elle devient *N°1*. Sélectionnez la *Fin* de trajectoire et passez les paramètres de *N°2* en - 41,0. Cliquez sur OK.

41. Sélectionnez l'*Élément 2* sur la piste *Vidéo 7*. Tapez Ctrl+Y pour afficher sa trajectoire. Sous la rubrique *Alpha*, cochez *Nouveau*. Sous la rubrique *Fond*, assurez-vous que la couleur est blanche. Dans le cas contraire, cliquez sur le carré de couleur pour ouvrir le Sélecteur de couleur et choisissez du blanc (255,255,255). Cliquez sur OK.

Si vous regardez dans la palette *Effets*, vous remarquerez que la transparence est maintenant activée. Cliquez sur **Configuration**. Un *Type d'incrustation Alpha* est appliqué à *Élément 2*.

42. Prévisualisez l'animation, faites un Rendu, puis enregistrez le projet

Figure 8-47 :
La fenêtre contenant
l'Élément 2 s'agrandit pour
occuper tout l'écran

Nous aurions pu utiliser des éléments virtuels pour éviter d'avoir trop de pistes vidéo, bien qu'avec neuf pistes, nous soyons encore dans le raisonnable. Remarquez combien le calage des images reste tout de même approximatif, car assujetti aux paramètres de la fenêtre **Trajectoire**.

8.3 Une pub pour un CD musical

La publicité n'est pas en reste. Les annonces se suivent et se ressemblent. Alors, pourquoi ne pas réaliser, vous aussi, une pub pour votre groupe préféré ?

Figure 8-48 :
Une présentation de CD
comme dans la pub

1. Créez un nouveau projet CD dans Premiere

2. Tapez [F9] pour créer un nouveau **Titre**.

3. Tapez [R] pour sélectionner l'outil **Rectangle**.

4. Tracez deux rectangles en haut et en bas de l'écran. Cliquez sur le carré *Couleur de l'objet* de la section **Fond** et choisissez un rouge foncé (183,27,0).

5. Tapez [L] pour sélectionner l'outil **Trait** et tracez un liseré blanc sur chaque rectangle. Appuyez sur la touche [Maj] pour contraindre la ligne à l'horizontale.

Figure 8-49 :
Dessinez un titre qui sera le cadre de la pub

6. Enregistrez le titre (*CD_Fond*).

7. Enregistrez à nouveau le titre sous un autre nom (*Déroulant_1*). Otez les rectangles rouges, gardez seulement les lignes blanches comme gabarit.

8. Cliquez sur le carré *Couleur de l'objet* de la section **Fond** et choisissez un orange marron (206,112,0). Cliquez sur OK.

9. Choisissez **Déroulement horizontal** dans **Type de titre**. Choisissez une police de caractères assez exotique et tapez [T] pour sélectionnez l'outil **Titre**. Tracez les contours de votre titre déroulant au sommet de l'image. Écrivez les noms des musiciens ou les titres des morceaux. Faites en sorte qu'il soit suffisamment long, il doit déborder de la fenêtre.

10. Décalez le titre vers la droite de manière à activer la barre de défilement horizontale. Dans le menu **Titre**, cliquez sur **Options de déroulement à la verticale/horizontal**. Dans **Dérouler horizontalement**, cochez *De gauche à droite*. Cliquez sur OK

Figure 8-50 :
Créez un titre déroulant
dans la partie supérieure
de l'image

Vous pouvez sélectionner certains noms ou lettres et modifier leur police, leur dimension, afin de diversifier le titre.

Figure 8-51 :
Donnez une ombre à
votre titre déroulant

11. Tapez T et cliquez sur le titre. Tapez Ctrl+A pour sélectionner toutes les lettres. Appliquez-leur une ombre.

12. Enregistrez le titre.

13. Sélectionnez le titre déroulant et dupliquez-le par un copier-coller. Décalez-le vers le bas de manière qu'il soit juste en dessous du premier. Tapez T et cliquez dedans pour l'activer. Changez les noms.

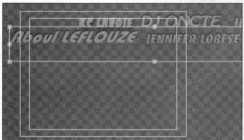

Figure 8-52 :
Dupliquez le premier titre
déroulant

14. Vous devez avoir deux titres déroulants l'un au-dessus de l'autre. Supprimez la ligne blanche supérieure. Enregistrez votre titre (*Déroulant_1*).

15. Enregistrez le titre sous le nom Déroulant_2. Sélectionnez les deux déroulants et déplacez-les vers le bas.

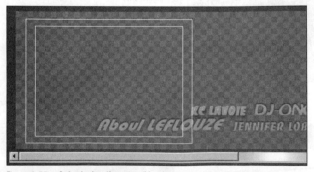

Figure 8-53 : Créez le deuxième titre déroulant

16. *Déroulant_2* a exactement les mêmes caractéristiques que *Déroulant_1*, à ceci près que vous allez changer le sens de déroulement. Dans le menu **Titre**, cliquez sur **Options de déroulement à la verticale/horizontale**. Dans **Dérouler horizontalement**, cochez *De droite à gauche*. Cliquez sur OK.

17. Supprimez la ligne blanche du bas.

Il vous faut maintenant un emballage de CD, ainsi qu'un titre un peu plus élaboré. Nous avons scanné une boîte de CD vide et lui avons ajouté une étiquette créée dans Photoshop. Le tout a été enregistré en PSD (*Boîte_CD*).

Figure 8-54 :
La pochette de CD

Pour ce qui est du titre de l'album, nous l'avons créé dans Photoshop. Nous lui avons appliqué un filtre de calque Biseautage et Estampage ainsi qu'une texture, puis nous l'avons sauvegardé au format TGA 32 bits avec un canal Alpha pour les lettres (*Titre_CD*).

Figure 8-55 :
Le titre du CD

Il ne reste plus qu'à combiner tous ces éléments dans la fenêtre **Montage**.

1. Importez le ou les clips qui animeront le fond dans le projet.

2. Ajoutez deux pistes vidéo supplémentaires.

3. Placez le titre *CD_Fond* sur la piste *Vidéo 2*. Appliquez-lui une transparence de type *Alpha*.

4. Placez le titre *Déroulant_1* sur la piste *Vidéo 3*. Il a une transparence de type *Alpha*.

5. Placez le titre *Déroulant_2* sur la piste *Vidéo 4*. Il a une transparence de type *Alpha*.

6. Placez le clip musical sur la piste *Vidéo 1A*. Il n'a pas de transparence.

7. Les quatre éléments doivent être l'un au-dessus de l'autre et avoir la même longueur.

8. Faites une prévisualisation et enregistrez le projet.

9.   Tapez Ⓜ autant de fois qu'il le faut pour sélectionner l'outil **Sélection de blocs** servant à créer les éléments virtuels.

10. Sélectionnez les quatre éléments des pistes *Vidéo 1A*, *Vidéo 2*, *Vidéo 3* et *Vidéo 4*. Appuyez sur la touche Ⓜaj et placez l'élément virtuel sur la piste *Vidéo 2*, à côté des quatre éléments sources.

Figure 8-56 :
Prévisualisez le montage

Il est temps de placer la jaquette du CD. Nous lui avons gardé son format d'origine, c'est-à-dire 405 x 354 pixels. Lors de l'importation du fichier PSD, choisissez *Couches fusionnées*. Première adresse une couche Alpha pour la zone qui déborde.

Figure 8-57 :
Le fichier PSD de la boîte CD

11. Glissez une occurrence de l'élément *Boîte_CD* sur la piste *Vidéo 3*.
Réglez son point de sortie (OUT) à environ 2/3 de la longueur de
l'élément virtuel.

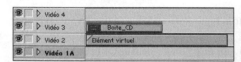

Figure 8-58 :
Incorporez la pochette CD
dans le montage

12. Appliquez à cet élément un effet **Vue de l'objectif**, disponible dans le
dossier *Transformation* de la palette effets **Vidéo**.

13. Placez-vous au point d'entrée (IN) de l'élément et, dans la palette
Effets, cliquez sur *Configuration* pour afficher la fenêtre **Vue de
l'objectif**. Laissez les paramètres par défaut à l'exception du *Zoom*
qui passe à 2,32. Cochez la case *Fond alpha*, et gardez le blanc
comme couleur. Cliquez sur OK.

14. Cochez la case *Image-clé* dans la palette *Effets* pour appliquer une
image-clé au début de l'élément. Tapez sur le clavier pour placer
le curseur au point de sortie (OUT) de l'élément. Une image-clé est
automatiquement créée en fin d'élément.

15. Dans la palette *Effets*, modifiez les paramètres de l'effet **Vue de
l'objectif**. Passez *Longitude* à 360° et *Enroulement* à 330°.

> ## ⟫ Remarque
>
> *Effet Vue de l'objectif -* Les libellés sont différents selon que l'on se trouve
> dans la fenêtre de **Configuration** ou dans la palette Effets. Par exemple
> on trouve Rouleau dans un cas et Enroulement dans l'autre, de même
> que le facteur de Zoom est à 2,32 d'un côté et est indiqué à 23 dans
> l'autre.

16. Vous allez placer un troisième point-clé. Dans notre exemple,
l'élément *Boîte_CD* a une longueur de 5 secondes. Nous avons placé
l'image-clé une seconde avant le point de sortie. Positionnez le
curseur à environ 1 seconde du point de sortie de votre élément.

17. Dans la palette *Effets*, modifiez les paramètres de l'effet **Vue de l'objectif**. Ils doivent être absolument identiques à ceux de l'image-clé placée en fin d'élément.

18. Appliquez à l'élément *Boîte_CD* une transparence de type *Cache Blanc Alpha*.

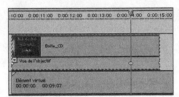

Figure 8-59 :
Placez les images-clés sur
l'élément Boîte_CD

19. Tapez [Ctrl]+[Y] pour ouvrir la fenêtre **Trajectoire** de l'élément. Placez vous en *Fin* de trajectoire. Cliquez sur le bouton **Centrer**. Placez vous en *Début* de trajectoire, cliquez sur **Centrer** et passez le *Zoom* à 0.

20. Cliquez au-dessus de la bande de *Durée* et placez un point-clé à 50 %. Passez le *Zoom* à 80 %. Cliquez sur OK.

21. Prévisualisez, puis enregistrez.

Figure 8-60 :
Prévisualisez l'effet

22. Dans la palette des effets **Vidéo**, ouvrez le dossier *Perspective* et sélectionnez l'effet **Ombre portée**. Glissez-le sur l'élément *Boîte_CD*. Orientez l'ombre et arrangez les paramètres selon votre goût.

Figure 8-61 :
Ajoutez une ombre à la
pochette CD

23. Dupliquez l'élément *Boîte_CD* et placez-le à droite, plus loin sur la même piste. Ramenez sa longueur à 1 seconde.

24. Dans la fenêtre **Montage**, cliquez sur la flèche triangulaire qui précède le nom *Vidéo 3* pour afficher la piste de réglage des images-clés et de l'opacité.

Figure 8-62 :
Affichez les images-clés

25. Sélectionnez, dans le petit menu déroulant de l'élément, l'effet **Vue de l'objectif**.

Figure 8-63 :
Sélectionnez l'effet Vue de l'objectif

Cliquez sur le bouton **Afficher les images-clés**. À l'aide du navigateur placé à gauche du bouton, placez le curseur sur la deuxième image-clé.

26. Décochez la case pour supprimer l'image-clé.

27. Dans la palette *Effets*, paramétrez les deux images-clés restantes comme suit :

- *Longitude* = 360
- *Latitude* = 0
- *Enroulement* = 330
- *Distance focale* = 500
- *Distance* = 1
- *Zoom* = 23

28. Enregistrez le projet.

29. Vous allez créer un effet de reflet sur la boîte de CD. Dans Photoshop, créez un fichier aux mêmes dimensions que *Boîte_CD.psd*. Appliquez-lui des rayures blanches et noires.

30. Enregistrez-le au format TGA.

Figure 8-64 :
Le fichier Reflet_CD.tga

31. Importez *Reflet_CD* dans le projet Premiere et placez-en une occurrence au-dessus de la copie de l'élément *Boîte_CD*.

32. Appliquez-lui une transparence de type *Filtre*. Réglez la découpe entre 25 et 35.

33. Dans la vignette *Echantillon*, déplacez les poignées du Cache de transparence pour que le reflet ne soit visible que sur la boîte de CD.

Figure 8-65 :
Appliquez une Transparence Filtre et créez un
Cache de transparence

8

34. Tapez [Ctrl]+[Y]. Inversez les positions de *Début* et de *Fin* de trajectoire. Dans la vignette *Zone visible*, *Début* doit être à droite et *Fin* à gauche.

35. Appliquez au *Début* et à la *Fin* une *Rotation* de 15°. Nous avons ensuite placé *N°0* (*Début*) en 53,0 et *N°1* (*Fin*) en - 23,0

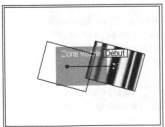

Figure 8-66 :
Appliquez une Trajectoire
au reflet (ici le Début)

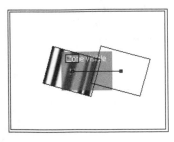

Figure 8-67 :
Appliquez une trajectoire
au reflet(ici la Fin)

36. Cliquez sur OK, puis prévisualisez l'animation. Tapez [M] et créez un élément virtuel de 1 seconde avec la copie de l'élément *Boîte_CD* et *Reflet_CD*.

Figure 8-68 :
Créez un élément virtuel
de l'animation

37. Placez l'élément virtuel sur la piste *Vidéo 3*, à côté de l'élément *Boîte_CD* original.

38. Glissez une occurrence de l'élément *Titre_CD* sur la piste *Vidéo 3*, à côté de l'élément virtuel. Ajustez son point de sortie sur celui du premier élément virtuel.

Figure 8-69 : Incorporez Titre_CD

39. Positionnez le curseur au début de l'élément. Dans la palette d'effets **Vidéo**, ouvrez le dossier *Perspective* et choisissez l'effet *3D simple*. Glissez-le sur l'élément *Titre_CD*. Dans la palette *Effets*, ajoutez une image-clé au point d'entrée de l'élément. Conservez les paramètres par défaut (tout à 0).

40. L'élément toujours sélectionné, tapez ⌷ au clavier pour atteindre le point de sortie. Dans la palette *Effets*, passez la *Rotation verticale* à 360°.

41. Appliquez une transparence de type *Alpha* à *Titre_CD*. Tapez Ctrl+Y et paramétrez la trajectoire. Sélectionnez le *Début* de trajectoire. Cliquez sur le bouton **Centrer** et passez le *Zoom* à 0. Sélectionnez la *Fin* de trajectoire, cliquez sur le bouton **Centrer** et passez le *Zoom* à 100. Cliquez sur OK.

Figure 8-70 :
L'animation de Titre_CD

42. Dernière touche à votre animation : sélectionnez le clip de fond et placez un point-clé d'opacité un peu avant l'apparition de *Titre_CD*. Positionnez-vous en fin d'élément et configurez l'opacité à 0.

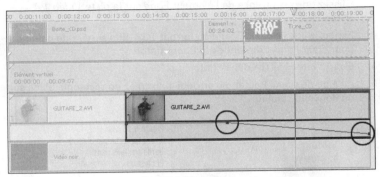

Figure 8-71 : Réglez les paramètres d'opacité du clip de fond

43. Prévisualisez, puis faites un Rendu avant d'enregistrer le projet.

8.4 Effet Holgado

Les amateurs d'Amélie Poulain seront ravis. Il s'agit ni plus ni moins que de réitérer l'effet dans lequel le sympathique Ticky Holgado parle à ses sosies dans un Photomaton. C'est en quelque sorte pour lui rendre hommage que nous avons nommé cet effet, "l'effet Holgado".

Figure 8-72 : Un destin fabuleux !

1. Créez un nouveau projet *Holgado* dans Premiere.

2. Importez l'élément qui servira de fond, ainsi que les quatre clips destinés à illustrer la *Photomaton*.

3. Glissez une occurrence de l'élément *Fond* sur la piste *Vidéo 1 A*. Enregistrez le projet.

4. Exportez une image du fond au format TGA. Elle servira de gabarit pour créer l'encadrement de la *Photomaton*.

5. Ouvrez l'image TGA dans Photoshop.

6. À l'aide de l'outil **Rectangle arrondi** (U), créez un rectangle blanc sur un nouveau calque.

Figure 8-73 :
Créez un rectangle blanc à bords arrondis dans Photoshop

7. Ajoutez un deuxième calque. Dessinez quatre rectangles noirs, qui serviront de guide au placement des quatre photos.

Figure 8-74 :
Dessinez les cadres

8. Fusionnez les deux calques en un seul, et faites-le pivoter. Ajoutez-lui éventuellement une ombre portée très diffuse.

Figure 8-75 :
La base de la Photomaton
est presque terminée

8

9. Nous avons créé un morceau de ruban adhésif sur un nouveau calque en dessinant la forme avec le **Lasso** (L), puis en lui ajoutant une couleur chair sale, une texture légère et une ombre portée. L'opacité à été réduite à 60 % pour donner une transparence.

10. Fusionnez le calque de l'adhésif avec celui de la *Photomaton*.

Figure 8-76 :
Un morceau d'adhésif et le
tour est joué

11. Supprimez l'image de fond (l'écran, dans notre exemple).

Figure 8-77 :
La Photomaton terminée

12. Créez une couche *Alpha* en prenant soin de conserver l'ombre portée, et enregistrez le fichier au format TGA 32 bits (*Photomaton.tga*).

Figure 8-78 :
Le canal Alpha de l'image
Photomaton

13. Importez *Photomaton.tga* dans le projet Premiere.

14. Ajoutez quatre pistes vidéo supplémentaires.

15. Placez une occurrence de *Photomaton.tga* sur la piste *Vidéo 6*. Ajustez sa longueur à celle de l'élément de fond de la piste *Vidéo 1A*. Appliquez lui une transparence de type *Alpha*. Cochez la case *Inverser*. Cliquez sur OK.

16. Placez les quatre éléments qui serviront à remplir les cases de la *Photomaton* sur les pistes *Vidéo 2*, *Vidéo 3*, *Vidéo 4* et *Vidéo 5* dans l'ordre suivant :

Disposition des éléments sur les pistes en fonction des cases de l'élément Photomaton	
Vidéo 4 : case supérieure gauche	Vidéo 5 : case supérieure droite
Vidéo 2 : case inférieure gauche	Vidéo 3 : case inférieure droite

17. Ajustez leur longueur à celle de l'élément de fond.

18. Sélectionnez l'élément de la piste *Vidéo 2* et appliquez-lui une transparence de type *Alpha*.

19. Tapez [Ctrl]+[Y] pour ouvrir sa fenêtre de trajectoire. Le *Début* et la *Fin* de trajectoire seront identiques.

20. Nous lui avons appliqué un *Zoom* de 20 % et une *Rotation* de 15°. Déplacez ensuite l'élément de manière qu'il s'intègre à la bonne place. Cliquez sur OK une fois le paramétrage terminé.

Figure 8-79 :
Ajustez l'élément dans la
fenêtre Trajectoire

8

21. Faites un copier de l'élément et cliquez sur l'élément suivant, sur la piste *Vidéo 3*. Collez les attributs sur cet élément. Dans la fenêtre qui s'ouvre, sélectionnez *Attributs* et ne laissez cochés que *Trajectoire* et *Transparence*. Cliquez sur **Coller**.

22. Sélectionnez chacun des deux autres clips (pistes *Vidéo 4* et *Vidéo 5*). Faites un clic droit avec la souris et choisissez **Répéter Coller les attributs**.

23. Ouvrez les Trajectoires des éléments placés sur les pistes *Vidéo 3*, *Vidéo 4* et *Vidéo 5*, et modifiez leurs positions. Faites en sorte qu'ils soient placés correctement.

    Un problème apparaît alors. En effet, vos clips ont un format rectangulaire horizontal, alors que les cases des *Photomatons* sont rectangulaires mais dans le sens de la hauteur, ce qui fait que deux de vos clips dépassent de l'image *Photomaton.tga*.

Figure 8-80 :
Problème d'ajustage

24. Sélectionnez l'élément de la piste *Vidéo 3*. Tapez [Ctrl]+[G]. Rendez vous dans la vue *Echantillon* et modifiez les poignées du *Cache de transparence* (*Garbage Matte*) pour ajuster l'élément.

Figure 8-81 :
Créez un Garbage Matte pour ajuster l'élément

25. Faites de même avec l'élément de la piste *Vidéo 5*.

26. Prévisualisez l'animation, faites un Rendu et enregistrez.

Figure 8-82 :
Les éléments correctement calés

27. Afin de compléter la panoplie, vous allez appliquer un dernier effet sur les quatre éléments de la *Photomaton*. Dans la palette des effets **Vidéo**, ouvrez le dossier *Image* et cliquez sur l'effet **Noir & Blanc**. Faites-le glisser sur chacun des éléments.

Figure 8-83 :
Photomaton en noir et blanc

28. Prévisualisez l'animation, faites un Rendu et enregistrez.

8.5 Variante

Vous pouvez utiliser une autre méthode, plus souple, qui consiste à créer un Masque pour chaque élément de la *Photomaton*.

1. Tapez [F9] pour ouvrir une nouvelle fenêtre **Titre**.
2. Tapez [R] deux fois pour sélectionner l'outil **Rectangle arrondi plein**.

> **Remarque**
>
> *Création du Masque - Vous pouvez aussi créer le cache dans Photoshop ou Illustrator si vous désirez des dimensions précises.*

3. Mettez la couleur de l'objet à noir et tapez [W] pour avoir un fond blanc (transparent).
4. Tracez le rectangle et positionnez-le au milieu de la fenêtre **Titre**.
5. Enregistrez le Masque (*Holgado_Mask*).

Figure 8-84 :
Créez un masque dans la fenêtre Titre

6. Glissez une occurrence de l'élément qui devra figurer dans les cases de la *Photomaton* (appelons-le Case_1_Photomaton) sur la piste *Vidéo 1A*. (Sa longueur devra correspondre à celle de l'élément de fond, comme précédemment.)
7. Glissez l'élément *Holgado_Mask* sur la piste *Vidéo 2*. Ajustez sa longueur. Appliquez-lui une Transparence de type *Alpha*. Cochez *Inverser*. Cliquez sur OK.

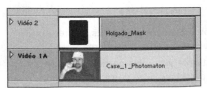

Figure 8-85 :
Placez les éléments sur les pistes

Astuce

À propos du Masque - Étant donné que le Masque est en noir et blanc, vous pouvez l'utiliser de plusieurs façons. En plaçant les éléments sur des pistes autres que Vidéo 1A, vous pouvez appliquer à l'élément, appelons-le Case_Photomaton, *une transparence de type Piste cache ou Image cache, en choisissant le Masque comme Cache de piste ou comme Image cache. Il suffira ensuite de choisir la bonne transparence pour l'élément virtuel résultant.*

8. Sélectionnez l'élément de la piste *Vidéo 1A* et tapez Ctrl+Y. Dans la fenêtre **Trajectoire**, ajustez les paramètres de manière à cadrer correctement l'élément à l'intérieur du Masque. Les valeurs de *Début* (*N°0*) et de *Fin* (*N°1*) de trajectoire doivent être identiques. Voici celles de notre exemple :

   ■ *Infos N°0* en 5,0 et *Zoom* 80 %.

   ■ *Infos N°1* en 5,0 et *Zoom* 80 %.

   Dans la rubrique *Alpha*, cochez *Nouveau*. Choisissez un *Fond* de couleur blanc.

Figure 8-86 :
L'élément
Case_1_Photomaton calé à
l'intérieur du Masque

9. Tapez M pour sélectionner l'outil **Sélection de blocs**, et créez un élément virtuel à partir des deux éléments précédents.

10. Créez ensuite trois autres éléments virtuels à partir des éléments *Case_1_Photomaton* et *Holgado_Mask*. Si le cœur vous en dit, remplacez *Case_1_Photomaton* par trois autres clips pour les trois éléments virtuels.

   Vérifiez que vous avez bien six pistes vidéo.

11. Placez les quatre éléments virtuels sur les pistes *Vidéo 3*, *Vidéo 4*, *Vidéo 5* et *Vidéo 6*. Appliquez-leur à chacun une transparence de type *Cache Blanc Alpha*.

12. Vous devez aussi attribuer à chacun une trajectoire. Chaque trajectoire aura ses paramètres de *Début* et de *Fin* identiques. Voici ceux que nous avons employés pour l'élément virtuel *N°1* :

   ■ *Infos N°0* en 12,- 1 ; *Rotation* = 12° ; *Zoom* = 26.

   ■ *Infos N°1* en 12,- 1 ; *Rotation* = 12° ; *Zoom* = 26.

   Dans la rubrique *Alpha*, cochez *De l'élément*.

13. Placez l'image *Photomaton.tga* sur la piste *Vidéo 2* et l'élément de fond sur la piste *Vidéo 1A*. Appliquez une transparence de type *Alpha* à *Photomaton.tga*. Cochez la case *Inverser*.

Figure 8-87 :
L'élément virtuel calé avec
une trajectoire

Vous le voyez : nous avons placé les éléments des cases par-dessus l'image *Photomaton.tga*. Dans ce cas, il n'est pas utile que les cases soient définies dans le canal Alpha.

14. Vérifiez le bon alignement des quatre éléments virtuels par rapport à *Photomaton.tga*. Appliquez-leur éventuellement un filtre *Noir & Blanc*, ou donnez-leur une couleur sépia pour changer.

 Astuce

Trajectoire - Comme vous avez dû le constater, il n'est pas possible de copier les attributs d'un élément virtuel. Pour éviter de nombreuses manipulations avec les trajectoires, enregistrez la trajectoire du premier élément virtuel, chargez-la ensuite pour chaque autre élément virtuel et modifiez les positions X et Y de Début et de Fin de trajectoire et éventuellement les Rotations.

Figure 8-88 :
Animation couleur sépia

15. Faites un Rendu et enregistrez le projet.

Chapitre 9

Effets Premiere et QuickTime

9.1 Effets Adobe Premiere

L'utilisation de quelques filtres associés à Photoshop permet la réalisation d'effets atmosphériques ou d'effets plus fracassants, comme une vitre brisée.

Pluie

Figure 9-1 :
Pluie d'enfer

Paramètres		
Pistes	**Éléments**	**Transparence/Effets**
Vidéo 2	Vidéo noir	Luminance/Bruit + Flou directionnel
Vidéo 1A	Élément 1	

1. Créez un projet *Pluie* dans Premiere.
2. Créez un Cache couleur noir ou une Vidéo noir.
3. Importez le clip qui subira l'effet. Choisissez une image sombre, sans soleil.
4. Glissez une occurrence de l'élément devant servir de fond sur la piste *Vidéo 1A*.
5. Glissez le cache noir ou l'élément *Vidéo noir* sur la piste *Vidéo 2*. Ajustez la longueur des deux éléments superposés.
6. Dans la palette d'effets **Vidéo**, ouvrez le dossier *Esthétiques*. Sélectionnez le filtre *Bruit* et déposez-le sur l'élément de la piste *Vidéo 2*.

Figure 9-2 :
Ajoutez un filtre Bruit

7. Dans la palette *Effets*, réglez la *Quantité* de bruit à 80%. Décochez les cases *Type* et *Ecrêtage*.

8. Appliquez une transparence de type *Luminance* à l'élément *Vidéo noir*.

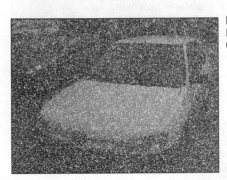

Figure 9-3 :
Le bruit par-dessus l'image de fond

9

Laissez *Découpe* à 0 et *Seuil* à 100. Cliquez sur OK.

9. Dans la palette des effets **Vidéo**, ouvrez le dossier *Flou*. Choisissez le filtre *Flou directionnel* et appliquez-le sur l'élément vidéo noir.

10. Réglez l'*Angle* à 8,9° et la *Distance* à 6,9°.

11. Prévisualisez, puis faites un Rendu et enregistrez le projet.

Neige

Figure 9-4 :
Tombe la neige

En utilisant le même principe que précédemment, vous pouvez simuler une chute de neige.

Paramètres		
Pistes	**Éléments**	**Transparence/Effets**
Vidéo 2	Vidéo noir	Luminance/Bruit + Niveaux + Flou gaussien + Luminosité
Vidéo 1A	Élément 1	

1. Créez un projet *Neige_1* dans Premiere.

2. Créez un Cache couleur noir ou une Vidéo noir.

3. Importez le clip qui subira l'effet. Choisissez encore une image assez sombre.

4. Glissez une occurrence de l'élément devant servir de fond sur la piste *Vidéo 1A*.

5. Glissez le cache noir ou l'élément *Vidéo noir* sur la piste *Vidéo 2*. Ajustez la longueur des deux éléments superposés.

6. Dans la palette d'effets **Vidéo**, ouvrez le dossier *Esthétiques*. Sélectionnez le filtre *Bruit* et déposez-le sur l'élément de la piste *Vidéo 2*.

Figure 9-5 :
Ajoutez un filtre Bruit

7. Dans la palette *Effets*, réglez la *Quantité* de bruit à 100 %. Décochez les cases *Type* et *Ecrêtage*.

8. Appliquez une transparence de type *Filtre* à l'élément *Vidéo noir*.

Figure 9-6 :
Le bruit par-dessus l'image de fond

Laissez *Découpe* à 100. Cliquez sur OK.

9. Dans la palette des effets **Vidéo**, ouvrez le dossier *Flou*. Choisissez le filtre *Flou gaussien* et appliquez-le sur l'élément *Vidéo noir*.

10. Réglez l'*Intensité* à 0,2. Dans la liste déroulante *Dimension*, choisissez *Horizontal et Vertical*.

11. Dans la palette des effets **Vidéo**, ouvrez le dossier *Ajuster*. Choisissez le filtre *Niveaux* et appliquez-le sur l'élément *Vidéo noir*.

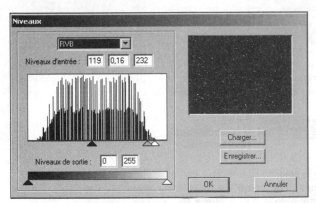

Figure 9-7 : Ajoutez un filtre Niveaux

Réglez les niveaux de manière à diminuer le bruit dans l'image.

12. Prévisualisez le résultat.

Figure 9-8 :
Les premiers flocons

13. Faites un Rendu et enregistrez le projet.

Les flocons vous semblent un peu petits ? Vous pouvez y remédier en intervertissant les filtres *Niveaux* et *Flou gaussien*. Enregistrez votre projet sous Neige_2.

14. Dans la palette *Effets*, sélectionnez l'effet **Niveaux** et cliquez à gauche du "f" gras italique minuscule signifiant qu'un effet est appliqué.

Figure 9-9 :
Sélectionnez l'effet Niveaux

15. Un rectangle noir fin encadre l'effet, et le curseur de la souris prend l'apparence d'une double flèche blanche.

Figure 9-10 :
Le curseur de la souris prend la forme d'une
double flèche blanche

16. Déplacez la sélection au-dessus de l'effet **Flou gaussien**. Relâchez la souris seulement lorsqu'une barre horizontale noire apparaît dans le cadre rectangulaire noir. L'effet a été déplacé.

Figure 9-11 :
Le curseur de la souris prend la forme d'une
double flèche blanche

Puisque nous sommes dans les effets, allons jeter un œil sur les options dont nous disposons.

17. Cliquez sur la petite flèche triangulaire noire en haut à droite de la palette *Effets* pour développer le menu.

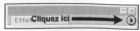

Figure 9-12 :
Cliquez sur la flèche pour accéder aux options
de la palette Effets

18. Si votre machine est suffisamment puissante, choisissez la commande **Prévisualiser lors de l'ajustement** afin de voir les modifications que vous effectuez en temps réel et **Qualité Optimale**.

19. L'effet **Niveaux** déplacé, modifiez l'*Intensité* du *Flou gaussien*, par petites touches, par exemple 1,2.

20. Dans le dossier *Ajuster* de la palette *Effets* choisissez *Luminosité/Contraste* et ajoutez-le aux autres filtres. Augmentez la *Luminosité* (32,2 dans notre exemple) et le *Contraste* (70,2).

21. Toujours dans le dossier *Ajuster*, sélectionnez *Convolution* et appliquez-le. Cliquez sur *Configuration* et sur le bouton surmonté d'une flèche noire entre *Matrice* et la vue *Echantillon*. Choisissez la commande **Plus flou** et cliquez sur OK.

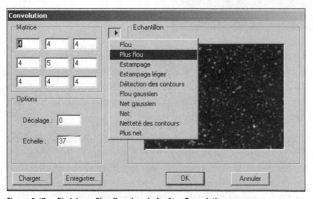

Figure 9-13 : Choisissez Plus flou dans la fenêtre Convolution

22. Dans le dossier *Flou* de la palette *Effets*, choisissez *Défaut de mise au point* et appliquez-le à l'élément *Vidéo noir*. Réglez le *Facteur de flou* à environ 25.

23. Six filtres ont été appliqués. Il ne vous reste plus qu'à prévisualiser et à peaufiner les réglages.

Figure 9-14 :
Les filtres appliqués

Vous devriez obtenir des flocons plus gros et plus diffus. En agissant sur les réglages des différents effets, vous pouvez modifier le flou et la grosseur des flocons.

Figure 9-15 :
Les flocons sont plus gros

Ce n'est certes pas la seule façon de créer un effet de neige (ou de pluie). Certains plug-ins, comme FE Rain et FE Snow vous permettent d'y arriver, en offrant des réglages tels que la quantité de flocons, la taille des flocons, la fréquence, etc. Ces mêmes réglages sont disponibles pour l'effet **Pluie**.

Rappelez-vous aussi que la vitesse de chute des flocons ou de la pluie est conditionnée par la longueur de l'élément *Vidéo noir* sur lequel vous l'appliquez. Plus cet élément sera court et plus la chute sera rapide. Nous vous conseillons, pour ralentir cette vitesse, de la modifier plutôt que de rallonger l'élément en tirant son point de sortie.

1. Faites un clic droit avec la souris sur l'élément concerné.
2. Choisissez *Vitesse* dans le menu contextuel.
3. Dans la fenêtre **Vitesse**, cochez *Nouvelle fréquence* et modifiez-la. Elle est de 100 % par défaut. En diminuant ce pourcentage, vous rallongez le clip et ralentissez la vitesse, et inversement.

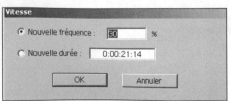

Figure 9-16 :
La fenêtre Vitesse

Brume et brouillard

Figure 9-17 :
Effet de brume

9

Il est facile, en utilisant le projet précédent, de réaliser un effet de brume ou de brouillard.

1. Reprenez le projet *Neige_1*.
2. Intervertissez les filtres *Niveaux* et *Flou gaussien*. Les filtres doivent être appliqués dans l'ordre suivant : *Bruit, Niveaux, Flou gaussien*.
3. Passez la quantité de *Bruit* à 40 % et l'*Intensité* de *Flou gaussien* à 22.
4. Visualisez l'effet. Modifiez considérablement la vitesse de l'élément pour obtenir un effet assez lent, sinon votre brouillard risque de "papillonner" à l'écran, ce qui n'est pas vraiment le but recherché. Si cela ne convient toujours pas, baissez la quantité de *Bruit*.

Briser la glace (effet de miroir brisé)

C'est un effet très simple à réaliser, et avec peu de moyens.

Figure 9-18 :
7 ans de malheur

1. Créez un projet *Miroir* dans Premiere.
2. Importez deux clips, un qui servira de fond (*Fond*), l'autre qui subira l'effet (*Glass*).
3. Glissez une occurrence de l'élément *Glass* sur la piste *Vidéo 1A*. Donnez-lui une longueur de 1 seconde.

4. Dupliquez cet élément et copiez-le quatre fois sur la même piste, sans que les différents éléments se touchent. Laissez une demi-seconde d'écart entre chaque.

5. Ouvrez Photoshop et créez un nouveau fichier aux dimensions du projet Premiere.

6. Tracez cinq portions à l'aide de l'outil **Crayon** ou de l'outil **Pinceau** ([B]).

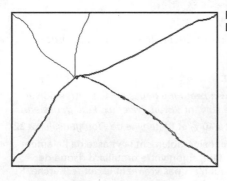

Figure 9-19 :
Délimitez 5 portions

7. Ajoutez cinq calques au fichier.

8. À l'aide de la **Baguette magique** ([W]), sélectionnez une des portions. Tapez [D] pour que les couleurs par défaut soient le blanc et le noir. Remplissez la portion de blanc. Inversez la sélection ([Ctrl]+[Maj]+[I]) et remplissez de noir.

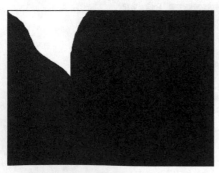

Figure 9-20 :
Le premier calque avec sa sélection blanc sur fond noir

9. Enregistrez le fichier sous le nom Broken_Glass_1.tga.

10. Positionnez vous dans le second calque, sélectionnez une deuxième portion et remplissez-la de blanc sur fond noir puis enregistrez. Agissez de même pour créer les trois autres masques.

11. Vous devez avoir cinq fichiers TGA au total, *Broken_Glass_1* à *5*.

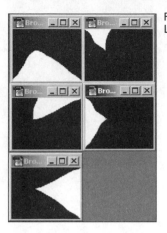

Figure 9-21 :
Les 5 fichiers Broken_Glass

12. Importez les cinq fichiers dans le projet Premiere. Ils serviront de masque pour créer l'effet.

13. Glissez une occurrence de *Broken_Glass_1* sur la piste *Vidéo 2*, au-dessus de l'élément *Glass*. Ajustez sa longueur à 1 seconde.

Figure 9-22 :
Placez le premier masque

14. Sélectionnez l'élément de la piste *Vidéo 2* et tapez Ctrl+G. Appliquez-lui une transparence de type *Alpha*.

15. Dans la palette *Effets*, ouvrez le dossier *Esthétiques* et choisissez l'effet **Estampage**. Appliquez-le sur *Broken_Glass_1*. Réglez l'*Angle*, la *Hauteur* ainsi que le *Contraste* à votre convenance. Laissez *Part de l'original* à 0 %.

16. Dans le dossier *Perspective* de la palette *Effets*, sélectionnez **Ombre portée** et appliquez-le au même élément. Réglez les paramètres à votre convenance, ainsi que la couleur de l'ombre (voir fig. 9-23).

17. Cliquez sur l'élément *Broken_Glass_1* et tapez Ctrl+C pour faire un copier.

18. Glissez les éléments *Broken_Glass_2* à 5 sur la piste *Vidéo 2*, en les calant sur les copies de l'élément *Glass* (voir fig. 9-24).

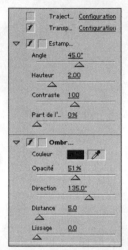

Figure 9-23 :
Appliquez les effets Estampage et Ombre portée

Figure 9-24 : Les masques posés sur la piste Vidéo 2

19. Cliquez sur l'élément *Broken_Glass_2* et faites un clic droit de la souris. Choisissez **Coller les attributs**. Dans la fenêtre **Coller les attributs**, cliquez sur *Attributs* et laissez cochés *Transparence* et *Filtres*. Faites un clic droit sur chacun des autres éléments *Broken_Glass* et choisissez **Répéter Coller les attributs**.

20. Glissez une occurrence de l'élément *Fond* sur la piste *Vidéo 1A*. Donnez-lui une longueur de 1 seconde.

21. Ajoutez quatre pistes vidéo supplémentaires.

22. Tapez [M] pour activer l'outil **Sélection de blocs** nécessaire à la création d'éléments virtuels.

23. Créez un premier élément virtuel (*EV 1*) avec l'élément *Glass* et l'élément *Broken_Glass_1*. Placez-le au-dessus de l'élément *Fond* sur la piste *Vidéo 2*.

24. Créez quatre autres éléments virtuels avec les autres éléments *Glass* et *Broken_Glass*, que vous placerez les uns au-dessus des autres sur les pistes *Vidéo 3* à *6*.

Figure 9-25 :
Créez 5 éléments virtuels et placez-les
au-dessus de l'élément Fond

9

25. Sélectionnez chaque élément virtuel. Appliquez-lui un effet **3D simple** ainsi qu'une trajectoire.

26. Sélectionnez *EV 1* et tapez Ctrl+Y. Placez vous en *Début* de trajectoire et cliquez sur le bouton **Centrer**. Procédez de même pour la *Fin* de trajectoire. Sous la rubrique *Alpha*, cochez *De l'élément*. Notre morceau de vitre brisée doit sortir par le coin supérieur gauche de l'écran. Créez une image-clé à l'instant 50 % de la ligne de *Durée*. Paramétrez les *Infos* de *N°1* en - 26,- 23 (pour notre exemple en 320 x 240). Sélectionnez la *Fin* de trajectoire et paramétrez *N°2* en - 53,- 39.

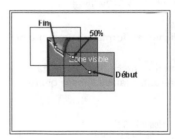

Figure 9-26 :
La trajectoire de EV 1

27. Cliquez sur OK

28. Placez-vous au début de *EV 1* et posez une image-clé dans la palette *Effets*, au niveau de l'effet **3D simple**. Situez-vous en fin d'élément et passez la *Rotation horizontale* à - 360°, par exemple.

29. Prévisualisez l'effet.

30. Modifiez chaque trajectoire et chaque effet **3D simple** en fonction de la dynamique que vous voulez appliquer aux éléments virtuels 2 à 5.

31. Vous n'êtes pas obligé d'appliquer l'effet **3D simple**. Vous pouvez également utiliser le *Zoom* et la *Rotation* dans les fenêtres **Trajectoire**. À vous de trouver le juste réglage qui correspond à l'effet que vous voulez donner. Si vous modifier les rotations de l'effet **3D simple**, faites bien attention d'observer dans quel sens

vous voulez que l'objet tourne. N'hésitez pas à recourir à des pourcentages négatifs.

32. Faites un Rendu et enregistrez le projet.

Brouillage Canal+

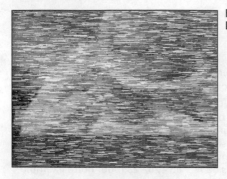

Figure 9-27 :
Besoin d'un décodeur ?

1. Créez un nouveau projet *Brouillage* dans Premiere.

2. Importez le clip sur lequel vous appliquerez le brouillage.

3. Créez un élément *Vidéo noir*.

4. Dans Photoshop, créez un nouveau fichier au format de votre projet Premiere.

5. Remplissez le fond de blanc. Sélectionnez une couleur Magenta (255,0,255) et tracez des lignes de différentes tailles dans le quart inférieur de l'image.

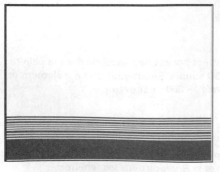

Figure 9-28 :
Le fichier Photoshop

6. Enregistrez ce fichier (*Lignes_Mag*) au format TGA. Il servira à créer la déformation rose magenta qui apparaît au bas de l'écran lorsque

l'émission n'est pas décodée (du moins c'est ce que nous avons observé sur notre téléviseur).

7. Importez le fichier *Lignes_Mag.tga* dans Premiere.

8. Glissez une occurrence de l'élément *Fond* sur la piste *Vidéo 1 A*.

9. Ajoutez deux pistes vidéo supplémentaires.

10. Placez l'élément *Lignes_Mag* sur la piste *Vidéo 2*, au-dessus de l'élément *Fond*. Ajustez les points de sortie pour qu'ils aient tous deux la même longueur.

11. Appliquez à l'élément *Lignes_Mag* une transparence de type *Multiplication*. Laissez la *Découpe* sur 100. Cliquez sur OK.

12. Dans la palette effets **Vidéo**, ouvrez le dossier *Esthétiques* et sélectionnez **Soufflerie**. Appliquez cet effet à l'élément *Fond*. Cliquez sur *Configuration* dans la palette *Effets*.

13. Dans la fenêtre **Soufflerie**, cliquez sur *Rafale* comme *Méthode* et sur *Par la gauche* pour la *Direction*. Cliquez sur OK.

14. Effectuez une prévisualisation.

Figure 9-29 :
Après application de la transparence et du filtre Soufflerie

L'effet commence à prendre tournure.

15. Glissez une occurrence de l'élément *Vidéo noir* sur la piste *Vidéo 3*. Ajustez-la aux deux précédents éléments. Appliquez-lui un effet **Bruit**. Mettez la *Quantité* à 100 % et décochez *Type* et *Ecrêtage*. Appliquez-lui ensuite un effet **Soufflerie**, que vous paramétrerez en *Méthode* : *Rafale* et *Direction* : *Par la gauche*.

16. Ajoutez un dernier effet **Niveaux**. Dans la fenêtre **Niveaux** déplacez les curseurs des *Niveaux d'entrée* vers la droite, de manière à rendre le parasitage bien visible.

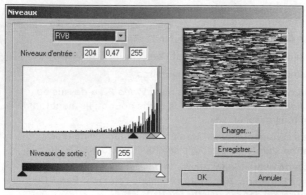

Figure 9-30 : Application du filtre Niveaux

L'effet est presque achevé. Appliquez une transparence de type *Filtre* à l'élément de la piste *Vidéo 3*.

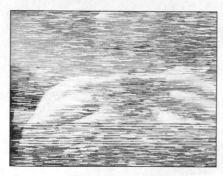

Figure 9-31 :
Le brouillage est déjà plus convaincant

17. Dupliquez l'élément précédent et placez-le sur la piste *Vidéo 4*, au-dessus des autres. Tapez [Ctrl]+[G] et choisissez *Multiplication* comme *Type d'incrustation*. Passez la *Découpe* à 31. Cliquez sur OK.

Figure 9-32 :
Les différents éléments sur les pistes

18. Prévisualisez, faites un Rendu et enregistrez le projet.

9.2 Une nouveauté, l'effet Eclair

Directement issu d'After Effects, l'effet **Eclair**, comme son nom l'indique, permet de simuler la frappe d'un éclair, avec toutes les déclinaisons possibles.

Figure 9-33 :
Effet Eclair

9

Vous pouvez utiliser l'effet **Eclair** directement sur l'élément vidéo ou bien sur un fond noir avec une transparence. Vous le trouverez dans le dossier Rendu des effets Vidéo.

Cochez la case *Activer les images clés* et commencez à modifier les paramètres.

1. Placez l'effet **Eclair** sur votre élément. Ses paramètres s'affichent dans la palette **Effets**.

2. Cochez la case *Activer les images clés* et commencez à modifier les paramètres.

3. Nous avons fait en sorte que l'éclair démarre en haut à droite, au début du clip. Les *Points de départ et d'impact* doivent avoir les mêmes coordonnées. Cliquez sur le texte souligné pour ouvrir la boîte de saisie correspondante. Vous pouvez placer vous-même ces points en cliquant sur les boutons en forme de mire puis dans la fenêtre **Moniteur** mais dans ce cas là, les coordonnées ne seront pas suffisamment précises.

Figure 9-34 :
Modifications des Points de départ et d'impact sur la première image-clé

4. Allez un peu plus loin dans le clip et modifiez les paramètres du *Point d'impact*, de manière à ce qu'il touche un objet.

5. Créez une autre image-clé, plus loin encore, de façon à ce que le *Point de départ* soit situé à mi-chemin du trajet de l'éclair.

6. Faites coïncider le *Point de départ* avec le *Point d'impact*.

7. Vous pouvez modifier l'épaisseur, la couleur et pleins d'autres choses sur votre éclair.

8. Faites une prévisualisation puis un rendu. Attention, cet effet est relativement gourmand en ressources, surtout sur du format PAL.

Figure 9-35 :
La foudre en 4 étapes

9.3 Les effets et transitions QuickTime

Le format QuickTime a été développé par Apple. Multiplateforme, il en est à sa version 5. Premiere propose toute une série d'effets et de transitions. Si ces dernières fonctionnent avec les fichiers QuickTime (*.mov*) et Vidéo for Windows (*.avi*), il n'en va pas de même avec les effets qui sembleraient ne pouvoir être appliqués qu'avec des projets au format QuickTime. Les appliquer sur des fichiers AVI dans un projet non QuickTime provoque un plantage de la machine (du moins sous Windows).

 Remarque

Mauvais fonctionnement - Le mauvais fonctionnement des effets QuickTime avec des AVI est à mettre au conditionnel. Il résulte de constatations propres et de remarques plusieurs fois réitérées dans les forums.

Conseil

Enregistrez au format QuickTime - Vous pouvez toujours ouvrir une
Préconfiguration QuickTime pour y importer vos clips, leur appliquer les
effets et transitions QuickTime et les exporter par la suite au format
*QuickTime (.mov) afin de les ouvrir dans une **Préconfiguration non***
***QuickTime**. Faites en sorte, cependant, que les dimensions, les vitesses et*
les résolutions correspondent. Comme stipulé ci-après, vous pouvez
quand même utiliser un projet QuickTime personnalisé, c'est-à-dire aux
dimensions, résolution et vitesse choisies par vous seul (pas seulement
en 320 x 240). Vérifiez également que vos Réglages d'acquisition sont au
bon format.

Feu

Figure 9-36 :
Allumez le feu !

1. Créez un Nouveau Projet *Fire* dans Premiere. Utilisez une
   Préconfiguration QuickTime.
2. Importez une vidéo dans le projet. Nous la nommerons Fire_1.
3. Glissez une occurrence de l'élément *Fire_1* sur la piste *Vidéo 1A*.
4. Créez un Cache couleur blanc et glissez-le sur la piste *Vidéo 2*, au-
   dessus de l'élément *Fire_1*. Les deux éléments doivent avoir la
   même longueur.
5. Dans la palette des effets **Vidéo**, ouvrez le dossier *QuickTime*.
   Sélectionnez le filtre *Effets QuickTime* et déposez-le sur le cache blanc.
   La fenêtre de sélection d'effets QuickTime s'ouvre aussitôt.

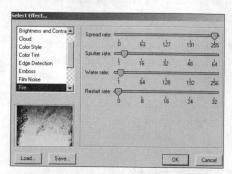

Figure 9-37 :
Sélectionnez les effets
QuickTime

6. Utilisez l'ascenseur de la liste déroulante, à gauche, pour localiser l'effet **Fire**. La partie droite
   de la fenêtre affiche les paramètres de chaque effet sélectionné.

7. Passez le *Spread Rate* à 255, le *Sputter Rate* à environ 5, le *Water Rate* à 2. Dans la fenêtre d'échantillon, à gauche, vous pouvez observer les changements survenus.

8. Vous pouvez éventuellement sauvegarder vos réglages.

9. Cliquez sur OK.

10. L'élément *Cache Blanc* toujours sélectionné, tapez Ctrl+G. Choisissez une transparence de type *Cache blanc alpha*. Cliquez sur OK.

11. Prévisualisez. Si le résultat vous satisfait, faites un Rendu enregistrez le projet.

⮞⮞ **Remarque**

*Préconfiguration QuickTime - Ce format de projet ne correspond peut-être pas à l'usage final auquel vous le destinez. En effet, la **Préconfiguration QT** propose une Base de temps à 30, un Code temporel non compensé de 30 ips, une Taille d'image de 320 x 240 à 15 ips avec une Compression de type Cinepak. Changez les paramètres du projet, en gardant un Mode d'édition QuickTime, qui vous permettra d'utiliser les Effets et Transitions QuickTime. Tenez compte cependant de la puissance de votre équipement.*

En changeant les paramètres de l'effet, vous pourrez créer des petites flammes aussi bien que des grandes. Mais c'est en changeant le type de transparence que vous obtiendrez peut-être les résultats désirés. De même que la couleur du support (cache) peut influencer l'ambiance finale. Essayez avec un cache noir et une transparence de type *Luminance*, par exemple.

Une dernière remarque : le feu QuickTime commence en bas de l'image pour se propager vers le haut et occupe toute la largeur de l'écran.

Fumée

Là aussi, il s'agit d'un effet très facile à réaliser. Le seul inconvénient étant que, comme pour tous les effets QuickTime, on ne peut placer d'images-clés. Le résultat est donc correct, mais il ne faut pas s'éterniser dessus.

Figure 9-38 :
Panne de radiateur

1. Créez un projet *Smoke* dans Premiere.

2. Importez le clip d'une voiture, par exemple.

3. Placez une occurrence de l'élément *Voiture* sur la piste *Vidéo 1A*.

4. Créez un élément *Vidéo noir* et placez-en une occurrence sur la piste *Vidéo 2*, au-dessus de l'élément *Voiture*.

5. Dans la palette des effets **Vidéo**, ouvrez le dossier *QuickTime*. Sélectionnez les *Effets QuickTime* et appliquez-les sur l'élément *Vidéo noir*.

6. La fenêtre **Select Effect** s'ouvre d'elle-même. À vous de choisir l'effet qui conviendra. Utilisez l'ascenseur de la liste déroulante, à gauche, pour localiser l'effet **Cloud**.

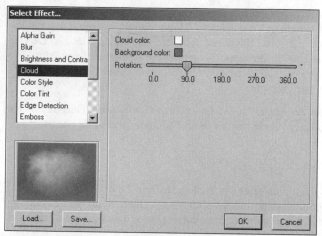

Figure 9-39 : Sélectionnez l'effet Cloud (nuage)

Chaque effet est animé dans la petite vignette, en bas à gauche. L'effet **Cloud** est livré pour créer par défaut des nuages blancs sur fond bleu ciel.

7. Cliquez sur le petit carré bleu, à droite de *Background color*. Dans le Sélecteur de couleur qui s'affiche, choisissez du noir (0,0,0). Cliquez sur OK.

8. Vous pouvez modifier la densité du nuage en faisant glisser le curseur *Rotation*. Selon le cas, faites en sorte que le nuage n'occupe pas tout l'écran. Nous avons gardé le paramètre par défaut (90). Cliquez sur OK.

9. Tapez Ctrl+G et appliquez une transparence de type *Luminance* à l'élément *Vidéo noir*. Cliquez sur OK.

Et voilà, l'effet est terminé. Comme dans le cas du brouillard, l'effet risque d'être gâché par la trop grande vitesse à laquelle il se déroule. À vous d'ajuster le pourcentage de vitesse de l'élément afin de diminuer l'accélération. Vous pouvez aussi créer un masque avec Photoshop, par exemple, afin que la fumée ne soit visible que dans certaines parties de l'image.

Histoire de fantômes (hommage à Georges Méliès)

Il aurait été dommage de parler d'effets visuels sans rendre hommage à celui qui en fut l'initiateur et certainement l'inventeur. Ce magicien, dans tous les sens du terme, a su nous émerveiller, et peut-être que le cinéma ne serait pas ce qu'il est sans lui. Bien avant l'ère numérique, son ingéniosité et son talent crevaient l'écran. La plupart des effets classiques que nous employons se retrouvent dans ses œuvres : incrustation, superposition, double exposition, tout lui était bon pour ravir son public.

Merci, Monsieur Méliès !

Piste Surimpression

Le meilleur moyen pour obtenir un fantôme est de filmer un comédien sur fond bleu (ou vert) et de procéder à une surimpression sur le décor normal. Soit en utilisant les possibilités de la piste de surimpression, soit en utilisant une transition appropriée.

Figure 9-40 :
Apparition fantomatique

1. Filmez votre personnage sur fond bleu ou vert.

2. Créez un projet *Fantôme* dans Premiere

3. Placez le clip du personnage sur la piste *Vidéo 2* et celui qui contient le décor sur la piste *Vidéo 1A*.

4. Développez la piste *Vidéo 2* pour afficher la *Piste d'étirement d'opacité*.

5. Faites glisser la barre rouge à 30 % environ.

6. Prévisualisez. Faites un Rendu et enregistrez le projet.

Transition QuickTime

Un autre moyen intéressant est d'allier la puissance d'un logiciel 3D aux possibilités de Premiere.

Depuis quelque temps, Poser 3 est distribué gratuitement, dans certaines revues spécialisées. Ce soft d'animation permet d'animer des personnages en 3D. Grâce à l'exportation sur fond coloré ou avec canal alpha, votre personnage peut s'intégrer directement dans un décor.

Exemple, avec un squelette fantôme. - **Ecran bleu**

Figure 9-41 :
Bouh !

1. Créez un Nouveau projet *Fantôme* dans Premiere
2. Importez le clip qui servira de décor, appelons-le Fond.
3. Ouvrez Poser 3.

   Dans Poser 3, vous pouvez importer une image ou une séquence qui servira d'arrière-plan. Selon la puissance de votre matériel, vous opterez pour l'un ou l'autre. Si vous importer une seule image, vous devez l'exportez d'abord à partir de Premiere, au format TIFF ou BMP.

4. Cliquez sur **Fichier/Importer/Image de fond**. Elle servira à placer le squelette.
5. Poser affiche par défaut un personnage.

Figure 9-42 :
Le personnage par défaut
de Poser 3

6. Dans la bibliothèque, à droite de l'écran, choisissez
   Personnages/Autres personnages et sélectionnez le *Squelette
   d'homme*.

Figure 9-43 :
Sélectionnez le squelette d'homme

9

7. Cliquez sur le bouton **Changer de personnage** pour remplacer le
   personnage par défaut par le squelette.

Figure 9-44 :
Cliquez sur Changer de personnage

8. Une boîte de dialogue s'ouvre, demandant si vous souhaitez
   conserver les proportions du personnage actuel. Cliquez sur
   Remplacer.

9. Animez le squelette en fonction de sa position et de sa taille dans
   l'image de fond. Vous pouvez lui assigner une marche par défaut en
   cliquant sur **Fenêtre/Simulateur de marche**, par exemple, ou bien
   animer n'importe quelle partie du corps. Poser propose toute une
   panoplie d'outils dédiés. Simplement, calez votre personnage avant
   d'appliquer une animation, pour ne pas avoir de mauvaises
   surprises.

Figure 9-45 :
Le squelette sur l'image de
fond dans Poser

10. Une fois satisfait de votre animation, il vous faut l'exporter. Plutôt que de le faire avec l'image de fond, vous allez exporter le squelette sur fond bleu.

11. Cliquez sur **Vue/Effacer l'image de fond** puis sur **Vue/Couleur d'arrière-plan**. Choisissez un bleu pur (0,0,255).

12. Cliquez sur **Vue/Style du document** et choisissez **Prévisualisation soignée**.

13. Cliquez sur **Vue/Style du personnage** et choisissez **Comme pour le document**.

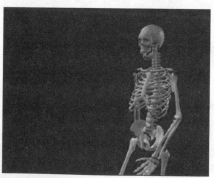

Figure 9-46 :
Le squelette sur fond bleu

14. Cliquez sur **Animation/Configuration** pour vérifier que les paramètres de votre animation sont corrects, puis cliquez sur **Animation/Créer un film**. Cochez *Anti-Aliasing*. Comme *Type de séquence*, optez pour *AVI* (Poser 3 ne propose pas le format QuickTime sous Windows). Choisissez une *Résolution supérieure*. Dans *Qualité* choisissez *Réglages du rendu*. Cliquez sur les **Options de rendu** pour vérifier que tout est correct. Cliquez deux fois sur OK.

Donnez un nom à votre fichier, par exemple Squelette.avi, et enregistrez votre animation.

Création de la disparition du squelette

1. Importez *Squelette.avi* dans votre projet *Fantôme* sous Premiere.

2. Créez un cache de couleur bleu (0,0,255).

3. Ajoutez une piste vidéo.

4. Placez le cache bleu sur la piste *Vidéo 1A*. Notre animation dure 5 secondes. Ajustez le cache en conséquence.

5. Placez une deuxième occurrence de l'élément *Cache bleu* sur la piste *Vidéo 2*, au-dessus du précédent. Les deux éléments doivent avoir la même longueur.

6. Glissez une occurrence de *Squelette.avi* sur la piste *Vidéo 3*, au-dessus des deux caches bleus.

7. Appliquez-lui une transparence de type *Filtre bleu*. Réglez la *Découpe* à environ 45, cochez *Masque seul* et passez le *Lissage* sur *Fort*. Cliquez sur OK.

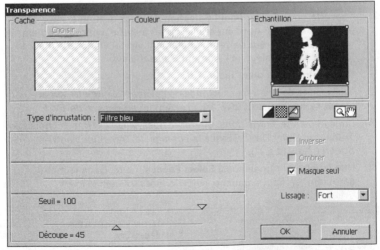

Figure 9-47 : Appliquez une transparence au squelette. Cochez Masque seul pour l'utiliser comme cache

8. Dans la palette des effets **Vidéo**, ouvrez le dossier *QuickTime* et sélectionnez *Effets QuickTime*. Appliquez cet effet sur l'élément *Cache bleu* de la piste *Vidéo 2*. Lorsque la fenêtre **Select Effect** s'ouvre, choisissez *Cloud*.

9. Cliquez sur le carré en face de *Background color* et choisissez un bleu pur (0,0,255). Réglez la *Rotation* à 270 environ. Cliquez sur OK.

Figure 9-48 :
Réglez les paramètres de l'effet Cloud

10. Faites une prévisualisation. La forme du squelette semble s'évaporer progressivement sur le fond bleu. Enregistrez le projet.

Figure 9-49 :
Prévisualisez l'effet

11. Tapez Ⓜ pour activer l'outil **Sélection de blocs** destiné à créer des éléments virtuels. Appuyez sur [Maj] pour éviter d'avoir un élément virtuel audio et créez un premier élément virtuel vidéo (*EV 1*) avec les deux caches bleus et l'élément *Squelette.avi*.

12. Placez *EV 1* sur la piste *Vidéo 1 B*.

13. Glissez une deuxième occurrence de l'élément *Squelette.avi* et placez-la sur la piste *Vidéo 1A*, exactement au-dessus de *EV 1*.

14. Dans la palette *Transitions*, ouvrez le dossier *QuickTime* et choisissez *Transition QuickTime*. Glissez-la sur la piste *Transitions* entre *Squelette.avi* et *EV 1*.

15. Une fenêtre nommée aussi **Select Effect** s'ouvre. Dans le menu déroulant, en haut à gauche, sélectionnez *Gradient Wipe*.

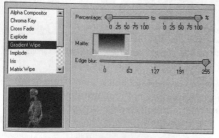

Figure 9-50 :
La transition Gradient Wipe de QuickTime

16. Réglez *Percentage* de 0 à 100 %. Passez *Edge blur* à 255. Cliquez sur OK.

17. Faites une prévisualisation.

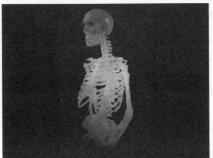

Figure 9-51 :
Prévisualisation de la
transition Gradient Wipe

Création du cache pour l'incrustation du squelette

1. Dans Photoshop, ouvrez l'image TIFF qui vous a servi pour caler l'animation du squelette dans Poser. Vous aller créer un cache qui permettra d'incruster le fantôme du squelette.

2. Détourez la partie située dans le quart inférieur droit de l'image pour l'isoler. Inversez la sélection et remplissez de blanc. Enregistrez sous le nom `Cache_Fond.tga`.

Figure 9-52 :
Créez un cache dans
Photoshop

Effet final dans Premiere

1. Tapez Ⓜ pour activer l'outil **Sélection de blocs** et créez un deuxième élément virtuel (*EV 2*) avec les trois précédents éléments (*Squelette.avi, Transition, EV 1*).

2. Placez-le sur la piste *Vidéo 2*.

Figure 9-53 : Créez un deuxième élément virtuel

3. Placez l'élément *Fond* sur la piste *Vidéo 1A*, au-dessous de *EV 2*. Placez l'élément *Masque_Fond* créé dans Photoshop sur la piste *Vidéo 3*, au-dessus des deux autres.

4. Appliquez une transparence de type *Cache blanc alpha* sur l'élément *Masque_Fond*.

5. Appliquez une transparence de type *Filtre bleu* sur *EV 2*. Laissez *Seuil* à 100 et *Découpe* à 0. Le *Lissage* doit être sur *Fort*.

Figure 9-54 :
Le squelette et le cache sans le fond (le fond rouge est là pour visualiser l'effet)

6. Cliquez sur le triangle en face du libellé *Vidéo 2* pour afficher la *Piste de surimpression*. Cliquez sur le bouton d'affichage des **Etirements d'opacités**. Sélectionnez *EV 2* et, à environ une seconde de la fin de l'élément, ajoutez une poignée d'opacité. Cliquez sur la poignée d'opacité située en fin d'élément et baissez-là jusqu'à 0 %.

Figure 9-55 :
Modifiez l'opacité à la fin de l'élément virtuel (EV 2)

7. Si l'animation réalisée sous Poser n'apparaît pas suffisamment bien calée, vous pouvez éventuellement appliquer une trajectoire à *EV 2*.

Figure 9-56 :
L'effet final

Cet effet demande un peu plus de méthode qu'une simple baisse d'opacité pour être réalisé, sans être toutefois trop compliqué à mettre en œuvre. Il demande, par contre, un petit investissement dans l'apprentissage de Poser 3. Les plus courageux régleront les lumières de l'animation 3D et peaufineront les textures du squelette.

Film ancien

Pour ceux qui veulent donner un aspect ancien à leurs films, QuickTime propose l'effet **Film Noise**. Autant le préciser, pour obtenir un résultat convaincant, il faudra retravailler l'image.

9

Figure 9-57 :
Old gringo

1. Créez un Nouveau Projet *Old_Movie* dans Premiere
2. Importez un clip dans le projet.
3. Placez une occurrence de l'élément sur la piste *Vidéo 1A*.

   Si vous appliquez directement l'effet **Film Noise**, vous risquez d'être très déçu. Bien que les réglages proposés soient intéressants, le résultat final n'est pas à la hauteur de l'attente.

4. Appliquez un effet QuickTime à l'élément de la piste *Vidéo 1A*.

Figure 9-58 :
L'élément original

5. Dans la fenêtre **Select Effect** choisissez *Brightness and Contrast*.
Nous avons placé *Brightness* (luminosité) à - 19 et *Contrast*
(contraste) à 13.

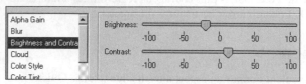

Figure 9-59 : Appliquez un effet QuickTime Brightness and Contrast

En procédant ainsi, nous assombrissons l'image.

Figure 9-60 :
Luminosité/Contraste selon QuickTime

6. Appliquez un autre effet QuickTime. Choisissez *Film Noise*. Vous
avez le choix entre deux manières de vieillir votre film : *Hairs and
Scratches* (littéralement "cheveux et rayures") ou *Dust and Film
Fading* ("poussière et fondu"). Nous avons choisi la première option.

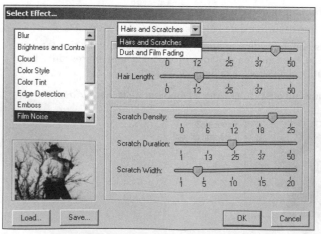

Figure 9-61 : Effet Film Noise

7. Nous avons utilisé les paramètres suivants pour forcer un peu l'aspect vieux film :

   - *Hair Density* : 44
   - *Hair Length* : 13
   - *Scratch Density* : 21
   - *Scratch Duration* : 24
   - *Scratch Width* : 4

   Cliquez sur OK une fois les paramètres réglés.

8. Appliquez un dernier effet QuickTime. Choisissez *Blur* (flou). Dans la liste déroulante *Amount of blurring* (quantité de flou), choisissez 2. Cliquez sur OK.

Figure 9-62 : Effet Blur

9. Prévisualisez la séquence, puis faites un Rendu et enregistrez le projet.

Vous pouvez inverser les effets *Blur* et *Film Noise* si vous estimez que les rayures et poussières ne se voient pas assez.

N'hésitez pas à fouiller dans les effets et transitions QuickTime : peut-être y trouverez-vous ce que les effets de Premiere ne fournissent pas.

Génériques, habillage TV et effets visuels

C e chapitre vous propose de réaliser des projets plus ambitieux, mêlant les techniques que vous avez abordées jusque-là.

Attention

Puissance machine - N'essayez pas d'en faire trop à la fois. Premiere peut se comporter de façon très anarchique si vous tenter de coller trop d'effets dans un seul projet, et votre machine peut soudain paraître manquer de puissance. Si tel est le cas, pensez à enregistrer régulièrement votre travail et à le découper en plusieurs projets. En dernier recours, effacez le fichier de configuration PREM60.PRF. Premiere en éditera un autre au redémarrage.

10.1 La vie en rose... et bleu

Edith Piaf la voyait en rose, Jeanne Mas en rouge et noir. Eux, c'est plutôt rose et bleu. Un petit générique pour agrémenter votre vie de couple.

Figure 10-1 :
Quand il me prend dans ses bras, je vois la vie en rose...

1. Créez un nouveau projet Premiere en format PAL, 720 x 576, 25 images/seconde.

2. Importez le clip que vous allez transformer. Nous le nommerons 1G1F.

Remarque

Position - Dans notre exemple, le garçon se trouve Droite Image et la fille Gauche Image.

Créez les éléments rose et bleu

1. Créez deux caches couleurs, l'un rose, l'autre bleu (nous vous laissons le choix de la tonalité).

2. Glissez l'élément *1G1F* sur la piste *Vidéo 1*.

3. Créez une piste vidéo supplémentaire.

4. Glissez le cache rose sur la piste *Vidéo 2*, calé exactement au-dessus de l'élément *1G1F*.

5. Appliquez-lui une transparence de type *Filtre*.

Figure 10-2 :
Le clip en rose

10

6. Glissez une deuxième occurrence de l'élément *1G1F* sur la piste *Vidéo 1*, en laissant un espace suffisant entre les deux éléments.

7. Glissez le cache bleu sur la piste *Vidéo 2*, calé exactement au-dessus du second élément *1G1F*. Appliquez-lui la transparence de type *Filtre*.

Figure 10-3 :
Le même en bleu

8. Effectuez une prévisualisation et/ou un Rendu afin de visualiser le changement de couleur.

Figure 10-4 :
Les éléments sur les pistes

9. Enregistrez le projet.

Créez les masques des éléments rose et bleu

1. Créez deux éléments virtuels à partir des éléments *Cache Bleu_1G1F* et *Cache Rose _1G1F*.

   Nous les nommerons respectivement EV 1A et EV 1B.

2. Placez ces deux éléments virtuels sur la piste *Vidéo 1A*, séparés de leurs sources (que vous pouvez verrouiller) et avec entre eux un espace suffisant.

À présent, plusieurs choix s'offrent à vous pour créer le cache dont vous allez avoir besoin. Utiliser Photoshop (souplesse évidente), Illustrator, pourquoi pas, ou le **Concepteur de titres**. Nous avons choisi Photoshop, mais rien ne vous empêche de procéder autrement.

3. Dans Photoshop, créez un nouveau fichier du même format que le projet Premiere. Donnez-lui un fond blanc et peignez-en une partie (environ la moitié) en noir.

4. Sauvegardez le masque dans un format reconnaissable par Premiere, BMP, TIFF, TGA. Nous avons choisi le TGA. S'il n'y a pas de canal Alpha, enregistrez le fichier au format TGA 24 bits.

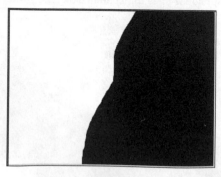

Figure 10-5 :
Créez un masque noir et
blanc dans Photoshop

5. Importez le masque dans Premiere.

6. Placez une occurrence du masque sur chacun des éléments *EV 1A* et *EV 1B*. Les masques doivent avoir la même longueur que les éléments virtuels.

Figure 10-6 :
Placez une occurrence du
masque sur chacun des
éléments virtuels

Créez l'animation des éléments rose et bleu

Faites bien attention à ce qui va suivre.

1. Sélectionnez le premier masque (au-dessus de *EV 1A*) et appliquez-lui une transparence de type *Filtre*. Faites de même sur le second masque.

2. Sélectionnez le premier masque et appliquez-lui un effet **Négatif** (dans le dossier *Couches*). Gardez les paramètres par défaut.

3. Sélectionnez *EV 1A* et appuyez sur [Ctrl]+[Y] pour afficher la fenêtre **Trajectoire** de l'élément virtuel.

4. Sélectionnez le *Début* de la trajectoire et cliquez sur le bouton **Centrer**. Procédez de même pour la *Fin* de trajectoire. Sélectionnez de nouveau le *Début*. Le *Fond* doit être noir. L'*Alpha* doit être sur *Nouveau*. Passez le *Zoom* à 110.

5. Sélectionnez une nouvelle fois la *Fin* de trajectoire et passez le facteur *Zoom* à 110.

   Si vous vous rappelez du vrai générique, l'image tremble un peu lorsqu'elle devient rose et bleue. C'est cet effet que vous allez imiter en créant des points-clés sur la trajectoire.

6. Placez environ 20 points-clés sur la trajectoire. Faites varier les espacements qui les séparent. Vous devez maintenant sélectionner chaque point-clé et modifier légèrement le *Zoom* ainsi que la position en X et Y.

Figure 10-7 : Les images-clés placées sur la bande de Durée de la trajectoire des éléments virtuels

7. Une fois ce travail effectué, enregistrez votre trajectoire. Nommez-la 1g1f.pwt, par exemple.

8. Cliquez sur OK, puis fermez la fenêtre **Trajectoire**.

9. Deux solutions s'offrent à vous. Ouvrir la fenêtre **Trajectoire** du second élément virtuel (*EV 1B*) et charger la trajectoire *1g1f.pwt* pour la lui appliquer, ou bien sélectionner *EV 1A*, faire un copier et **Coller les Attributs** de **Trajectoire** sur le deuxième élément virtuel. Libre à vous de procéder comme vous le souhaitez. Vous pouvez également modifier cette trajectoire afin que les deux éléments virtuels n'aient pas des mouvements identiques.

> ### ⟫ Remarque
>
> ***Trajectoire*** *- Vous pouvez essayer d'appliquer la trajectoire 1g1f sur les deux masques en la modifiant légèrement pour animer un peu plus l'image.*

Créez un élément rose et bleu

1. Créez deux nouveaux éléments virtuels, *EV 2A* (rose) et *EV 2B* (bleu) à partir de *EV 1A* + Masque et *EV 1B* + Masque.

2. Placez *EV 2A* sur la piste *Vidéo 3* et *EV 2B* sur la piste *Vidéo 2*, exactement sous *EV 2A*.

3. Appliquez une transparence de type *Multiplication* à *EV 2A*. N'appliquez aucune transparence à *EV 2B*. Tapez Ⓜ et créez un élément virtuel *EV 3*, que vous placerez sur la piste *Vidéo 2*. Faites un *Rendu*

Créez une ligne blanche

Vous allez créer les barres blanches qui apparaissent au milieu de l'écran.

1. Tapez F9 pour créer un nouveau titre.

2. Tapez Ⓟ, une fois, pour sélectionner l'outil **Plume**.

3. Tracez une ligne brisée verticale blanche au milieu de la fenêtre. Lorsque vous avez terminé de tracer la ligne, faites un clic en appuyant sur Ctrl pour interrompre le tracé. Cliquez sur le carré **Couleur de l'objet** dans la section **Fond** et choisissez un blanc.

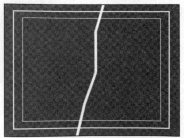

Figure 10-8 :
Dessinez une ligne blanche
brisée

Donnez-lui une épaisseur de 3 pixels. Enregistrez le titre (BB_Titre).

Animez la ligne blanche

1. Glissez une occurrence de *BB_Titre* sur la piste *Vidéo 2*.
   Appliquez-lui une transparence de type *Incrustation alpha*. Tapez
   Ctrl+Y pour ouvrir sa fenêtre de trajectoire. Cliquez sur le bouton
   Charger et sélectionnez la trajectoire *1g1f.pmt* précédemment
   créée.

2. Vous allez devoir modifier cette trajectoire. Sous la rubrique *Alpha*,
   laissez coché *De l'élément*. Sélectionnez le *Début* de trajectoire et
   appliquez-lui une *Rotation* (16° dans notre exemple). Dans la vue
   Déformation, utilisez les poignées pour déformer l'image (ce qui
   entraîne une déformation de la ligne blanche). La vue *Déformation*
   toujours active, tapez Ctrl+C.

Figure 10-9 :
Déformez l'image dans la vue Déformation de
la fenêtre Trajectoire

3. Sélectionnez la *Fin* de trajectoire et procédez exactement de la même
   façon (dans notre exemple, la *Rotation* est 0°). Placez-vous dans la
   vue *Déformation* et tapez Ctrl+V pour coller la déformation du *Début*
   en lieu et place de celle initiale de la *Fin*.

4. Sélectionnez le milieu (50 %) de la trajectoire. Modifier la *Rotation*
   (16°) et déformez l'image d'une autre façon que précédemment.

Figure 10-10 :
Déformez l'image de milieu (50 %) de
trajectoire dans la vue Déformation

Vous pouvez sélectionner d'autres images-clés et modifier ainsi leurs
paramètres.

Figure 10-11 :
La trajectoire de la barre blanche dans la vue
Zone visible

5. Vous pouvez éventuellement enregistrer cette nouvelle trajectoire (1g1f_2.pmt). Cliquez sur OK pour fermer la fenêtre. Enregistrez le projet.

Créez trois lignes blanches animées

Vous allez incorporer l'animation de la ligne blanche dans le montage final d'une façon qui n'est certes pas très académique, mais qui a le mérite de fonctionner.

1. Réduisez la longueur de l'élément *BB_Titre* afin d'accélérer la vitesse de la trajectoire.

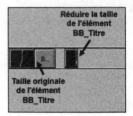

Figure 10-12 :
Réduisez la longueur de l'élément BB_Titre

Sélectionnez l'élément et dupliquez-le au moins trois fois, côte à côte. Modifiez la longueur de chacune des trois copies. Il faut que la longueur de l'ensemble des copies soit la même que *EV 3*.

Figure 10-13 :
Copiez l'élément BB_Titre et modifiez les longueurs

Tapez Ⓜ et créez un élément virtuel *EV 4*. Placez cet élément virtuel sur la piste *Vidéo 3*, au-dessus de *EV 3* et appliquez-lui une transparence de type *Incrustation alpha*.

2. Si vous avez bien compris le principe, vous devez maintenant créer quatre nouvelles copies de la version courte de *BB_Titre*. Changez l'ordre et la longueur de chacune des copies et créez un élément virtuel *EV 5*, que vous placerez sur la piste *Vidéo 4*, au-dessus de *EV 4*. Appliquez-lui également une transparence de type *Incrustation alpha*.

3. Répétez une dernière fois cette opération pour créer un élément virtuel *EV 6*, que vous placerez sur la piste *Vidéo 5*, au-dessus des autres, avec la même transparence.

Figure 10-14 :
Les "morceaux" de
l'élément BB_Titre
destinés à créer 3
éléments virtuels

Figure 10-15 :
Les éléments
virtuels du fond rose
et bleu et des barres
blanches

En procédant ainsi, les trois barres blanches oscillent différemment, et n'ont pas la même inclinaison.

Appliquez une texture sur l'image

Une légère texture apparaît lors de l'arrêt sur image et de la coloration en bleu et rose. Malheureusement, aucune texture n'est fournie avec Premiere. Nous nous sommes rabattus sur celles qui sont livrées avec Photoshop. Nous avons choisi *Burlap.psd*, mais toute autre pourra faire l'affaire. C'est un fichier en 512 x 512 avec canal Alpha.

1. Importez le fichier *texture* dans le projet Premiere.

2. Glissez-en une occurrence sur la piste *Vidéo 1A*, sous *EV 3*. Ajustez sa longueur à celle des éléments virtuels.

3. Sélectionnez *EV 3*. Dans la palette des effets **Vidéo**. Ouvrez le dossier *Esthétiques* et sélectionnez l'effet **Placage de Texture**. Appliquez-le à l'élément *EV 3*. Dans la palette *Effets*, réglez les paramètres de la manière qui suit :

- *Calque de texture* : choisissez V1A
- *Lumière* : 3.0°
- *Relief* : 0.2
- *Disposition* : Adapter

Figure 10-16 :
Appliquez un effet Placage de texture à l'image
de fond (EV 3)

4. Faites une prévisualisation puis un Rendu. Enregistrez le projet.

   Nous avons appliqué les couleurs rose et bleu sur un clip, mais en fait, dans la série, il y a un arrêt sur image.

5. Dans votre montage final, sélectionnez l'endroit où l'effet **1G1F** doit intervenir. Placez éventuellement une *Marque*.

6. Appuyez sur Ⓒ pour sélectionner le **Cutter** et coupez l'image à cet endroit. Exportez une image en TGA, ou autre format d'image fixe.

7. Créez un nouveau projet et importez-y l'image fixe. Faites-lui subir le traitement que nous avons décrit, puis exportez l'animation et incorporez-la dans le montage final de votre projet.

En procédant de cette manière, vous pouvez jouer sur la longueur de l'image fixe pour modifier la vitesse des trajectoires, comme nous l'avons fait pour la barre blanche. L'effet n'en sera que plus dynamique.

Il y a évidemment d'autres possibilités pour colorer l'image en rose ou en bleu, notamment en appliquant à chaque clip un *Effet Balance des couleurs*. Vous pouvez aussi appliquer une transition *Masque* entre les deux clips et leur appliquer une trajectoire pour simuler le tremblement. Vous pouvez également créer les barres dans Illustrator ou Photoshop.

10.2 Trilogie

Figure 10-17 :
Un effet de rotation sur des
cercles

Figure 10-18 :
Trois cercles noirs tournant
dans un halo de lumière

1. Créez un nouveau projet *Trilogie* en préconfiguration *Vidéo for Windows* ou *QuickTime*. Ajoutez trois pistes vidéo supplémentaires.

2. Créez un chutier Titres (optionnel) pour y placer vos titres.

3. Créez trois cercles noirs disposés en pyramide sur fond blanc dans Illustrator. Enregistrez le fichier au format AI ou EPS (Trilogie.ai).

10

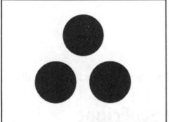

Figure 10-19 :
Créez 3 cercles noirs sur
fond blanc dans Illustrator

4. Importez le fichier dans le projet Premiere

5. Tapez F9 pour créer un nouveau **Titre**.

6. Importez l'élément *Trilogie.ai* dans Premiere et cochez *Affichez la vidéo* dans le **Concepteur de titres**.

7. Créez un cercle noir de la même dimension que ceux de *Trilogie.ai* et placez-le au milieu de la zone de dessin.

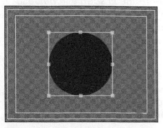

Figure 10-20 :
Créez un cercle dans le
Concepteur de titres en
vous servant du fichier
Illustrator comme gabarit

8. À l'intérieur du cercle, écrivez un titre de film, en blanc.

Figure 10-21 :
Écrivez un titre de film

9. Enregistrez le titre (*Titre_1*).

10. Enregistrez ce titre sous le nom Titre_2 et changez le titre du film.

Figure 10-22 :
Changez le titre du film

11. Enregistrez sous Titre_3 et changez une dernière fois le titre du film.

Créez le halo du début de générique

Le générique débute par un effet de halo.

1. Créez un élément *Vidéo noir* et placez-le sur la piste *Vidéo 1A*.
    Donnez-lui une longueur de 5 secondes. Dans la palette des effets
    Vidéo, ouvrez le dossier *Interpréter* et choisissez *Halo* (c'est le seul
    filtre présent dans ce dossier).

2. Appliquez le filtre *Halo* à l'élément *Vidéo noir*. Dans la palette *Effets*,
    cliquez sur *Configuration* pour ouvrir la fenêtre **Halo**. Placez le
    curseur de la souris dans la vignette *Centre de la source lumineuse*
    et cliquez sur la croix placée vers le milieu de la vignette. Déplacez-la
    vers le coin supérieur gauche de la vignette. Dans *Type de lentille*,
    cochez *Zoom 50-300 mm*. Passez la *Luminosité* à environ 150-160 %,
    puis cliquez sur OK (voir fig. 10-23).

3. Placez-vous en début d'élément et créez une image-clé pour le filtre
    Halo. Placez-vous en fin d'élément et passez la *Luminosité* à environ
    295 %. Cliquez sur *Configuration* et déplacez le *Centre de la source
    lumineuse* vers la droite. Cliquez sur OK.

Figure 10-23 :
Paramétrez le halo

10

4. Placez-vous à 2:25 secondes du début de l'élément et passez la *Luminosité* à 153 %. Faites une prévisualisation de l'effet. Le halo se déplace de gauche à droite puis une luminosité blanche envahit l'écran. Enregistrez le projet.

5. Dans la palette des effets **Vidéo**, ouvrez le dossier *Image* et sélectionnez *Balance des couleurs (TLS)*. Appliquez le filtre à l'élément *Vidéo noir*. Passez *Teinte* à 158° et *Luminosité* à 37,5 pour donner une dominante verte au halo.

Figure 10-24 :
Le halo terminé. Pas
vraiment le même que celui
de l'émission, mais fait
avec les moyens du bord

Créez la première animation

1. Placez une occurrence de *Vidéo noir* sur la piste *Vidéo 1A*, à droite de l'autre. Appliquez-lui un filtre *Halo*, que vous placerez au centre de l'image. Réglez la *Luminosité* à 10. Placez-vous en début d'élément et créez une image-clé. Allez en fin d'élément et réglez la *Luminosité* à 132. À *Type de lentille*, choisissez *Focale fixe 105 mm*.

Figure 10-25 :
Créez un deuxième halo

2. Dans Photoshop, créez un nouveau document en 320 x 240.
    Remplissez le fond de blanc. Ajoutez un nouveau calque et, avec le
    Lasso, tracez un fin losange allongé, vertical, blanc.

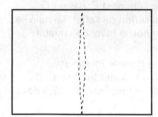

Figure 10-26 :
Créez un losange fin et blanc

Ajoutez-lui un *Flou gaussien* (environ 4,2), sélectionnez-le et
mémoriser la sélection comme canal Alpha. Aplatissez l'image et
enregistrez le fichier (Losange.tga).

3. Créez une autre forme, elliptique cette fois, dans un nouveau fichier,
    toujours sur fond blanc. Utilisez le filtre *Esthétique/Soufflerie* pour
    denteler les bords, ajoutez-lui un **Flou gaussien** léger et enregistrez
    la forme dans un canal Alpha. Aplatissez l'image et enregistrez le
    fichier (Lueur.tga).

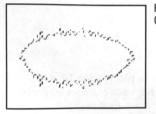

Figure 10-27 :
Créez une ellipse blanche aux bords découpés

4. Importez ces deux fichiers dans Premiere.

5. Placez une occurrence de 5 secondes de l'élément *Losange.tga* au-dessus du deuxième élément *Vidéo noir*, sur la piste *Vidéo 2*. Appliquez-lui une transparence de type *Alpha* puis un effet **Flou gaussien**. Réglez l'intensité à environ 7,4 et choisissez *Horizontal et vertical* pour les *Dimensions*.

6. Tapez Ctrl+Y. Sélectionnez le *Début* de trajectoire et cliquez sur le bouton **Centrer**. Passez le *Zoom* à 0 %.

7. Sélectionnez la *Fin* de trajectoire et cliquez sur **Centrer**. Passez le *Zoom* à 100 %. Dans la vue *Déformation*, appliquez une déformation verticale en manipulant les poignées. Sous la rubrique *Alpha*, laissez coché *De l'élément*

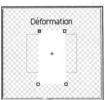

Figure 10-28 :
Déformez la Fin de trajectoire de Losange.tga

Cliquez sur OK.

8. Placez une occurrence de l'élément *Lueur.tga* sur la piste *Vidéo 3*, au-dessus de *Losange.tga*. Ajustez sa longueur à 5 secondes. Copiez l'élément *Losange.tga* et faites **Coller les Attributs** sur *Lueur.tga*. Laissez cochés *Filtres* et *Transparence* uniquement. Ajustez l'*Intensité* du *Flou gaussien* à 19,4.

9. Tapez Ctrl+Y. Réglez le *Début* de trajectoire à 0 partout. Sélectionnez la *Fin* de trajectoire et passez toutes les valeurs à 0 sauf le *Zoom*, qui doit être à 31 %. Sous la rubrique *Alpha*, laissez coché *De l'élément*. Cliquez sur OK.

10. Placez une occurrence de l'élément *Trilogie.ai* (les trois cercles noirs) sur la piste *Vidéo 4*. Ajustez sa longueur. Faites un clic droit de la souris et cliquez sur **Répéter Coller les attributs**.

11. Tapez Ctrl+G et modifiez le *Type d'incrustation*. Choisissez *Cache blanc alpha*. Passez l'*Intensité* du *Flou gaussien* à 1,2. Tapez Ctrl+Y. Sélectionnez le *Début* de trajectoire et cliquez sur **Centrer**. Passez le *Zoom* à 10 %. Sélectionnez la *Fin* de trajectoire, cliquez sur **Centrer** et passez *Rotation* à 360°, ainsi que *Zoom* à 10 %. Sous la rubrique *Alpha*, laissez coché *De l'élément*. Cliquez sur OK.

10

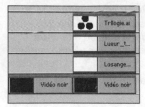

Figure 10-29 :
Les éléments placés sur les pistes

12. Prévisualisez l'animation et enregistrez le projet.

Figure 10-30 :
L'animation finale

13. Créez un élément virtuel avec les éléments de l'animation. N'incluez pas l'animation du halo du début du générique dans l'élément virtuel (étapes 1 à 4, *Créez le halo du début de générique*). Nous le nommerons EV 1.

14. Dupliquez tous les éléments et inversez le *Zoom* pour les trajectoires des éléments *Losange.tga.* et *Lueur.tga.* Inversez aussi les valeurs de *Luminosité* des images-clés du Halo. Créez un élément virtuel EV 1_bis.

Les trois cercles tournent toujours dans le même sens, mais le halo, la lueur et le losange disparaissent.

Créez la deuxième animation

1. Dupliquez le deuxième élément *Vidéo noir* avec son halo et placez-le plus loin sur la piste *Vidéo 1A*. Gardez les mêmes paramètres de réglage.

2. Dupliquez l'élément *Trilogie.ai* et placez-le sur la piste *Vidéo 2*, au-dessus de *Vidéo noir*.

Figure 10-31 :
Dupliquez Trilogie.ai et Vidéo noir

3. L'élément *Trilogie.ai* toujours sélectionné, tapez (Ctrl)+(Y). Modifiez le *Zoom* du *Début* de trajectoire, passez-le à 100 %. Cliquez sur OK. Créez un élément virtuel avec les éléments de l'animation (*EV 2*).

Figure 10-32 :
L'animation terminée

4. Prévisualisez cette animation et enregistrez le projet.

Créez la troisième animation

1. Glissez une occurrence de l'élément *Vidéo noir* sur la piste *Vidéo 1A*. Donnez-lui une longueur de 5 secondes.

2. Dupliquez l'élément *Trilogie.ai* précédent (celui de la deuxième animation) et placez-le sur la piste *Vidéo 2*, au-dessus de l'élément *Vidéo noir*. Ajustez sa longueur.

3. Tapez (Ctrl)+(Y). Vous allez modifier les paramètres de trajectoire. Configurez le *Début* de la manière suivante :

   ■ *N°0* en - 21,- 12

   ■ *Rotation* = 0°

   ■ *Zoom* = 50 %

   ■ *Pause* = 0 %

   Passez à la *Fin* de trajectoire et copiez les valeurs du *Début*. Laissez la *Rotation* à 360°. Cliquez sur OK.

4. Dans la palette des effets **Vidéo**, ouvrez le dossier *Esthétiques* et sélectionnez *Luminescence alpha*. Appliquez le filtre à *Trilogie.ai*.

5. Dans la palette *Effets*, cliquez sur le carré de couleur et choisissez un vert bleuâtre (0,201,169 par exemple). Passez *Luminescence* à 12 et *Luminosité* à 236. Ne forcez pas trop sur la *Luminescence*, car elle provoque des effets indésirables.

Figure 10-33 :
Les effets indésirables de
la Luminescence alpha trop
poussée

6. Créez un élément virtuel avec les éléments de l'animation (*EV 3*).
   Prévisualisez l'animation et enregistrez le projet.

Figure 10-34 :
L'animation terminée

Créez l'animation de Titre_1

1. Glissez une occurrence de l'élément *Titre_1* sur la piste *Vidéo 2*.
   Donnez-lui une longueur de 5 secondes. Appliquez-lui une
   transparence de type *Alpha* et un filtre *Luminescence alpha*.

2. Passez *Luminescence* à environ 59 et *Luminosité* à 210. La couleur
   doit être du même vert que précédemment.

3. Tapez Ctrl+Y. Sur la barre de *Durée*, placez trois images-clés
   supplémentaires : une à 25 %, l'autre à 50 %, la dernière à 75 %.
   Dans la rubrique *Alpha*, laissez coché *De l'élément*.

4. Sélectionnez le *Début* de trajectoire et réglez les paramètres
   comme suit :

   ■ *Infos N°0* en 37, - 35
   ■ *Rotation* = - 48°
   ■ *Zoom* = 100 %
   ■ *Pause* = 0 %

5. Sélectionnez l'image-clé à 25 % et réglez les paramètres comme suit :

    ■ *Infos N°0* en 23, - 16
    ■ *Rotation* = - 29°
    ■ *Zoom* = 100 %
    ■ *Pause* = 0 %

6. Sélectionnez l'image-clé à 50 % et réglez les paramètres comme suit :

    ■ *Infos N°0* en 2, - 4
    ■ *Rotation* = - 7°
    ■ *Zoom* = 100 %
    ■ *Pause* = 0 %

7. Sélectionnez l'image-clé à 75 % et réglez les paramètres comme suit :

    ■ *Infos N°0* en - 22, 0
    ■ *Rotation* = 13°
    ■ *Zoom* = 100 %
    ■ *Pause* = 0 %

8. Sélectionnez la *Fin* de trajectoire et réglez les paramètres comme suit :

    ■ *Infos N°0* en - 43, - 8
    ■ *Rotation* = 30°
    ■ *Zoom* = 100 %
    ■ *Pause* = 0 %

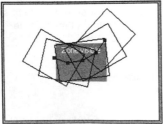

Figure 10-35 :
La trajectoire du titre

Cliquez sur OK. Créez un élément virtuel de l'animation (*EV 4_A*)

Figure 10-36 :
L'animation en cours

9. Prévisualisez l'animation et enregistrez le projet.

10. Placez l'élément virtuel *EV 4_A* sur la piste *Vidéo 1A*.

11. Placez une occurrence de l'élément *Vidéo noir* sur la piste *Vidéo 1B*, en dessous de *EV 4_A* et de la même longueur (5 s).

12. Dans la palette *Transitions*, ouvrez le dossier *Iris*. Sélectionnez la transition *Diaphragme rond* et glissez-la sur la piste *Transition*, entre les deux éléments, mais sur la moitié de leur longueur

Figure 10-37 :
Ajoutez une transition Diaphragme rond

13. Gardez les paramètres par défaut de la transition.

14. Ajoutez la même transition sur le reste de la longueur. Double-cliquez dessus pour modifier ses paramètres. Cliquez sur la petite flèche bleue, en bas à droite de la fenêtre, pour l'orienter vers le bas. Cliquez sur la lettre F bleue pour la transformer en R et modifier le sens de la transition.

Figure 10-38 :
Ajoutez une deuxième transition Diaphragme rond et modifiez les paramètres

15. Cliquez sur OK.

Figure 10-39 :
Les 2 transitions

16. Créez un élément virtuel avec ces éléments (*EV 4_Final*).

Figure 10-40 :
Créez un élément virtuel
de l'animation

17. Prévisualisez l'animation et enregistrez le projet.

Créez l'animation de Titre_2 et de Titre_3

En procédant comme dans les étapes de *Créez l'animation de Titre_1*,
réalisez les animations de *Titre_2* et de *Titre_3*. Créez deux nouveaux
élément virtuels *EV 5_Final* et *EV 6_Final*.

Créez l'animation du titre du générique

1. Dupliquez les éléments *Trilogie.ai* et *Vidéo noir* des étapes 1 à 3 de
   Créez la deuxième animation.
2. Sélectionnez l'élément *Vidéo noir* et placez-vous à son point
   d'entrée. Dans la palette *Effets*, cliquez sur *Configuration*. Passez
   Luminosité à 123 % environ. Déplacez le *Centre de la source
   lumineuse* situé à l'extrême gauche. Pour *Type de lentille*, choisissez
   Zoom 50-300 mm (voir fig. 10-41).
3. Cliquez sur OK et placez le curseur au point de sortie de l'élément.
   Cliquez à nouveau sur *Configuration*. Passez la *Luminosité* à 100 et
   placez le *Centre de la source lumineuse* complètement à droite et
   centré. Pour *Type de lentille*, choisissez *Focale fixe 105 mm*. Cliquez
   sur OK (voir fig. 10-42).

Figure 10-41 :
Configurez l'animation du halo en début d'élément

Figure 10-42 :
Configurez l'animation du halo en fin d'élément

4. Appliquez un effet **Balance des couleurs (TLS)** à Vidéo noir. Modifiez *Teinte* et *Luminosité* pour donner une couleur bleu-vert au halo.

5. Sélectionnez l'élément *Trilogie.ai*. Tapez [Ctrl]+[Y]. Il a déjà une trajectoire avec une *Rotation* de 360°. Paramétrez le *Zoom* de *Début* et de *Fin* de trajectoire à 80 %. Cliquez sur OK.

6. Dans Photoshop, créez une ligne horizontale blanche selon le même principe que le losange, sur fond blanc avec un canal Alpha. Donnez une épaisseur de 2 pixels à la ligne blanche. Enregistrez au format TGA (Barre_H.tga)

7. Placez une occurrence de cet élément sur la Piste *Vidéo 3*, au-dessus de l'élément *Trilogie.ai*. Ajustez sa longueur. Appliquez-lui une

transparence de type *Alpha*, ainsi qu'un effet **Flou gaussien** d'*Intensité* 1,5. Choisissez *Horizontal et Vertical* pour les *Dimensions de flou*.

8. Glissez une occurrence de l'élément *Lueur* sur la piste *Vidéo 4*, au-dessus de *Barre_H.tga*. Ajustez sa longueur. Appliquez-lui une transparence de type *Alpha*, ainsi qu'un effet **Flou gaussien** d'*Intensité* 10. Choisissez *Horizontal et Vertical* pour les *Dimensions de flou*.

9. Tapez [Ctrl]+[Y]. Placez le *Début* de trajectoire complètement à gauche, au milieu, calé au-dessus du début du Halo. Dans notre exemple *N°0* est en - 42,- 1. Passez le *Zoom* à 22 %.

Figure 10-43 :
Configurez le Début de
trajectoire de Lueur.tga

10. Sélectionnez la *Fin* de trajectoire et placez-la à l'opposé, calée sur la fin du halo. Dans notre exemple, *N°1* est en 43,- 1. Passez le *Zoom* à 22 %. Cliquez sur OK. Créez un élément virtuel *EV 7*.

Figure 10-44 :
Configurez la Fin de
trajectoire de Lueur.tga

11. Prévisualisez l'animation et enregistrez le projet.

Figure 10-45 :
L'animation finale

12. Dupliquez tous les éléments (sauf l'élément virtuel) des étapes 1 à 10 de *Créez l'animation du Titre du générique* et placez-les un peu plus loin.

13. Tapez F9 et créez un nouveau titre. Tapez le titre du générique : La quadrature du cercle, en lettres blanches épaisses (Futura) sur fond noir transparent. Nous avons choisi une *Dimension* de 18 points pour la taille des lettres. Enregistrez le titre (Titre_final).

Figure 10-46 :
Le texte du générique

14. Glissez l'élément *Titre_Final* dans la fenêtre **Montage**. Premiere lui affecte automatiquement une transparence de type *Cache noir alpha*. Placez-le sur la piste *Vidéo 3*, au-dessus de l'élément *Trilogie.ai*, après avoir déplacé *Barre_H.tga* sur *Vidéo 4* et *Lueur.tga* sur *Vidéo 5*.

Figure 10-47 :
Les éléments sur les pistes

15. Créez un élément virtuel *EV 8* avec ces éléments.

16. Placez *EV 7* sur la piste *Vidéo 1B* et *EV 8*, au-dessus, sur la piste *Vidéo 1A*. Dans la palette *Transitions*, ouvrez le dossier *Balayage* et sélectionnez la transition *Balayage*. Glissez-la sur la piste *Transitions*, entre *EV 7* et *EV 8*. Cliquez sur la flèche bleue pour inverser l'ordre de défilement de la *Transition*.

Figure 10-48 :
Créez une transition Balayage entre EV 7 et EV 8

10

17. Prévisualisez l'animation et enregistrez le projet.

Figure 10-49 :
L'animation terminée

Créez l'animation finale

Il ne vous reste plus qu'à assembler les éléments virtuels des animations pour composer le générique.

1. Placez l'animation du halo sur *Vidéo noir* en premier, sur la piste *Vidéo 2*. Placez ensuite *EV 1* à côté, à droite, puis *EV 1_bis*, *EV 2*, *EV 3*, *EV 4_Final*, *EV 5_Final*, *EV 6_Final*, *EV 7* et *EV 8*.

2. Vous pouvez procéder à diverses transformations des animations, notamment pour le halo de début, en créant quelque chose de plus abouti à l'aide d'un logiciel 3D, par exemple. Vous pouvez aussi placer des transitions entre chaque élément virtuel, modifier leur opacité, etc.

3. Faites un Rendu et enregistrez le projet.

Ce projet était un peu long à réaliser, mais il prouve qu'on peut arriver à un résultat soigné avec Premiere.

10.3 Un bruit dans le moteur

Figure 10-50 :
Fondu de moteur

Moteur, ça tourne ! Agrémentez un reportage sur le dernier Salon de l'auto par un petit effet de surimpression.

Cet effet est des plus faciles à réaliser et ne nécessite pas de gros moyens. Vous devez simplement faire attention aux reflets sur le véhicule, à la lumière et surtout à ce que la caméra reste stable.

Prises de vue

1. Filmez la voiture, légèrement en plongée, capot fermé. Nous le nommerons Clip Voiture.
2. Gardez le même cadrage, ouvrez le capot de la voiture et filmez le moteur. Nous le nommerons Clip Moteur.

Montage

1. Importez vos deux clips dans un nouveau projet Premiere.
2. Ajoutez trois pistes vidéo supplémentaires.
3. Glissez le clip *Voiture* sur la piste *Vidéo 3*. Il a une longueur de 10 secondes dans notre exemple.
4. Glissez le clip *Moteur* sur la piste *Vidéo 2*. Ajustez sa longueur à celle de l'élément *Voiture*.
5. Exportez une image du clip *Moteur* au format TGA.
6. Ouvrez l'image dans Photoshop.
7. Tracez un masque pour délimiter le moteur. Appliquez-lui un contour diffus par **Sélection/Contour progressif**.

8. Supprimez l'image de la voiture en arrière-plan et sauvegardez votre masque sous le nom Moteur_Mask.TGA.

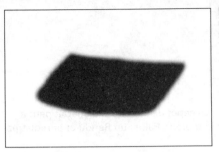

Figure 10-51 :
Créez un masque pour le moteur

10

9. Importez le masque dans votre projet.

10. Placez-le sur la piste *Vidéo 4*. Ajustez sa longueur à celle des autres éléments.

11. Appliquez au masque une transparence de type *Alpha*. Cochez la case *Inverser*.

12. Appliquez au clip *Voiture* une transparence de type *Piste cache*.

13. Placez une deuxième occurrence de l'élément *Voiture* sur la piste *Vidéo 5*. Ajustez sa longueur à celle des autres éléments. Appliquez-lui une transparence de type *Piste cache*.

   Vous allez à présent modifier les pistes d'opacité de cet élément et de l'élément *Moteur*.

14. Cliquez sur le triangle **Réduire/Agrandir la piste** situé à gauche du nom de la piste sur les pistes *Vidéo 2* et *Vidéo 5* pour afficher la piste de réglage d'intensité.

15. Activez la vue *Programme* et tapez 200 pour placer le curseur à l'instant 02:00. Placez une *Marque 0* à cet instant.

16. Tapez [V] pour activer l'outil **Sélection** et placez le curseur de la souris à l'endroit de la *Marque 0*, sur la ligne rouge d'intensité de la piste *Vidéo 5*. Cliquez pour créer une poignée d'opacité (un petit carré rouge).

17. Créer une poignée d'opacité au même endroit, sur la piste d'opacité de l'élément *Moteur* sur *Vidéo 2*.

18. Placez-vous au point d'entrée de l'élément *Moteur* et tirez la poignée d'opacité du début vers le bas.

19. Sélectionnez l'élément de la piste *Vidéo 5*. Placez-vous au point de sortie et tirez la poignée d'opacité de fin vers le bas.

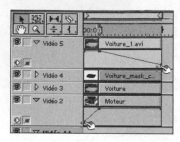

Figure 10-52 :
Modifiez l'opacité des 2
éléments

20.   Faites une prévisualisation. Le capot de la voiture disparaît petit à petit pour laisser entrevoir le moteur. Faites un Rendu et enregistrez le projet.

10.4 Vaisseaux spatiaux façon Kubrick

Peu de gens s'en sont aperçus, mais certains des vaisseaux spatiaux qui succèdent à *L'Aube de l'humanité* dans *2001, L'Odyssée de l'espace* de Stanley Kubrick sont des photos. De même que les décors préhistoriques étaient des diapositives rétroprojetées en studio. Ce film est devenu et reste une référence incontournable. Plus de dix ans avant *Star Wars*, Kubrick avait su réunir un "pool" de talents qui allaient révolutionner notre perception des effets spéciaux. Citons Douglas Trumbull, un pur génie, Wally Weevers, qui allaient devenir des piliers de l'industrie des SFX en ouvrant une voie désormais très fréquentée.

Figure 10-53 :
Chasseur dans l'espace

D'autres incrustations filmées selon le même principe.

Figure 10-54 :
Une autre incrustation basée sur le même
principe

Figure 10-55 :
Le même effet, en utilisant plusieurs fois une
même photo

10

1. Filmez une maquette devant un écran neutre, bleu, vert ou noir.
   Pensez à bien éclairer l'objet afin qu'un maximum de détails soient
   apparents.
2. Créez un nouveau projet Premiere. Importez votre vidéo de vaisseau
   spatial et glissez-la dans la fenêtre **Montage**.
3. Procédez éventuellement à des corrections colorimétriques.
4. Exportez une image en TGA au format de votre projet. Pensez à
   détramer afin de ne pas avoir à le faire dans Photoshop. Par
   commodité, nous la nommerons Space_1.
5. Ouvrez *Space_1* dans Photoshop.

Figure 10-56 :
La maquette sur fond vert

Selon le procédé employé, il vous faudra détourer le sujet d'une
certaine manière. Nous avons employé un fond vert que nous
pouvons mettre à profit. (nous aurions pu l'utiliser dans Premiere,
mais ce n'est pas le but de cet exercice).

6. Dans Photoshop, utilisez l'outil **Baguette magique** pour sélectionner le fond vert. Dans le cas où votre fond ne serait pas uniforme, procédez de la façon suivante.

7. Activez l'onglet **Couches** et copiez la couche *Rouge*.

Figure 10-57 :
Créez une copie de la couche Rouge

8. Désactivez les autres *Couches* et tapez [Ctrl]+[L] pour afficher les **Niveaux**.

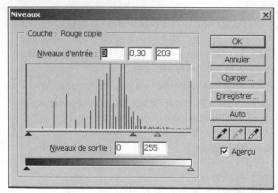

Figure 10-58 : Réglez les Niveaux de la couche Rouge

Le but est de contraster l'image afin d'en faire un masque. Le vaisseau doit être blanc, et le fond noir. Cliquez sur OK lorsque vos paramètres vous conviennent.

Figure 10-59 :
La couche Rouge

9. Utilisez l'outil **Pinceau** pour remplir l'objet de blanc et le fond de noir. Appliquez-lui un léger **Flou Gaussien** pour atténuer la séparation du blanc et du noir.

Figure 10-60 :
Le masque créé d'après la
copie de la couche Rouge

10

10. Revenez à la palette *Calques*. Dupliquez le calque de fond (celui qui contient le vaisseau) et appuyez sur [Ctrl]+[Alt]+[4] pour activer la *Couche 5*. Décochez l'icône de visualisation (l'œil) du fond. Tapez [Ctrl]+[Maj]+[I] pour intervertir la sélection.

Figure 10-61 : Dupliquez le calque de fond

11. Appuyez sur [Suppr] pour supprimer le fond vert.

> ⟩⟩ **Conseil**
>
> *Détourage - Si le détourage vous semble trop pixellisé, revenez à l'étape de sélection de l'objet, cliquez sur **Sélection/Contours progressif...** ([Alt]+[Ctrl]+[D]) et choisissez une valeur raisonnable afin de "flouter" légèrement vos contours.*

Figure 10-62 :
L'image détourée

12. Vous pouvez utiliser les variantes (**Image/Réglages/Variantes**) de Photoshop afin de modifier la couleur de votre vaisseau spatial. Nous lui avons donné une teinte plus bleu métallique.

   À présent, vous avez un canal Alpha permettant d'incruster la maquette sur n'importe quel décor.

13. Enregistrez votre image au format Photoshop ou TGA 32 bits (pour conserver le canal Alpha).

14. Importez l'image du vaisseau spatial dans Premiere.

15. Utilisez la technique décrite dans le chapitre *Titrages et effets de texte*, au générique *Star Wars* pour créer un fond étoilé dans Photoshop.

Figure 10-63 :
Le vaisseau spatial incrusté
sur fond étoilé

16. La planète a été réalisée dans un logiciel d'images de synthèse et incorporée séparément (avec un canal Alpha par défaut). Il s'agit d'une animation et non d'une image.

17. Le halo du réacteur a été créé dans un logiciel d'images de synthèse, mais peut-être réalisé dans Photoshop (ou dans le **Concepteur de titres**). Sur un fond noir, tracez une ellipse et remplissez-là de blanc. Copiez-la dans un autre calque et remplissez-là de bleu. Le calque bleu doit être au-dessus du calque blanc. Élargissez un peu l'ellipse bleue afin qu'elle déborde du blanc. Appliquez un mode de fusion *Superposition* à l'ellipse bleue. Appliquez au calque blanc et au bleu un *Flou Radial*, *Mode : Zoom*, *Qualité : supérieure*.

Figure 10-64 :
Créez un halo de réacteur dans Photoshop

18. Sélectionnez les ellipses et mémorisez la sélection. Enregistrez le fichier en PSD ou TGA 32 bits.

Il est temps d'incorporer tout cela dans le projet Premiere.

10

Paramètres de réglages			
Pistes	**Éléments**	**Transparence**	**Effets/Trajectoire**
Vidéo 4	Vaisseau	Alpha	Trajectoire
Vidéo 3	Halo réacteur	Alpha	Trajectoire (comme pour Vaisseau)
Vidéo 2	Planète	Alpha	
Vidéo 1A	Fond étoilé	Aucune	Aucun/Aucune

Placez vos éléments comme indiqué dans le tableau 1.

Paramètres Trajectoire			
Durée	**X,Y**	**Rotation**	**Zoom**
Début N° 0	28,- 18	30	20
Fin N° 1	0,0	0	100

Réglez la trajectoire comme indiqué dans le tableau 2.

Figure 10-65 :
Le chasseur avec son réacteur, incrustés dans l'espace

Il ne vous reste plus qu'à incruster l'image de la planète et le tour est joué.

Chapitre 11

Quiz

11.1 Questions

1   Comment animer les effets dans Premiere 6.5 ?

1.   En utilisant les images-clés.
2.   En utilisant une trajectoire.
3.   En utilisant la transparence.
4.   En utilisant un autre logiciel Adobe.

2   Comment affiche-t-on les réglages d'opacité et d'étirement dans Premiere 6.5 ?

1.   En utilisant la fenêtre Transparence.
2.   En cliquant sur le petit triangle à gauche du nom de la piste pour la développer.
3.   En utilisant la palette Commandes.
4.   En utilisant la palette Infos.

3   Quelle est la touche de fonction qui ouvre le Concepteur de titres ?

1.   F12
2.   F1
3.   F2
4.   F9

4   Comment visualise-t'on le montage dans le Concepteur de titres ?

1.   En utilisant le menu Titre.
2.   En utilisant la palette Commandes.
3.   En cochant la case Afficher la vidéo.
4.   On ne peut pas.

5   Quel outil permet de créer un élément virtuel ?

1.   L'outil Elément virtuel.
2.   L'outil Sélection de blocs.
3.   L'outil Cutter.

4. La palette Transitions.

6 Peut-on enregistrer un modèle dans le Concepteur de titres ?

1. Oui, en cliquant sur le bouton Modèles (ou en utilisant le menu Titre) puis sur Enregistrer "nom du titre" en tant que modèle.
2. On ne peut pas.
3. En passant par la section Style de l'objet.
4. En utilisant la commande Fichier/Nouveau/Titre.

7 Quelle fenêtre ou palette faut-il utiliser pour créer un Garbage Matte ?

1. La palette Effets.
2. La fenêtre Trajectoire.
3. La palette de Mixage audio.
4. La fenêtre Transparence.

8 Quel est l'autre nom pour Garbage Matte ?

1. Chutier.
2. Cache de transparence.
3. Cache de piste.
4. Zone visible.

9 Combien y a-t-il de filtres Balance des couleurs dans Premiere 6.5 ?

1. 3
2. 1
3. 2
4. Aucun.

10 Avec quelle transition peut-on créer un clône ?

1. Entrelacement.
2. Diaphragme.
3. Balayage.
4. Pivot multiple.

11 Dans quel format peut-on exporter un fichier vidéo dans Photoshop ?

1. MOV.
2. FLM.
3. MJPEG.
4. AVI.

12 Quel est le raccourci clavier permettant d'ouvrir la fenêtre Transparence ?

1. F6.
2. Ctrl /Commande + C.
3. Ctrl/Commande + G.
4. Maj + F2.

13 Quelle lettre ou numéro indique le Début d'une trajectoire ?

1. N°1.
2. N°0.
3. Pas de numéro.
4. Lettre D.

14 Quel est le raccourci clavier utilisé pour ouvrir la fenêtre Trajectoire ?

1. Ctrl/Commande + Y.
2. Maj + F6.
3. Ctrl/Commande + T.
4. La lettre T.

15 Comment se nomment les fichiers de trajectoire de Premiere 6.5 ?

1. Motion Files.
2. .TRA.
3. Motion Picture.
4. Motion Presets.

16 Qu'est-ce qu'un fichier PMT ?

1. Ce type de fichier n'est pas reconnu par Premiere.
2. Un fichier au format Film fixe.
3. Un fichier de trajectoire.
4. Un fichier de configuration de la transparence.

17 A quel endroit de la fenêtre Montage place-t-on une Marque de Montage ?

1. Sur un élément.
2. Sur la Timeline.
3. On ne peut pas.
4. Sur la piste Transition.

18 Sur quel type d'élément peut-on appliquer un effet panoramique ?

1. Un élément audio monophonique.
2. On ne peut pas.
3. Un élément audio stéréophonique.
4. Un élément vidéo.

19 Dans quelle palette ou fenêtre peut-on redimensionner et positionner un élément ?

1. La palette Navigateur.
2. La fenêtre Transparence.
3. On ne peut pas.
4. La fenêtre Trajectoire.

20 Quel module des effets QuickTime peut être utilisé pour créer un film ancien ?

1. Le module Film Noise.
2. Le module Cloud.
3. On ne peut pas.
4. Le module Old Movie.

11.2 Réponses

1   Comment animer les effets dans Premiere 6.5 ?

Réponse : En utilisant les images-clés.

Lorsqu'un effet est appliqué, la fenêtre Effets le prend en compte et vous permet de manipuler ses paramètres (sauf exceptions) et d'appliquer des images-clés destinées à modifier l'effet dans le temps.

2   Comment affiche-t-on les réglages d'opacité et d'étirement dans Premiere 6.5 ?

Réponse : En cliquant sur le petit triangle à gauche du nom de la piste pour la développer.

Cette technique est expliquée dans le Chapitre 1 "Rappel des fonctions essentielles".

3   Quelle est la touche de fonction qui ouvre le Concepteur de titres ?

Réponse : F9

Cette fonction est décrite dans le Chapitre 2 "Titrage et effets de texte".

4   Comment visualise-t'on le montage dans le Concepteur de titres ?

Réponse : En cochant la case Afficher la vidéo.

Cette manipulation est décrite dans le chapitre 2 "Titrage et effets de texte".

5   Quel outil permet de créer un élément virtuel ?

Réponse : L'outil Sélection de blocs.

La création d'un élément virtuel est expliquée dans le chapitre 1 "Rappel des fonctions essentielles" et largement décrite dans le reste de l'ouvrage.

6   Peut-on enregistrer un modèle dans le Concepteur de titres ?

Réponse : Oui, en cliquant sur le bouton Modèles (ou en utilisant le menu Titre) puis sur Enregistrer "nom du titre" en tant que modèle.

Cette manipulation est expliquée dans le chapitre 2 "Titrages et effets de texte".

7   Quelle fenêtre ou palette faut-il utiliser pour créer un Garbage Matte ?

Réponse : La fenêtre Transparence.

Cette technique est expliquée au chapitre 3 "Masques, transparence et compositing" et tout au long de l'ouvrage.

8   Quel est l'autre nom pour Garbage Matte ?

Réponse : Cache de transparence.

Cette technique est expliquée au chapitre 3 "Masques, transparence et compositing".

9   Combien y a-t-il de filtres Balance des couleurs dans Premiere 6.5 ?

Réponse : 2

Il y en a deux, l'un étant un filtre After Effects.

10 Avec quelle transition peut-on créer un clône ?

Réponse : Balayage.

Cette technique est décrite dans le chapitre 4 "Clonage".

11 Dans quel format peut-on exporter un fichier vidéo dans Photoshop ?

Réponse : FLM.

Grâce au format Film fixe (flm), on peut ouvrir un fichier vidéo dans Photoshop et le retoucher image par image. Attention, ces fichiers sont très lourds.

12 Quel est le raccourci clavier permettant d'ouvrir la fenêtre Transparence ?

Réponse : Ctrl/Commande + G.

Cette fonctionnalité est utilisée tout au long de l'ouvrage.

13 Quelle lettre ou numéro indique le Début d'une trajectoire ?

Réponse : N°0.

Cette fonctionnalité est utilisée tout au long de l'ouvrage.

14 Quel est le raccourci clavier utilisé pour ouvrir la fenêtre Trajectoire ?

Réponse : Ctrl/Commande + Y.

Cette fonctionnalité est utilisée tout au long de l'ouvrage.

15 Comment se nomment les fichiers de trajectoire de Premiere 6.5 ?

Réponse : Motion Presets.

La création et l'utilisation de fichiers de trajectoire est étudiée dans le chapitre 5 "Trajectoires".

16 Qu'est-ce qu'un fichier PMT ?

Réponse : Un fichier de trajectoire.

Les fichiers PMT sont décrits au chapitre 5 "Trajectoires".

17 A quel endroit de la fenêtre Montage place-t-on une Marque de Montage ?

Réponse : Sur la Timeline.

Attention à ne pas confondre Marque de Montage et Marque d'élément.

18 Sur quel type d'élément peut-on appliquer un effet panoramique ?

Réponse : Un élément audio monophonique.

Un effet panoramique s'applique seulement sur un élément audio monophonique.

19 Dans quelle palette ou fenêtre peut-on redimensionner et positionner un élément ?

Réponse : La fenêtre Trajectoire.

Cette fonctionnalité est expliquée dans le chapitre 8 "Multi-écran".

20 Quel module des effets QuickTime peut être utilisé pour créer un film ancien ?

Réponse : Le module Film Noise.

11

Cette technique est expliquée dans le Chapitre 9 "Effets Premiere et QuickTime".

Index

C

D

E

F

G

H

I

K

⊛ L

⊛ M

N

O

P

Q

R

S

T

V

Z

Notes

Notes

Notes

Notes

Notes

Notes

Notes

Notes

Notes

Notes

Notes

Notes

Notes

Notes

Aubin Imprimeur
LIGUGÉ, POITIERS

Composé en France par Jouve
11, bd de Sébastopol - 75001 Paris

Achevé d'imprimer en décembre 2002
N° d'impression L 64509
Dépôt légal, décembre 2002
Imprimé en France